KB171715

나는 어떻게 영적으로 성장했는가

『신과 나눈 이야기』와 함께한 나의 영적 성장기

/ 승 광 은 /

부크크

나는 어떻게 영적으로 성장했는가

발 행 | 2024년 5월 25일
저 자 | 승광은
표지화 | 승정연
펴낸이 | 한건희
펴낸곳 | 주식회사 부크크
출판사등록 | 2014.07.15.(제2014-16호)
주 소 | 서울특별시 금천구 가산디지털1로 119 SK트윈타워 A동 305호
전 화 | 1670-8316
이메일 | info@bookk.co.kr

ISBN | 979-11-410-8589-6

www.bookk.co.kr
ⓒ 나는 어떻게 영적으로 성장했는가 2024
본 책은 저작자의 지적 재산으로서 무단 전재와 복제를 금합니다.

나는 어떻게 영적으로 성장했는가

『신과 나눈 이야기』와 함께한 나의 영적 성장기

/ 승 광 은 /

부크크

삶과 죽음, 영혼과 윤회의 탐구

나는 61세가 되던 2016년 2월, 37년의 교사 생활을 마감하고 퇴임했다.

은퇴 후 하고자 했던 삶의 계획 중 하나는 지난 삶을 되돌아보고 새로운 삶을 꿈꿔보기 위한 작업으로 자서전을 쓰는 일이었다. 다소의 우여곡절 끝에 일 년 반의 준비 과정을 거쳐 자전적 교사 성장기인 『나는 어떻게 교사로 성장했는가』를 출간했다. 많은 이들의 관심과 성원이 있었기에 가능한 일이었다. 다시 한 번 깊이 감사드린다.

은퇴 후 하고자 했던 삶의 계획 두 번째는 호스피스 자원봉사 활동이었다. 평소 내 자신 가장 큰 불안과 두려움의 근원이라 생각했던 죽음을 직면해 보고자 하는 마음이 있었다. 죽음을 가장 직접적으로 대면해 그를 성찰하고 극복하고자 했다. 2017년 2월말, 충남대병원 호스피스 병동 자원봉사자 교육과 실습 60시간을 끝내고 활동을 시작했다. 말기암환자들의 편안한 임종을 돕는 일로 쉽지 않은 일이었지만, 이미 10년 넘게 활동해온 선배 봉사자들의 도움으로 잘 헤쳐 나갈 수 있었다. "학생이 준비되면 스승은 나타나기 마련이다."라는 진리를 실감했다. 선배들과의 대화 속에서 죽음과 죽어감에 대한 빛나는 경험과 지혜를 전수받았다. 죽음학 선구자라 할 수 있는 최준식, 정현채 교수와 엘리자베스 퀴블러 로스를 알게 된 것도 그 때였다.

자연스럽게 죽음에 대한 두려움을 조금씩 극복해 가던 때, 비로소 그의 근본적인 해결은 내 삶과 존재를 어떤 관점으로 바라보느냐에 있음을 깨닫게 되었다. 마이클 뉴턴, 롭상 람파, 요가난다, 크리스토퍼 베이치 등의 저서들을 만나며 삶과 죽음, 영혼과 윤회가 내 공부의 주제가 되었다. 그 정점은 『신과 나눈 이야기 1,2,3』이다.

나의 은퇴 후 하고자 했던 세 번째 계획은 협동조합대안학교 설립·운영이었다. 앞서 길을 열었던 마을활동가들과 함께 학마을협동조합을 설립하고, 주토피아라는 대안교육의 장을 열었다. 나는 4년간 이사장으로 지원 역할을 했다. 지금은 핵심 마을활동가들이 사회적협동조합으로 전환해 방과후 마을돌봄 교육활동, 돌봄센터, 마을카페 등을 운영하며 자립의 길을 가고 있다.

나는 그동안의 공부 과정을 정리해 협동조합이 주관하는 웰다잉 인문학 강좌를 개설했다. 관심 있는 마을 주민들의 적극적인 참여로 2년에 걸쳐 웰다잉 기초과정, 심화과정, 전문과정을 함께 진행했다. 심화과정 이수자들은 '영혼을 사랑하는 모임(영사모)'를 만들어 배움과 친목의 시간을 지속했다. 2023년 가을부터 이어지고 있는 배움의 주제는 '『신과 나눈 이야기』 집중 탐구'이다. 나는 "교사는 배우고자 하는 것을 가르치는 법이다."라는 헬렌 슈크만의 말에 깊이 공감한다. 스스로 이 배움에 더욱 헌신하게 되고, 그 결과 이 책을 쓰게 되는 용기를 낼 수 있었기 때문이다.

『신과 나눈 이야기』 속에서 월쉬가 신에게 외친 수많은 질문들은 다름 아닌 나와 우리 모두의 물음이었다. 그 물음들은 우리들 마음 속에 담긴 "내가 누구인지, 무엇이 되고자 하는지, 세상은 왜 이렇게 돌아가는 것인지" 등에 대한 근본 의문들을 너무도 훌륭하게 대변했다. 월쉬는 자신의 나약하고 보잘 것 없는 지난 삶의 모습이 과연 신과 대화를 나눌 자격이 있는가에 대해 끊임없이 의심했다. 하지만 나는 월쉬의 그런 부족함 가운데에서도 치열한 삶을 살아가는 평범한 인간으로서의 솔직함이야말로 자격이 충분하다고 생각했다.

월쉬는 자신의 삶이 낳은 수많은 아픔과 진정성이 가득 담긴 질문들, 어찌 보면 참으로 답답하고 당돌하기까지 한 질문들을 쏟아냈다. 그럼에도 불구하고 이 모든 질문들에 대한 신의 응답은 너무도 친절하고 자상했다. 신은 가장 고귀한 생각과 명확한 말 그리고 강렬한 느낌을 듬뿍 담아 아낌없이 선물했다. 나는 책을 읽고 또 읽으며 한없는 기쁨과 진리 그리고 사랑 속에 잠겨 들어갔다.

나는 이제 선언한다. 나와 신은 하나다. 신은 어떤 특정한 형상으로, 어느 특정한 곳에 존재하는 분이 아니다. 신은 존재 전체다. 우주를 채우는 생명에너지 그 자체다. 우리는 영적 체험을 하고 있는 인간 존재가 아니라, 인간 체험을 하고 있는 영적 존재다. 우리 모두는 하나다.

나는 이제 영적 존재로 성장해 가고 있는 자신을 안다. 내 삶과 이 세상을 둘러싸고 있는 모든 상황과 사건들을 새로운 관점과 시각으로 관찰할 수 있게 되었다. 그로 인해 몸과 마음과 영혼의 조화와 균형을 가꿔갈 수 있게 되었다. 마음이 좀 더 평화로워졌다. 더 바랄 것이 없어졌다. 내가 어떤 존재인지 아는 것, 내가 어떤 존재가 될 것인지 만 있을 뿐이다.

나는 이 책에서 『신과 나눈 이야기』 속 월쉬의 물음과 신의 응답, 그 핵심적인 내용에 대한 나의 깨달음 여정을 기록했다. 그리고 이는 어찌 보면 나의 영적 배움과 성장 과정에 대한 작은 역사다. 그 구성은 책의 수많은 질문을 나의 의식이라는 체로 걸러 내고, 그를 대 주제 22장, 중 주제 50절, 소주제 150개 내외로 분류했다. 글의 순서는 소주제별 핵심 질문과 응답을 제시하면서 그에 대한 신의 해석과 나의 이해를 담고, 끝부분에 나의 깨달음과 다짐 내용으로 정리했다.

나는 이 책을 만나면서 부족하나마 영적 탐구에 대한 나름의 깨달음을 얻을 수 있었다. 그 깨달음의 작은 결실인 이 책의 내용은 나에게는 진리를 전하는 강력한 도구로서 역할을 하게 될 것이다. 이 책의 내용은 웰다잉이나 영적 탐구를 위한 연수, 『신과 나눈 이야기』 독서모임, 유투브 개설의 자료가 되고, 청소년을 위한 영적 탐구 지원 활동과 동화 창작 등 새로운 글쓰기의 밑거름이 되어 주리라 믿는다.

나는 죽음과 죽어 감을 영적 관점으로 탐구하는 웰다잉 연수를 강의식이 아닌 참여자 중심의 토의식으로 계획하고 진행했다. 자율 연수에 선뜻 참여 결정을 내린 분들의 영적 자각과 발언 내용은 그 자체로 큰 배움과 성찰의 계기가 되었다. 이를 뒷받침하는 『신과 나눈 이야기』 속 보물 같은 수많은 질문들은 더없이 훌륭한 토의주제가 되었다.

나는 『신과 나눈 이야기』 독서모임을 성인 팀과 함께 현직교사들과도 진행하고 있지만, 무엇보다 자라나는 청소년들을 위한 영적 탐구와 자각을 돕는 활동이 절실함을 깨닫는다. 기회가 된다면 교사 팀과 함께 청소년 토의 교재 제작도 희망해본다.

끝으로 이 책은 보편적 신과 영적 존재의 관점에서 쓴 글이기에, 글의 내용에 동의하기 어려운 분들은 책을 내려놓으면 된다. 글의 내용에 동의하는 분들은 『신과 나눈 이야기』 책을 구입해 원전의 진면목을 만나보길 권한다.

관심 있는 이들의 또 다른 여정도 궁금해진다.

2024년 5월, 승광은

/ 차례 /

1. 신의 존재와 신과의 교류

1) 신의 존재 증명은 가능할까?

신의 존재 유무는 믿음과 경험의 영역

『신과 나눈 이야기』[1]의 주인공인 월쉬는 이 놀라운 신과의 대화를 어떻게, 어디에서부터 시작해야 좋을지 모르겠다며, 어째서 당신은 자신을 드러내지 않느냐고 물었다. 반박할 수도 부정할 수도 없는, 확연한 드러남으로 말이다. 다시 말해 바로 지금 눈앞에 나타나는 식으로, 심지어 당신이 실제로 지니고 있는 형상이나 모습으로, 행동으로.

이에 신은 나는 존재 전체, 있음과 없음 그 자체이며 모두인데 굳이 증명할 필요가 있느냐고 반문한다. 만약 어떤 사람이 신의 모습을 봤다고, 자기네가 보는 대로의 존재로서 그 명확한 형상을 제시했다면, 그것이 과연 신의 드러남을 증명한 것이 되는가. 그는 또 다른 우상의 역사를 만들게 되지 않겠는 가라고 되물었다.

이는 다양한 종교들이 서로 다른 신의 형상을 드러냈고, 그 과정에서 숱한 갈등과 전쟁을 불러왔던 인류의 역사 속에 나타난 사실들이 그를 증명해주고 있음을 나는 이해한다.

또한 나는 신의 드러냄을 원한다는 것은 신은 그곳에 없다는 우리 마음속에 내재된 받침 생각 즉 뿌리생각이 갖는 창조력에 의해

---

1) 『신과 나눈 이야기1,2,3』, 닐 도날드 월쉬 지음, 조경숙 옮김, 아름드리미디어, 2019.

영향 받는다고 생각한다. 이는 신의 어떤 것도 지금 드러나고 있지 않다는 진술이 되기에 그런 진술은 그런 체험을 낳고, 그 결과 우리는 오히려 신을 볼 수 없게 된다는 의미이다.

따라서 나는 신의 존재 유무에 대한 과학적 근거를 제시할 수 없다는 한계를 인식한다면, 이는 믿음과 경험의 영역이라 인정하지 않을 수 없다고 이해한다. "신은 존재하지 않는다."라는 주장 역시 객관적이고 합리적인 근거를 제시하기 어렵다는 것도 마찬가지라 생각한다.

그럼에도 불구하고 나는 전체는 부분의 증명으로 증명할 수 있다는 주장에 동의하고 공감한다. 근대 심리학의 아버지라 불리는 제임스 윌리엄스가 제창한 '흰 까마귀론'은 그 주장을 뒷받침해준다. 이는 세상 까마귀가 모두 검다는 주장을 반박하기 위해서 지구상의 모든 까마귀를 전부 다 조사할 필요는 없고, 단 한 마리의 흰 까마귀를 보여주는 것만으로도 충분하다는 주장이다.[2]

그렇다면 신이 존재 전체이고, 그 존재 전체에 이르는 부분을 증명할 수 있다면, 신의 존재를 증명하는 것이 되지 않을까?

이 부분을 통한 전체의 증명은 내 자신이 신의 존재를 확고한 믿음과 기쁨으로 받아들이게 된 방식이다. 나는 확고한 믿음과 기쁨은 자신의 체험으로 담아내는 가장 큰 설득력을 지닌 진리, 가장 고귀한 느낌인 사랑에서 온다고 믿는다.

이와 관련해 선각자 요가난다는 그의 자서전에서 자신이 수행 중 스승 유크테스와르에게 간절히 신을 찾고 싶다고 하자, 스승은 너는

---

[2] 『우리는 왜 죽음을 두려워할 필요 없는가』, 정현채 지음, 비아북, 2018, 142쪽

이미 신을 찾았다고 하면서 말씀한 것을 다음과 같이 기록했다.

"네가, 우주의 어느 순결한 장소에서 왕관을 쓰고 계신 숭엄한 인격체를 기대하는 게 아니라는 것쯤은 잘 안다. 하지만 너는 기적의 힘을 소유하는 것이 신을 찾은 증거라고 생각한다. 우주 전체를 조종하는 능력을 획득하더라도 여전히 신을 놓칠 수 있다. 영적인 진보는 바깥으로 드러나는 능력의 현시에 의해 측정되는 것이 아니라, 오직 명상 가운데서 얻어지는 희열의 깊이로 측정된다. 언제나 새로운 기쁨이 바로 신이다."[3]

나는 지난 날 "신은 우리가 이해하고 설명하고 증명할 수 없다."는 불가지론자에 가까웠다. 한편으로는 신이 존재한다면 그 존재를 증명할 수 있어야 하지 않을까 하는 의문을 가졌다. 존재를 증명할 수 없다면 존재하고 있지 않다는 게 아닐까 생각했다.

한편 나는 "과학은 설명할 수 있는 것을 설명하고, 철학은 설명할 수 없는 것을 설명하며, 신학은 설명해서는 안 되는 것을 설명한다."[4]는 주장에 공감한다. 나는 첨단과학 기술문명이 세상을 지배하고 있는 시대에 살고 있지만, 이 세상에는 우리 눈앞에 드러나지 않는 우리가 알 수 없는 더 많은 것들이 있을 수 있음을 믿는다.

그러나 이제 나는 신의 존재를 증명해야 할 필요성을 느끼지 않는다. 그는 당위이며 믿음의 영역이다. 신은 존재 전체이고, 생명 그 자체이기에. 나 역시 존재하는 전체이고, 생명 그 자체이며, 그 모두

---

3) 『요가난다, 영혼의 자서전』, 파라마한사 요가난다 지음, 김정우 옮김, 뜨란, 2020, 256쪽
4) 『롭상 람파의 가르침』, 롭상 람파 지음, 이재원 옮김, 정신세계사, 2020, 19쪽

는 영원할 것임을 알기에. 그렇기에 내가 왜 굳이 신의 존재를 증명하고 설명해야 하겠는가?

그럼에도 불구하고 나는 이 책 속 신의 응답을 통해 신의 존재에 대한 확고한 믿음에 이르는 수없이 많은 부분의 증명을 깨닫는 경험을 할 수 있었다. 나는 그 깨달음에 이르게 한 부분들은 거부할 수 없는 강한 설득력이 담긴 진리와 더없이 강렬한 기쁨과 사랑이 담긴 말씀들임을 안다.

나와 하나로 연결되어 있는 근원으로서의 신

월쉬의 신에 대한 분노에 찬 외침과 질문들은 많은 이들로부터 공감을 얻으리라 생각된다. 왜냐하면 우리에겐 나란 존재가 자신이 원하는 삶을 누리기에는 너무도 나약하고 무력하게 다가오기 때문이다. 더욱이 자신의 힘으로는 도저히 변화시킬 수 없을 것 같은 이 거대한 불평등 사회구조와 세상이 내 앞에 떡하니 버티고 있지 않은가.

그런데 이 세상을 창조하고 전지전능한 힘을 갖고 있다는 신은 과연 있기나 한 것일까? 무한한 사랑을 지닌 신은 왜 강 건너 불구경하듯 아무런 도움도 주지 않고 있을까? 나는 죽을힘으로 최선을 다해 살아가려 노력하고 있음에도 왜 의식주의 기본적 욕구조차 제대로 해결하지 못해 쩔쩔매며 쫓기듯 살아가야 할까? 상황이 이렇다면 더 더욱 분노에 찬 외침을 쏟아 낼만 하지 않은가.

비교적 순탄한 삶을 살아온 이들에게도 정도의 차이는 있지만 불완전한 인간으로서 갖는 불안감과 두려움이 있을 것이다. 물질적 풍요 속에서도 정신적 공허함을 절실하게 느낄 수도 있고, 죽음 앞에 무력한 인간 존재의 한계에 끝 모를 두려움이 일수도 있을 것이다.

내 주변과 지구공동체 곳곳에서 일어나는 숱한 사건과 사고는 어떤가. 만물의 영장이라는 인간이 같은 종인 인간을 어떻게 대하고 있는지를 보면 참으로 절망스럽지 않은가. 나아가 광대한 우주의 신비스러움이 주는 경외감과 무수한 의문점들까지 생각한다면, 어느 날 습관적으로 펜을 쥐고 내갈긴 월쉬의 신을 향한 분노의 외침에 공감이 된다.

하지만 그걸 공감한다 하더라도 그 질문에 대한 신의 응답을 직접 받아 대화를 나누었다는 것에는 많은 이들이 믿기지 않는다는 반응을 보일 것이라 생각된다. 신의 존재 자체도 의심스러운데, 수년에 걸쳐 신이 특정 인간과 대화를 나누었고, 그 내용을 책으로 냈다는 것은 더욱 더 믿기 어렵다는 데도 공감되기 때문이다.

다만 월쉬는 기독교인이었기에 신의 존재를 당연시했을 것으로 보인다. 그러나 내가 알기로 기독교에서 말하는 하나님은 특정 형상을 지니고 특정 공간에 존재하는 인격화된 신에 가깝지 않을까 생각된다. 그런 관점에서 신과의 대화는 불경스럽게 받아들여질 수도 있을 것이다.

하지만 존재 전체인 신, 생명에너지 그 자체인 신, 만물의 원천으로서의 신을 가정한다면 이야기는 달라질 것이다. 나와 하나로 연결되어 있는 근원으로서의 신이라면 누구와도 언제 어디서라도 대화할 수 있는 존재가 신이기 때문이다. 죽어서만이 아닌 살아서도 말이다.

나 역시 생존과 기본적 욕구 충족의 어려움, 질병에 따른 고통, 관계 속의 불편함, 인간 존재 자체에 대한 의문, 삶의 목적에 대한 의문, 죽음에 대한 불안과 두려움, 사회 불평등 구조에 대한 의문, 인류 미래의 불투명성, 신의 존재와 그 역할에 대한 의문 등 많은 의문을 지니고 있었다.

사람은 누구나 다 지나고 나면 고통과 아픔도 추억 속에 아름답게 포장되게 마련이라지만 자세히 살펴보면 더 없이 파란만장한 삶을 살아왔음을 인정하지 않을 수 없을 것이다. 따라서 지금 이 순간에 자신을 둘러싼 모든 상황과 사건들을 만들어 낸 신이 있다면, 그것이 우연히 일어난 것이 아니라면 신에게 따져 묻고 싶은 것이 있음은 당연하다.

따라서 나 자신도 이 책의 내용인 신과의 대화라는 진실에 앞서 신의 존재에 대한 불확실성과 의심이 일었다. 그럼에도 불구하고 월쉬가 던진 개인적인 의문과 질문에 깊이 공감하면서 동시에 신의 응답 내용에 강한 호기심과 기대를 갖고 대했음을 고백한다. 그리고 나는 그 호기심과 기대를 충족하는 기쁨과 은혜로 나의 영적 성장에 큰 도움을 받았음을 함께 고백한다.

그리고 신의 응답처럼 '죽는 한이 있어도'가 아닌 '살아서 꼭'이라고 하는 적극적 의지로 '왜 이렇게 내 인생이 힘들고 고통스러운지', '나는 어떤 존재이고, 어떤 존재로 살아가야 하는지', '세상이 왜 이런지', '이 우주에는 내가 모르는 어떤 기쁨과 진리가 숨어 있는지' 등 끝없는 질문을 던지고 싶은 모든 이들 중의 하나이고자 함을 안다.

이제부터 내 자신이 왜 신의 존재를 믿고 경험하며, 영적존재로서 더할 수 없이 깊고 큰 깨달음을 얻으며 성장할 수 있었는지를 펼쳐 내 보고자 한다.

2) 신은 누구와 어떻게 교류하는가?

느낌은 영혼의 언어

신은 누구와 어떻게 교류하느냐 라는 월쉬의 질문에 신은 느낌과 생각 그리고 체험이라는 전달 수단을 사용해 교류하며, 그리고 마지막으로 말을 쓴다고 응답한다. 이는 무슨 뜻일까?

나는 영적 세계가 생명에너지, 진동과 파동으로 이루어진 곳이라면 영혼의 언어가 말일 수는 없다고 생각한다. 따라서 신과의 교류는 영혼의 언어인 텔레파시, 즉 내면의 느낌(감정)으로 이루어지며, "느낌은 영혼의 언어다."라는 응답에는 깊은 성찰의 깨달음이 전해진다.

나는 이를 이해하기 위해 우리는 몸과 마음과 영혼으로 이루어진 삼중의 존재라는 것을 전제해야 한다고 생각한다. 우리가 신의 존재를 믿는다면, 인간은 신의 창조물이기에 영적인 존재이고 신과 하나다. 우리 모두가 하나라면 신이 특정한 사람만이 아닌 모든 사람에게 말할 것이라는 것은 당위이다.

인도의 요기이자 산스크리트어 학자인 라마무르티 미쉬라에 따르면 그리스도는 희랍어 크리스토스에서 유래했고, 이 어원은 산스크리트어 크리슈나에서 유래되어 변형된 말로 '부서질 수 없는 내면의 빛'이라는 뜻을 담고 있다.5) 우리 모두가 그리스도요, 영적 존재요,

---

5) 『마스터의 제자』, 피터 마운트 샤스타 지음, 이상범 외 2인 옮김, 정신세계

신임을 상징하는 말이 아닐까 생각된다.

무엇이 참이요, 진리이며, 신과의 교류인가를 알려면 조용히 내면의 느낌에 다가가면 된다. 그 내면의 느낌에 귀 기울일 수 있다면 누구나 신과 대화할 수 있음을 나는 이해한다.

나는 느낌이 영혼의 언어라면, 생각은 마음의 언어라 이해한다. 체험은 느낌과 생각에 따라 현실로 드러난 결과다. 말이 마지막 교류의 수단이라는 신의 말씀은 느낌과 생각을 구체적 기호로 드러내는 말이 지닌 한계가 크기 때문임을 나는 공감한다.

나는 그동안 신이 인간과 대화를 나눈다는 것 자체를 의심하고 부정했다. 이는 신의 존재 그 자체부터 제대로 성찰하지 못했고, 종교적 배움과 믿음도 부족했으니 당연한 결과다.

그러나 이제는 그동안의 탐구 과정을 통해 내 자신이 영적 존재임을 확신하게 되었기에 신과 대화할 수 있음을 부정하지 않는다. 나아가 그 대화를 교류로 바꾸고, 교류의 핵심이 느낌인 내면의 소리에 있음을 자각하게 되었다.

지난 코로나 감염 때, 고열과 함께 약의 부작용 탓인지 호흡 곤란 등의 증세로 매우 힘들었다. 새벽에 거실에 나와 호흡을 고르며 잠시 명상에 잠겼다. 약 복용을 중단하라는 내면의 소리가 전해졌다. 그 느낌에 따라 충분한 휴식과 적절한 식사 등 자체 면역력 강화로 치유했던 일이 있었다.

우리는 살아가면서 뜻밖의 여러 가지 어려운 문제 상황에 놓일 때가 있다. 그런데 그 매우 곤란함을 겪던 일이 예상하지 못한 도움과 방식으로 잘 해결되었던 경우가 있다. 선한 동기와 의지에 기초한 우리의 체험이 불러온, 하늘은 스스로 돕는 자를 돕는 경우다.

어떤 때는 자고 일어나 처음 전해오는 내면의 느낌이 가장 좋은 해결 방안이 된 적도 있었다. 왜 그런 일이 일어났을까? 생각이 갈피를 잡지 못하고 있을 때, 꿈을 통해 영혼이 기억 속에 잠재된 해법을 찾아 전해 준 신과의 교류 사례라 생각한다.

이제 나는 걱정과 근심을 많이 내려놓게 되었다. 혼란스런 마음을 내려놓고 조용한 가운데 내면의 소리에 귀 기울이게 되면 수호천사나 인도령 또는 신과 우주가 함께하고 도와주고 있음을 느낄 때가 있다.

가장 큰 기쁨과 진리와 사랑

우리가 신에게서 나온 메시지임을 어떻게 알 수 있느냐 라는 월쉬의 물음에 신은 가장 고귀한 생각이란 예외 없이 기쁨이 담겨 있는 생각이며, 가장 명확한 말이란 진리를 담고 있는 말이며, 가장 강렬한 느낌이란 너희가 사랑이라 부르는 바로 그 느낌이라고 그 기본 원칙과 지침을 말씀했다.

그렇다면 우리는 이 기본 원칙과 지침을 어떻게 좀 더 쉽게 이해할 수 있을까? 기쁨과 진리와 사랑은 무엇일까?

나는 기쁨은 신성의 부분을 기억해 내고 체험할 때, 진리는 우리 모두에게 가장 이로운 것이라는 설득력을 줄 때, 사랑은 신과 하나 될 때 담을 수 있다고 이해한다. 우리는 몸과 마음과 영혼으로 이루 어진 3중의 존재다. 그러나 현실은 우리가 몸과 마음으로 이루어진 2중의 존재로 받아들여진다.

우리가 몸과 마음의 이원론으로 살 때, 우리는 서로를 분리된 존 재로 여긴다. 우리의 생명은 단 한 번만 주어지기에 언젠가는 죽음 으로 끝난다. 이에 적자생존의 논리와 약육강식의 삶을 추구한다. 돈 과 권력, 명예와 지위가 성공의 기준이다. 이런 개인적 영광을 추구 하는 삶이 진정한 기쁨과 진리와 사랑을 가져다주기는 어렵다.

그러나 우리가 몸과 마음과 영혼의 조화와 균형을 추구한다면 삶 의 모습은 전혀 달라진다. 영혼은 영적 존재로 신의 창조물이다. 우 리 모두가 신의 자식이요, 모두가 하나이다. 분리가 아닌 합일이 기 본 원리이다. 영혼은 신의 무한한 사랑 속에 영원불멸하는 존재이기 에 죽음은 끝이 아니라 또 다른 시작이다.

따라서 영적 존재로서 무한한 신의 사랑을 체험으로 알고, 새롭게 창조해 나가는 것이 우리 삶의 목표이다. 이렇게 삶을 가꿀 때, 가장 고귀한 생각과 명확한 말과 강렬한 느낌을 갖는다. 이렇게 살 때, 가 장 큰 기쁨과 진리와 사랑을 담을 수 있다고 나는 이해한다.

우리 모두가 하나라는 영적 존재로서 이 기본 원칙과 지침을 느 끼고 직관적으로 알 수 있다면 이는 신의 메시지다. 이 기쁨과 진리 와 사랑, 모두를 담아내는 과정인 체험과 자신의 내면 깊은 곳에서 전해지는 느낌에 귀 기울일 수 있다면 우리는 언제라도 신과 교류할 수 있음을 알 수 있다고 나는 이해한다.

나는 이 책의 모든 질문에 공감했으며, 그 응답에 한없는 기쁨을 얻었다. 누구에게도 거부당할 수 없는 명확한 진리에 설득되었다. 문장 하나하나와 맥락 속에 담겨 전해져 오는 강렬한 느낌으로 무한한 사랑에 감싸였다.

나는 지금까지 내가 살아오며 수많은 선각자들의 물음과 응답들에서 깨달음을 얻고 성장했다. 나는 나에게 깨달음을 안겨준 그 모든 선각자들이 신과 교류했음을 안다. 그리고 나는 이 책은 내 자신이 직접 신과 교류하며 그 명확한 진리를 깨닫게 해준 도구였음을 안다.

나는 이 책을 통해 직접 신에게 질문하며 개인과 공동체의 삶과 과제 그리고 우주 최상의 진리까지 가장 친절하며 명확하고 설득력 있는 해답을 얻을 수 있었다. 그 덕분에 나는 더 이상의 물음이 필요 없게 되었다. 죽음의 두려움에서 벗어나 평온함을 얻게 되었다. 그 평온함은 결국 '나는 누구인지' '나는 어떤 존재가 되고자 하는지'를 명확히 깨닫게 된 덕분이었다.

이 책을 읽고 또 읽고, 밑줄 긋고 요약하고, 명상하고 반추하며, 충만하고 황홀한 기쁨과 만족감 그리고 자신이 영적으로 성장하고 진화되고 있음을 느낄 수 있었다. 또한 앞으로 남은 내 삶 속 영적 과제를 찾을 수 있었다는 점 등은 이 책을 통해 내가 신과 교류하고 대화하고 있었음을 증명해준다.

인간 체험을 하는 영적인 존재

신과 교류할 수 있는 특별한 사람, 특별한 때는 없다는 신의 말씀을 우리는 어떻게 이해해야 할까?

우리는 신의 창조물이기에 우리 모두는 하나다. 따라서 우리는 영적 존재로 신성을 지녔으며, 영적 존재인 모든 개별 영혼들은 하나이기에 똑같이 특별하다. 다른 사람보다 더 특별한 사람이 있을 수 없다. 프랑스의 과학자며 신학자였던 테야르 드 샤르뎅 신부는 "우리는 영적인 체험을 하는 인간이 아니라, 인간 체험을 하는 영적인 존재이다."[6]라고 강조했다.

이에 신은 특별한 방법으로 특별한 사람들과만 교류한다는 믿음은 스스로 신의 메시지를 들어야 하는 책임을 회피하게 된다고 말씀한다. 이는 신에 직접 귀 기울이기보다 다른 누군가의 말에 의존하게 된다. 누군가의 특별함에 기대야만 신과 교류할 수 있다는 생각은 자신이 주체적이고 자유롭게 선택할 수 있는 영적 존재임을 망각한 데서 나온 책임 회피가 될 수 있다고 나는 이해한다.

또한 우리는 신과 교류하기 위해서는 특별한 때와 공간이 필요하다는 의식을 갖고 있다. 신은 어떤 신성한 곳에 특별한 형상으로 존재함을 믿는다. 이에 신을 만나고 교류하기 위해서는 일상의 현실에서 벗어나 좀 더 정화된 몸과 마음으로 다가갈 일정한 때와 공간이 필요하다.

---

6) 『우리는 왜 죽음을 두려워할 필요 없는가』, 정현채 지음, 비아북, 2018, 123-124쪽

그러나 신을 존재 전체요, 우주 만물을 창조하고 유지하는 생명에 너지 그 자체로 여긴다면 특별한 때와 장소는 있을 수 없다. 우리는 존재 전체인 신의 창조물이기에 존재의 한 부분들이며 생명에너지와 한 몸이다. 신은 언제 어느 곳이나 존재한다. 영적 존재로서 인간 체험을 하고 있는 일상의 삶 속 모든 때와 장소에서 신과 교류할 수 있다.

따라서 우리는 위대한 선각자들처럼 진실한 마음으로 내면의 소리에 귀 기울여 직접 신과 교류하면 된다. 나는 참된 자신으로 기쁨과 진리와 사랑 그 자체로 있을 수 있다면, 우리 모두는 언제나 어느 곳에서나 신과 교류할 수 있다는 것으로 이해한다.

나는 신을 믿는다. 하지만 특정 종교를 갖고 있지 않다. 특정 교리와 성직자를 통해 신과 교류하고자 하는 종교생활이 뭔가 자신의 주체적 삶의 태도를 제한하고 있다는 느낌을 갖고 있었다.

나아가 신과 교류하기 위해서는 특정한 날에, 특정한 공간에서, 특별한 믿음을 갖는 사람들과 함께해야 한다는 것도 이해하기 어려웠다. 무한한 사랑의 신은 우리에게 그런 불필요한 조건과 규칙을 둘 분이 아니라 믿었기 때문이다.

나는 이 책을 통해 신의 무한한 사랑과 영원성을 새롭게 인식할 수 있었기에 신과 교류함에 있어 특별한 사람, 때, 장소가 있을 수 없음을 안다. 나아가 우리 모두는 인간 체험을 하고 있는 영적 존재 이기에 영적 주체성, 책임성, 자유선택권 등이 신과 교류함에 있어 보다 진실한 조건이요, 방법임을 깨달아 갈 수 있었다.

하지만 교회 권사인 아내는 신과의 직접적 교류, 나아가 '내가 곧 신이요, 그리스도'라는 나의 믿음이 불경스럽다며 부담스러워 한다. 수많은 선각자들이 당시의 기득권을 지닌 권력자들과 성직자들로부터 받은 고난을 생각해보면 당연한 일이다.

내 느낌과 생각, 체험에 귀 기울이며

신이 말씀한 '너희의 진리와 내 진리'는 무엇을 말하는 것일까?

앞서 우리는 자신이 영적 존재로 누구나 언제 어디서나 신과 교류할 수 있음을 성찰했다. 그러나 현실은 이와는 달리 이른바 성직자로 불리는 특별한 이들의 교리와 가르침, 종교적 성소와 예배를 통해서만 신을 만나고 알 수 있다고 생각한다. 따라서 신이 말씀한 '너희의 진리'란 특별한 이들만이 진리를 전할 수 있다고 믿는 우리의 잘못된 믿음이라 나는 이해한다.

이에 신이 말씀한 너희의 진리와 가르침에 따라 우리가 행동해온 결과로 만들어진 이 세상이 어떤 모습을 하고 있는지 보면 그것이 얼마나 잘못된 것임을 알 수 있다. 여전히 우리 세상은 서로를 분리된 존재로 여기며, 갈등과 폭력이 난무하고 있지 않은가.

그렇다면 신이 말씀한 '내 진리'는 어떻게 이해해야 할까? 나는 신은 영적 존재인 우리의 자유로운 선택을 허용한다고 믿는다. 그렇지 않다면 우리가 여기에 있을 이유가 없다. 이에 우리의 잘못된 진리와 믿음에 따를 때조차도 마찬가지일 것이다.

우리가 비로소 영적 존재임을 깨닫고 누구나 언제 어디서나 기쁨과 진리와 사랑을 담아낼 수 있다면, 참된 진리를 말할 수 있음을 알 때 신은 자신의 진리를 나눌 것이다. 나는 신이 말씀한 '내 진리'란 우리 모두가 신과 하나임을 아는 것이라 이해한다.

따라서 이런 식으로 우리가 알고 있다는 신에게 보내는 진리와 믿음은 나의 것이 아니며 틀릴 수 있다고 물어야 한다. 이는 불경이 아니다. 신은 오히려 우리의 자각과 질문에 기뻐하시리라 믿는다. 내가 영적 존재이고, 신과 하나라면 당연히 신의 모든 진리는 신과의 직접적인 교류를 통해 만날 수 있어야 한다. 내 느낌과 생각과 체험에 귀 기울이며.

나는 '틀렸다.'고 생각한 것이 '옳은' 경우와 '옳다.'고 생각한 것이 '틀린' 경우가 많이 있었다. 나의 섣부른 판단과 설익은 주장으로 인해 많은 이들에게 상처를 주었다.

지난날 입시경쟁교육만이 아이들을 위한 올바른 교육이라고 믿었던 경험, 교사는 국가공무원이고 국민이 아닌 국가에 봉사해야 하는 직업인이라 믿었던 경험, 따라서 교사는 교장의 명에 따라 학생을 교육한다는 잘못된 교육법을 믿었던 경험들이 있었다.

이 때 다른 사람들의 판단과 잘못된 기존 제도에 순응하기를 거부하고 민족 민주 인간화교육을 기치로 주체적 삶을 선택한 교사들이 나타났다. 나는 이 움직임에 동참하고, 이런 잘못된 관행에 이의를 제기하면서 소위 문제 교사로 낙인 찍혔던 경험들이 있다.

또한 지난날 뜻을 함께했던 이들과 함께 입시경쟁교육이 아닌 참된 대안교육을 모색하고 실천을 통해 변화를 모색했던 경험들이 있다. 지금 생각해보면 이러한 노력들에 의해 영적 주체성, 책임성, 자유선택권 등이 신과 교류함에 있어 보다 진실한 조건임을 깨닫는 밑거름이 되었다.

나는 내가 들은 게 틀린 것처럼 여겨졌을 때 더욱 더 신에게 귀를 기울여야 함을 안다.

3) 신의 바람은 무엇일까?

간청의 기도가 아닌 감사의 기도

신은 우리가 뭔가를 원한다는 것은 결핍의 진술이 되어 모자람의 현실을 만들어낸다고 말씀한다. 우리는 이를 어떻게 이해해야 할까?

신은 존재 전체요, 우주 만물은 생명에너지 그 자체다. 이에 우리의 모든 생각과 말과 행동은 에너지를 만들며 물질을 형상화해 현실을 만들어내는 엄청난 힘을 갖고 있다. 세상의 모든 상황과 사건들은 개인과 집단의식의 결과물이다. 이는 개인의 삶이나 인류의 역사를 통해서 드러난 사실이다.

우리는 영적 존재이기에 우리의 생각과 말과 행동은 영혼의 언어인 내면의 느낌에 지배된다고 믿는다. 즉 우리가 뭔가를 원한다는 것은 그것이 지금 부족하다는 내면의 느낌 때문에 드러난다고 보는 것이다. 이에 우주는 내면의 느낌을 진실로 여겨 받아들이게 된다는 것으로 나는 이해한다.

따라서 우리가 무언가를 원한다는 것은 그것을 갖고 있지 않다는 결핍의 진술이 되며, 신은 이 받침 생각을 더 우선한다. 신은 그것이 우리의 내면에 자리한 보다 근원적인 진술로 받아들이기 때문이다. 내가 간절히 '돈을 원한다.'는 것은 현재 내게는 '돈이 부족하다.'는 강한 진술을 내재하고 있을 것이다. 이 내재하는 느낌이 받침 생각으로 보다 현실적인 힘을 갖게 되는 것이다.

이에 신은 올바른 기도는 간청의 기도가 아니라 감사의 기도라 말씀한다. 이는 무슨 뜻일까?

나는 간청은 우리의 내면에 부족함이 있음을, 감사는 우리의 내면에 이미 넉넉히 있음을 드러냄을 나타내는 것으로 이해한다.

말하자면 "나는 더 이상 돈이 필요치 않다." "나의 풍요로운 삶에 감사한다."라는 진술은 "모든 것이 충분하다."라는 풍요의 진술, 받침 생각이 되기에 신은 그를 받아 더욱 충분하고 풍요로운 은총을 보내줄 것이라 나는 이해했다.

그동안의 삶 속에서 나 역시 다양한 면에서 소원을 청했다. '좀 더 건강했으면', '돈이 더 있다면', '두려움이 없다면', '고통과 불평등이 없다면' 등 수없이 많았다. 이렇듯 나의 삶 속에서 행한 기도의 대부분은 나와 내 가족의 건강과 부 등을 원하는 구복의 기도였다. 조금 더 나아가 나라와 민족의 화합과 번영, 세상의 평화를 위한 신의 은총이었다. 이제 나는 그 청 함들이 오히려 결핍의 진술이 된다는 것을 깨달았다.

이제 나는 요즘 "더 이상 바랄 것이 없다."라는 생각, 말, 행동을 한다. 하루의 시작과 끝 또는 매 순간, "이렇게 몸과 마음과 영혼의 조화와 균형을 이루도록 해주셔서 감사드립니다." 라고 기도한다. 내가 어떤 존재인지, 어떤 존재가 되어야 하는지, 세상의 모든 상황과 사건이 왜 그렇게 일어난 것인지를 알기에.

나는 감사는 신에게 보내는 가장 강력한 진술, 내가 청하기도 전에 신이 먼저 대답해주는 하나의 확약임을 안다. 나는 결코 간청하

지 않고, 지금 이 순간 여기, 있는 그대로의 것에 진실한 마음으로
감사해야 함을 안다.

신은 창조자가 아닌 관찰자

  신은 창조자가 아니라 관찰자라고 말씀한다. 우리는 이를 어떻게
이해해야 할까?

  우선 만약 신이 우리의 모든 체험을 창조하고 결정한다면, 영적
존재로서 우리의 인간 체험은 꼭두각시에 불과해지고 그 의미를 상
실하게 될 것이다. 신이 모든 것을 창조하고, 결정한다면 우리가 이
지구상의 그 어렵고 힘든 체험을 할 이유가 어디 있겠는가? 소위
천국에서 신의 은총 속에 영원히 잘 지낼 수가 있는데 말이다.

  우리에게 주어진 신의 간섭과 통제에서 벗어날 수 있는 자유의지
와 자유선택의 권리는 인간 체험을 하고 있는 영적 존재의 기본 조
건이다. 우리 역시 창조자이기 때문이다.

  그렇다면 신은 무엇을 관찰할까?

  신은 모든 영혼들이 신성을 체험으로도 알고 재창조한다는 삶의
목표를 달성하기 위한 올바른 방향으로 가고 있는지를 살펴볼 뿐이
라고 이해한다. 우리 모두는 신의 부분들이기에 영혼이 가고자 하는
목표에 좀 더 효과적인지 또는 효율성이 있는지 관심을 갖는 것은
당연하다 생각한다.

  다만 신은 관찰할 뿐이지 옳고 그름을 판단하거나 벌을 주기 위

해 심판하지는 않을 것이라 믿는다. 영혼의 자유선택권을 존중하기 때문이기도 하지만 더없이 완벽하고 전능한 신이 우리가 뭘 하든 신경 쓸 일이 무엇이 있겠는가. 뭐가 두려워 판단하고 심판하려 하겠는가.

그럼에도 우리가 무한한 신의 사랑을 믿지 못하거나 그를 왜곡하고 오용해 자신의 이익을 도모하려는 데서 두려움이 발생한다. 우리가 영적 존재로서 우리 모두는 신과 하나임을 깨닫는다면 우리의 창조력을 믿고, 우리의 선택을 온전히 받아주시며 사랑으로 관찰하고 있는 신임을 알게 되리라 나는 이해한다.

이에 우리가 창조해내는 모든 결과는 우리의 기도가 만든 결과일 뿐임을 나는 믿는다.

나는 그동안 신이 존재한다면, 그 분은 모든 것을 창조하고 주관하는 분이라 생각했다. 나에게 신은 세상의 옳고 그름을 판단하고 주재하시는 분이기에 외경의 대상이었다. 한편으로는 인간의 행위에 따른 결과를 심판하실 분이기에 뭔지 모를 두려움의 대상이었다.

이제 나는 신은 우리의 자유의지를 침해하지 않는다는 것을 안다. 신은 우리의 청함을 받아들여 모든 것을 이뤄주시는 창조주가 아니다. 나와 세상의 변화는 우리의 몫임을 안다. 신은 우리가 원하는 것을 이뤄낼 수 있는 자유선택권을 주셨음을 안다.

나는 만약 신이 만사를 주재하시고, 우리의 기도를 다 들어주신다면 우리가 지상에서 이 어려운 체험을 할 이유가 없음을 안다. 또한 나는 신은 자신의 일부인 우리를 통해 신성의 모든 것을 체험하고 있기에 우리가 뭘 하든 마음 쓰지 않으리라는 것도 안다.

신성을 체험하며 창조의 기쁨을 온전히 누리는 것

신은 우리의 예배도 복종도 섬김도 필요가 없다고 말씀한다. 우리는 이를 어떻게 이해해야 할까?

신은 존재 전체이기에 특정 개념으로 신을 인격화하거나 규정하거나 제한할 수 없다. 또한 신은 전능한 존재이기에 누군가의 복종을 원하거나 섬김을 받고자 하지 않는다. 앞서 우리가 성찰한 바대로 복종과 섬김을 원한다는 것은 그 자체로 전능하거나 온전하지 못하다는 것을 증명하게 되는 것이라 나는 이해한다.

그런데도 우리의 현실은 신을 예배와 복종과 섬김의 대상으로 믿는다. 만약 신을 구원을 위한 두려움과 심판의 주재자로 여기기 때문이라면 나는 동의하기 어렵다. 그러나 우리 모두가 신의 창조물이고, 우리 모두가 신과 하나라는 믿음에서 자신과 우리 모두를 사랑 그 자체로 예배와 복종과 섬김의 대상으로 삼는다면 나는 동의한다.

또한 신은 완벽 그 자체이기에 부족함이 없는 완전체이다. 당연히 신은 필요한 것도 없으며, 그 무엇도 요구하지 않는다. 그러한데 그 무엇이 신을 불편하게 하거나 두렵게 할 수 있단 말인가.

그렇다면 신의 바람은 무엇일까?

앞서 우리는 신은 창조자가 아니라, 관찰자라고 성찰했다. 우리가 영적 존재로서 인간 체험을 하고 있는 목적을 실현하기 위해 올바른 방향으로 가고 있는지 살펴보고 있다는 뜻으로 이해했다.

그 목적은 존재 전체인 신성의 모든 것을 개념으로만 아는 것이 아니라, 이 물질계의 체험을 통해서도 깨닫기 위함에 있다. 따라서 신의 바람은 신의 무수한 부분들인 영적 존재로서 체험하고 있는 모든 상황과 사건들에 담긴 기쁨과 진리와 사랑을 마음껏 누리며, 새롭게 창조해 나가길 바라는 데 있다고 나는 이해한다.

그동안 나는 신은 복종하고 예배하고 섬기는 존재라 생각했다. 그것이 구원에 이르는 신의 바람일 것으로 생각했다. 그러나 이제 나는 "전능하신 사랑의 신은 섬김을 원하지 않는다. 나는 영적 존재이며, 수시로 신과 대화하고 있다."는 말로 기독교 신자인 아내의 믿음을 불편하게 하고 있다.

나는 오직 신의 바람은 영적 존재인 우리가 신성을 체험하며 창조의 기쁨을 온전히 누리라는 데 있음을 전적으로 수용한다. 나는 신은 이런 바람들이 실현될 수 있는 완벽한 체계를 세워놓았음을 안다. 나는 내 삶의 근원적 물음의 해답을 구할 수 있음에 감사하다.

나는 이 책이 복종과 예배와 섬김을 바라는 신이 아닌 무한한 사랑을 지닌 신과 나와의 대화라 믿으며, 이 책에 푹 빠졌다.

진리를 전하는 사자의 조건

신은 신의 진리를 전하는 사자(使者)로 불완전한 삶을 살아온 사람이 더 좋다고 말씀한다. 우리는 이를 어떻게 이해해야 할까?

사실 우리는 몸과 마음의 이원론적 존재로 인식하며 살기에 분리주의와 적자생존의 원리에 지배된다. 늘 생존의 위협 속에서 긴장과 불안감을 안고 산다. 치열한 경쟁 속에서 살아남기 위해 늘 무언가에 쫓기듯 살아간다.

그러나 우리는 몸과 마음과 영혼으로 이루어진 3중의 존재다. 우리는 신의 창조물로서 신성의 모든 부분을 체험하고 있는 영적 존재들이다. 그렇다면 삶에서 일어난 일 모두가 우리 자신과 관련된 영혼들이 성장하기 위해 필요했던 완벽한 상황과 사건들임을 나는 이해한다.

따라서 우리가 자신의 삶을 부족하고 불완전한 것으로 평가하는 것은 우리가 영적 존재임을 의식하지 못하는 데서 비롯된 잘못된 판단이다. 나아가 신의 완벽한 계획을 믿지 못하는 데서 나오는 불필요한 자책감이라 이해한다.

오히려 자신의 부족함이 진지함으로 더해진다면 신의 메시지를 전하는 사자로서도 많은 이들로부터 공감을 불러오지 않을까. 남의 시선을 의식하며 살기보다 어떻게 진지함과 사랑을 담아 메시지를 보낼 것인지가 보다 중요함을 깨닫고 수용해야 함을 신은 강조한 것으로 나는 이해한다.

또한 신은 우리는 자신이 배워야 할 것을 남에게 가르치는 법이라 말씀한다. 무슨 뜻일까?

우리는 흔히 내가 잘 알고 있는 것을 남에게 가르친다고 생각한다. 그러나 교사는 교단에 서면서부터 제대로 배운다. 예상할 수 없는 현장의 생생한 상황에 부딪치며 조금씩 성장한다. 이에 좋은 교사가 되기 위해 더 많은 것을 배우려 노력한다. 그 과정에서 그 배움이 자신이 배워야 할 것이었음을 자각하게 되고, 그 과정에서 더 큰 성장을 가져온다는 것을 나는 깨닫는다.

이에 우리 모두는 가장 좋은 진리의 전달자요, 사자라 믿는다.

나는 교사라는 직업인이었기에 내가 배워야 할 것을 남에게 가르치고자 했음을 깊이 공감한다. 늘 부족한 자신이라 생각되었기에 교사로서 아이들을 가르치기 위해 배우고 또 배웠다.

또한 나는 교사로서 아이들을 대하며 많은 상처를 그들에게 안겨주었다. 이제 나는 그 상처가 부족했던 나의 배움이고, 아이들인 그들 배움의 요청이고, 이 모든 것도 신의 완벽한 계획 속에 이루어진 것임을 안다.

웰다잉과 영적 탐구를 위한 연수의 자리도 마찬가지다. 죽음과 죽어감이나 영적 진리에 대한 배움에 있어 내가 완벽해서 함께한 자리가 아니었다. 오히려 늘 부족한 자신이라 생각되었기에 나는 그 자리를 계기로 배우고 또 배웠다.

그런 나이기에 내 자신도 바로 그 진리의 전달자요, 사자가 될 수 있음을 안다. 나 역시도 다만 진심일 수 있기를 구도한다.

4) 신에게 이르는 참된 길은 무엇일까?

신에 이르는 길에 계명은 필요 없어

신은 신에 이르는 길에 계명은 필요 없다고 말씀한다. 우리는 이를 어떻게 이해해야 할까?

우리의 현실은 대부분의 종교가 전하는 가르침에 따라 신에 이르는 참된 길에는 극기와 고행이 필수임을 받아들인다. 이른바 천국에 가기 위해서는 원죄에서 벗어나야 하며, 그를 위해서는 계명을 지키고, 지은 죄를 고해 성사 받아야 한다.

하지만 앞서 우리가 여러 차례 성찰했듯이 전능한 신은 완벽한 존재 그 자체다. 우리는 우주 만물의 창조자인 신이 원하면 무엇이든지 이루어짐을 안다. 이럴진대 신이 무엇이 두려워 계명을 만들고, 그의 창조물인 우리가 그 계명을 지키는지 안 지키는지 심판하며 벌주려 하겠는가.

따라서 이는 잘못 세워진 종교적 권력과 질서가 만들어 낸 신성의 왜곡이다. 십계명은 오히려 영적 존재인 우리가 신과 하나이기에, 어떠한 상황에서도 결국 신의 곁으로 다시 돌아갈 수 있음을 안내하는 신의 약속이라는 말씀에 나는 깊이 공감한다.

한편 고행과 고통은 어디서 오는 것일까?

몸은 본능적이고 정신(마음)은 이성적이다. 이성이란 옳고 그름을 판단하는 능력이다. 옳고 그름의 기준과 판단은 수시로 바뀐다. 여기서 비롯되는 잘못된 판단과 관념이 고통을 불러온다. 이 길 또는 저 길만이 있는 건 아니다. 상대성의 세계인 이 곳에서는 모든 체험의 길이 필요함을 알기에 영혼은 판단하지 않는다고 나는 이해한다.

이에 선각자들은 극기와 고행, 금욕이 무의미하다고 판단하지는 않지만, 그것이 신에 이르는 참된 길이라 생각하지 않는다. 고통의 체험도 있는 그대로, 일어나는 일 그대로 인정하고 바라보며 그냥 지나가도록 내버려두는 것이다. 금욕도 충분히 체험했기에 잠시 옆으로 밀어 내는 것이라는 신의 말씀에 공감한다.

따라서 우리는 정신의 여정이 아닌 내면의 느낌이 전하는 길을 따라 신에게로 가야한다. 전능한 신이 자신의 형상대로 우리를 창조했는데, 신과 하나인 우리가 왜 이 길 또는 저 길만을 가도록 제약받아야 하는가. 신에 이르는 참된 길은 우리 자신이 영적 존재임을 깨닫고 그 참된 존재로 있으면 된다는 것으로 나는 이해한다.

나는 기독교인이 아니지만 십계명의 존재를 알고 있었다. 지극히 도덕적인 부분에는 굳이 종교적으로 규율해야 하는지 의문을 가졌다. 나 이외의 신을 섬기지 말라는 부분에는 종교적 독선이 아닌지 의심했다.

이제 나는 십계명이 신의 명령이 아닌 신의 약속임을 안다. 내 자신이 신임을 알고 그 신으로서 생각하고 말하고 행동하기 위한 기본적인 신의 약속임을 안다. 이는 우리가 어떤 경우에서도 언젠가는 신의 곁으로 돌아갈 수 있음을 전하는 신의 축복임을 안다.

우리 모두는 신의 창조물이며, 신과 하나인 우리가 잠시 신성을 체험하고자 망각 속에 인간 체험을 하고 있다. 나는 우리가 이 현실 세계의 환상을 진짜로 알고 혼란과 두려움에 사로잡힐 때, 우리를 신의 길로 안내하는 명확한 신의 약속과 징후들이 십계명임을 안다.

지난 날 나는 일선 교단교사로서 교육개혁의 기초는 수업개혁에 있음을 믿고 동료교사들과 함께 새로운 교육과정을 연구 실천했다. 이는 국가가 프로그램한 단계형 교육과정인 하나의 길을 넘어 모든 아이들의 숨결을 살리고 함께 모아내는 프로젝트형 등산형 교육과정이었다.

우리가 산을 찾는 이유와 오르는 길은 하나가 아니다. 나는 각자의 욕구와 기호, 원함과 선택에 따라 그 길은 다양하지만 모든 길은 나름의 의미가 깃들어 있음을 안다.

나는 신의 무한한 사랑을 믿기에 신에 이르는 길에는 어떤 조건도 필요 없음을 안다.

천국은 지금 여기에

우리가 생각하는 천국은 이상향이다. 그곳에 가면 생노병사의 고통에서 벗어나 영원한 안식을 누릴 수 있다고 생각한다. 천국은 신이 주재하는 특별한 공간으로 인식하는 것이다. 이에 그 특별한 선택을 받지 못하게 되면 지옥이 기다릴 수 있음도 받아들인다.

그동안 나를 비롯한 대다수 사람들은 천국에 가려면 지금 자신이 있는 곳을 떠나 어딘가로 가야한다고 생각했다. 그 뿐만 아니라 그 곳으로 가는 과정에는 숱한 난관이 기다리고 있기에 그를 헤쳐 나가려면 엄청난 노력이 뒤따를 것이라 믿고 있었다.

그러나 신은 천국은 지금 이 곳에 있기에, 다른 어느 곳으로 갈 필요도 할 일도 없음을 말씀한다. 우리는 이를 어떻게 이해해야 할까?

먼저 신은 천국은 특정 공간이 아니라 존재 상태를 뜻함을 일깨워주신다. 우리가 '자신은 누군지', '어떤 존재가 되고자 하는지'를 아는 것이 중요함을 강조한 것으로 이해한다. 우리가 영적존재이며 참된 자신인 사랑 그 자체로 존재하는 상태라는 것이다.

신은 존재 전체이며, 우리는 신과 하나이기에, 영혼으로 존재하는 지금 여기 이 순간이 천국임을 깨닫게 되는 것이다. '천국에 가는' 일은 수고나 애씀이 아니라 받아들임과 이해만이 있을 뿐이라는 말씀에 나는 깊이 공감한다.

우리 모두는 신의 완벽한 계획에 따라 창조되었고, 영적 존재로 신성의 모든 것을 체험으로도 깨닫기 위해 지금 여기 이곳에서 인간 체험을 하고 있다. 이것을 알지 못하면 체험할 수 없다. 이것을 알고 체험할 때, 지금 여기 이 순간은 천국이 되어 있음을 말한 것으로 나는 이해한다.

그동안 나는 천국이란 우리가 모르는 어딘가에 존재하는 신성한 공간일 것이라고 믿었다. 따라서 신도 내가 범접할 수 없는 인격화된 절대자일 것이라고 믿었다. 그러기에 내가 신과 하나이며 내가 신이라는 걸 알지 못했다.

나는 행복이라는 파랑새를 찾아 집을 떠나 멀리 방황하다 지쳐 집으로 돌아왔더니 그 파랑새는 집에 있었다는 이야기 속에 담긴 교훈을 안다. 그러면서도 자신의 삶 속에서 행복을 찾기 위해서는 지금 여기를 떠나 어딘가로 가야하는 것처럼 살아왔다.

이제 나는 "아는 만큼 보인다." "알면 보이나니 그 때 보이는 것은 전과 같지 않다."라고 말한 우리 선각자가 전하는 진리를 깨닫는다. 나는 영적 존재로 인간체험을 하는 목적을 알기에 신과 천국은 지금 여기 이 순간에 나와 함께 있음을 안다.

영적인 삶에 더욱 집중하려면

월쉬는 다섯 번의 결혼과 이혼으로 다섯 명 아내와 아홉 명 자식들의 생계를 책임져야 하는 가장이었다. 얼마 전에는 일자리까지 잃는 바람에 수입이 끊길 위기에 처했다. 이제 마흔 아홉, 지긋지긋한 생존 투쟁에서 벗어나 영적인 삶에 좀 더 집중하고픈 간절한 바람을 담아 신께 질문을 던진 것이다.

그런데 신은 우리가 생존을 넘어 영적 유희로 가려면 그 일에 모든 것을 바쳐 몰입해야 함을 강조한다. 힘들면 힘들수록, 더 이상 어떻게 해볼 도리가 없다고 포기하려는 그 순간일수록 신의 곁으로 와야 한다는 뜻으로 나는 이해한다.

하지만 우리의 지난 삶이 그에 미흡했다하더라도 지금 이 순간 그 곳에 있으면 된다고 격려한다. 그 미흡했던 지난 삶이 있어 지금의 충만한 삶을 만날 수 있기에, 모든 과정은 그 나름대로 의미가 있음도 이해한다.

그렇게 해서 우리가 영적 깨달음을 얻게 되면, 모든 영혼들의 삶은 신의 완벽한 계획 속에 이루어지고 있음을 알게 될 것이기에 더 이상 두려움을 갖지 않아도 된다는 것이다. 따라서 우리는 생계를 꾸리는 일도 가족에 대한 책임까지도 염려하지 않아도 된다고 신은 말씀한다.

신은 우리가 다른 사람들을 돕는 가장 좋은 일은 그들이 우리 없이도 자신들의 신성한 계획에 따른 길을 스스로 갈 수 있도록 자립하게 하는 것임을 강조한다. 우리는 영적 존재이기에 우리가 책임질 사람은 자신뿐임을 말씀한 것으로 나는 이해한다.

그동안 나는 늘 자신과 부모와 가족에 최선을 다하지 못한 것에 대한 죄책감, 나아가 혼란스럽기만 한 세상에 대한 무력감이 있었다. 보다 나은 세상과 사회를 만들기 위한 나의 책무를 다하지 못하고 있다는 생각과 결과에 대한 집착에서 오는 부담감을 떨쳐내기 어려웠다.

나는 이 책 속에 담긴 놀라운 진리를 접하고, 깨달음을 얻으며 비로소 그 부담감에서 벗어날 수 있었다. 나는 그들 모두 신성한 영적 존재이며, 세상은 신의 완벽한 계획 속에 지금 이 순간 체험을 통해 재창조되고 있음을 안다.

또한 나는 나의 지난 삶 속 모든 선택과 체험들이 신이기도 한 나의 선택이었음을 안다. 나의 선택으로 상처입고 고통당했으리라 생각되어 끊임없이 용서를 구했던 그들의 선택과 요청일수도 있음을 안다.

우리에게 무한한 선택권이 있음을 알기에 두려움을 갖지 않는다는 것은 삶을 무력하게 하거나 무책임하게 만드는 것이 아님도 안다. 주어지는 무한한 기회에 감사하며 더욱 용기를 갖고 영적 진화의 길에 도전하는 기쁨임을 안다.

그리고 나는 신은 언제나 내가 원하는 것을 원한다는 것을 안다. 그러기에 나는 가장 어렵고 힘든 순간일수록 신적 공간으로 가야함을 안다. 신에게는 어렵고 힘든 일이 없기에 모든 순간 기뻐하고 사랑하고 축복함을 안다.

2. 삶의 이유와 목적, 고통의 의미

1) 삶의 이유와 목적은 무엇일까?

인간으로 힘든 삶을 사는 이유와 목적

영적존재인 우리가 인간으로 태어나 힘든 삶을 사는 이유와 목적은 무엇인가 라는 우리의 가장 근본적인 질문에 대해 존재 전체인 신은 자신을 알기 위해 체험으로 자신을 아는 쪽을 택했다고 말씀한다.

우리는 이를 어떻게 이해해야 할까? 신의 장대한 말씀을 나의 체로 걸러 이해한 부분으로 요약해 본다.

신은 존재 전체다. 존재 전체는 생명에너지 그 자체다. 그런데 존재 전체인 신은 자신을 알 수 없다고 말씀한다. 자신 외에 다른 것이 없으면 자신도 존재하지 않기 때문이다. 최고의 모순이다.

나는 이렇게 이해한다. 신은 사랑 그 자체다. 그런데 사랑만이 존재한다면 사랑을 개념으로는 알 수 있겠지만 체험으로는 알기 어렵다. 왜냐하면 사랑을 알려면 사랑 아닌 것이 존재해야 하기 때문이다. 대립물을 체험할 필요가 생기는 것이다.

그리하여 존재 전체인 신은 자신의 존재하지 않는 부분을 전체보다 작은 무한히 많은 수의 단위들로 나누어 영혼을 창조했다. 굳이 구분한다면 이 우주 만물을 채우고 있는 에너지 단위들을 우리는 영 spirit이라 부르고, 그 중 인간체험을 하고 있는 에너지 단위를 우리는 혼soul이라 부를 수 있다.

이에 존재 전체인 신은 자신을 무수한 개별 영혼으로 나누고, 그 영혼들은 신이 지녔던 창조력으로 대립물이 존재하는 지상의 체험을 통해 신성의 모든 부분을 알고자 했다. 이를 위해 물질성과 상대성, 망각으로 이루어진 가상의 공간을 창조했다는 것이다.

우리는 망각의 창조를 어떻게 이해해야 할까?

우리는 신의 한 부분으로 신과 하나인 영적 존재이기에 모든 것을 알고 있다. 따라서 자기 아닌 존재로 자신을 알기 위한 신의 위대한 계획을 구현하기 위해 망각이 필요했던 것이다.

대립물이 존재하는 이 물질계의 체험을 통해 신성의 모든 부분을 하나하나 재창조하기 위해 자신의 기억을 잊었던 것이다. 이 체험의 과정에서 자신이 누구인지, 어떤 존재가 되고자 하는지 알고자 하는 것이 영혼의 목적인 것이다.

따라서 영적 존재로 인간 체험을 하고 있는 우리가 이 물질계의 체험에서 해야 할 가장 중요한 일은 우리가 신성한 존재 전체의 한 구성 부분이었음을 잊지 않는 일, 기억해내는 일, 다시 전체 구성원으로 돌아가 하나 되는 일이라는 것이다.

신은 모든 것을 다 알고 있는 자유로운 영혼이 자신의 기억을 지우고 물질계의 체험을 선택하는 일은 대단히 힘든 일임을 말씀한다. 다른 한편으로는 이 물질계의 체험이 신이 창조한 환상의 세계요, 가상의 세계임에도 그 환상에 빠져 그 기억을 다시 살려내지 못할 수도 있음을 경계한다.

우리의 현실 속 쾌락과 고통들 모두가 환상임을 깨닫고, 영적 존재로서 체험을 통해 신성을 재구성할 수 있도록 우리 모두는 이를 자각하는 일이 중요함을 나는 새삼 깨닫는다. 궁극의 실체는 신과 하나 됨에 있기 때문이다.

나는 그동안 살아오며 우리가 어떤 존재인지, 내가 살아가는 이유와 목적이 무엇인지와 관련해 이렇게 고귀한 생각과 명확한 말 그리고 강렬한 느낌을 받은 응답은 처음이다. 이것은 신과의 교류에서 나온 말씀으로 그 속에 가장 큰 기쁨과 진리 그리고 사랑이 담겨 있음을 알게 되었다.

이러한 깨달음은 완벽한 설득력이 뒷받침 되었기에 가능한 일이다. 나는 이 책 속에 담긴 신의 응답들보다 더 나은 설득력 있는 주장과 근거를 발견하지 못했다. 나는 이 주장과 근거가 존재 전체인 신이 존재함을 증명해주는 부분의 존재임을 믿음과 경험으로 깨닫는다.

학교와 사회에서 배운 많은 지식들이 참된 자신을 가꾸는 데 얼마나 도움이 되었을까? 생각해보면 좀 더 일찍 이런 깨달음을 얻지 못했던 것도 계획 속에 있었는지 모르겠지만 안타까운 일이다.

영적 존재인 내 자신이 물질계의 인간으로서 겪은 삶의 과정에서 벌어졌던 수많은 체험들, 이해할 수 없는 행위(실수, 상처)들을 통해 새삼 깨달을 수 있었던 지혜(개념)들이 얼마나 많았던가.

또한 다른 한편으로는 땀 흘린 체험 뒤 시원하고 달콤한 과일이나 레몬에이드를 한 입 깨물거나 마셨을 때, 몸과 마음과 영혼이 하나 된 사랑을 나눌 때, 그런 모든 물질성들을 체험하며 삶을 재창조할 때마다 느끼는 기쁨과 황홀함을 어찌 잊을 수가 있을까.

지금 여기 이 순간 자신이 가장 원하는 체험을 재창조하며, 그를 통해 성장하고 진화하는 과정 그 자체가 내 삶의 이유요, 목적임을 나는 안다.

　이제 나는 이번 물질계의 삶에서 내 기억을 재구성하고 재창조해 존재 전체와 재결합하여 신으로 돌아가는 영적 진화 과정에 마음 쓰며, 또한 다른 사람들도 그렇게 할 수 있도록 마음 쓸 수 있게 하는 일이 내 영혼의 목적임을 안다.

개인의 극심한 불행과 전 세계의 재난

　우리는 '부서지지 않는 내면의 빛'인 신성한 그리스도요, 빛나는 작은 영혼이다. 개개의 영혼은 지금이라는 순간마다 자신의 더없이 고귀한 목적에 맞고, 가장 빨리 자신을 기억해내는 데 적합한 상황과 조건을 창조한다.

　그 신성의 모든 부분을 체험을 통해 재창조하기 위해 물질성과 상대성과 망각으로 이루어진 환상의 연극 무대를 만들었고 각자에게 주어진 역할을 연기하고 있다. 신은 여기에 관여하거나 판단하지 않는다. 신이 완벽한 것만을 창조하고자 했다면 지금과 같은 세상은 존재하지 않을 것이다.

　우리 삶에서 벌어지는 가장 깊은 어둠과 재난들로 받게 되는 상처와 시련은 '내가 누구인지' '내가 되고자 하는 존재는 무엇인지'를 깨닫고자 만들어진 우리의 계획이다. 우리는 이런 어둠과 재난을 당하면서 자신의 어떤 부분을 체험하고자 하는지 끊임없이 내면을 향해 물어야 한다.

오스트리아 정신과 의사 빅터 프랭클은 그의 저서 『삶의 의미를 찾아서』에서 절망과 고통 속에서 깨달은 삶의 의미의 중요성을 빅터 프랭클 공식 <D=S-M>으로 나타냈다. D는 Despair(절망), S는 Suffering(고통), 그리고 M은 Meaning(의미)을 뜻한다. 아무리 고통에 빠져도 그 속에 담긴 체험의 의미를 찾아 간다면 절망이 아닌 희망과 축복이 될 것이라는 주장이다.[7]

따라서 이 세상은 영원불멸하는 영적 존재인 우리가 체험을 통해 완전한 존재가 되는 과정을 위한 환상의 세계다. 우리의 의식이 만들어 낸 모든 상황과 사건들은 우리가 꾸며낸 정교한 연출이기에 그것의 어떤 면을 좋고 나쁜 것이라 판단할 필요가 없다. 그리고 그것이 정녕 나쁘고 고통스럽다면 그것을 바꾸기 위해 뭘 하고 싶은지 물어보라는 것이다.

우리가 그 환상의 무대 속 역할을 끝내고, 궁극의 실체인 절대계로 돌아간다면 그 환상은 사라지고 그 체험 속 깨달음만 앎으로 남겨질 것이라 나는 이해한다.

역사상 벌어진 수많은 자연재해, 전염병과 전쟁, 억압과 착취, 가까운 사례인 세월호와 이태원 참사와 같은 개인과 집단적 재난 등은 신의 존재, 신의 완벽성과 무한한 사랑과는 너무도 거리가 멀지 않

---

7) 『우리는 왜 죽음을 두려워할 필요 없는가』, 정현채 지음, 비아북, 2018, 336-337쪽

은가.

나 역시 지난 날 이런 생각에 신의 존재를 의심하고 원망했었다. 하지만 이제 나는 내가 자유선택권을 가진 영적존재이며, 신은 관찰할 뿐 여기에 관여하지 않음을 안다.

나는 이제 이 모든 사건과 상황이 우리가 불러온 집단의식의 결과이며, 신성의 모든 부분을 체험하기 위한 영적 계획의 일환임을 깨닫는다.

개인의 질병도 그렇다. 모든 병은 나의 의식이 불러온 것이며, 나의 선택의 결과이기에 반대로 좋아지기로 마음먹는다면 한 순간에 좋아질 수 있음을 안다.

또한 숱한 인간관계 속에서 펼쳐지는 무수한 고난과 고통 역시 자신의 영적 진화 과정에서 계획된 서로의 선택과 역할임을 깨닫는다면, 그를 바라보는 우리의 시각과 마음가짐에도 엄청난 변화를 가져올 수 있음을 나는 안다.

나는 이 모든 계획 속에서 무엇을 의식하고 관찰하며, 어떤 존재가 되려 하는지를 살피고 또 살핀다. 절망과 고통의 체험 속에 담긴 삶의 의미를 찾을 수 있다면, 그 혼돈의 미로를 잘 헤쳐 나가 마침내 희망을 발견할 수 있음을 안다.

나는 신이 들려준 '작은 영혼과 태양'의 우화(어린 영혼이 참된 자신을 체험하고픈 갈망을 이루기 위해서는 신의 품을 떠나 어둠의 물질계로 들어가야 한다는 내용)는 세상이 왜 이런 식인지, 우리가 어떤 존재가 되려 하는지를 이해할 수 있게 해주는 더없이 멋진 비유임을 안다.

2) 고통의 의미는 무엇일까?

우리의 고통을 줄이려면

신은 고통을 줄이려면 그것들을 보는 방식을 바꿔야 한다고 말씀한다. 우리는 이를 어떻게 이해해야 할까?

우리가 영적 존재이고, 지금 벌어지고 있는 모든 상황과 사건들이 우리의 의식으로 창조된 선택의 결과들이다. 이 모든 신성의 부분들은 내가 기억해내고 창조한 것이다. 그 상황과 사건들은 남이 벌어지게 한 게 아니다.

이에 신이 말씀한 바대로 그 모든 것을 "내가 이렇게 했다."고 말할 때라야 우리는 그것을 바꿀 힘을 얻을 수 있다. 내가 하는 걸 바꾸는 게 다른 사람이 하는 걸 바꾸는 것보다 훨씬 더 쉽기 때문이다.

우리 모두는 그 상황과 사건들을 담은 신성한 계획에 따른 연극 무대 위에서 연기하는 배우들이다. 우리 모두는 선한 주인공 역할을 하고 싶어 한다. 그러나 악한 역할을 기꺼이 맡아 훌륭히 연기해 내는 배우가 없다면 그 연극을 무슨 재미로 보며, 거기서 어떤 교훈을 얻을 수 있겠는가?

옳고 그름에 대한 판단은 연극이라는 환상을 실재로 인식하는 무의식에서 비롯된 고통을 낳는다. 자신이 영적 존재임을 깨닫고, 우리 모두가 하나요, 모두가 천사였다는 것을 안다면 그 모든 배역들의 연기를 고통이 아닌 즐거움으로 받아들일 수 있다. 이것이 신이 들려주신 아름다운 우화 '작은 영혼과 태양' 속에 담긴 교훈이요, 가르침이다.

또한 고통을 바라보는 관점(의식)을 바꾸면 고통은 사라진다. 고통은 판단에서 나온다. 옳고 그름을 판단하려는 것은 이성(정신)이다. 우리는 하나가 아닌 분리된 개체라는 생각에서 판단이 나온다. 그 분리된 개체라는 이분법적 생각에서 적자생존, 약육강식이라는 그릇된 경쟁과 갈등의식이 생기고 고통을 겪게 된다.

자유의지와 자유선택권을 부여받은 우리는 신으로부터 어떠한 판단과 심판도 받지 않는다. 우리도 심판과 비난을 하지 말아야 한다. 심판은 심판을 부르고, 비난은 비난을 부른다. 또한 판단은 늘 변하게 마련이다.

이에 신은 우리가 고통에서 벗어나려면, 살아가며 겪는 모든 것을 축복하고 받아들이며, 그 모든 것이 신의 창조이기에 심판과 비난하지 않고 자연스럽게 흘러가도록 하는 것이 우주의 법칙임을 말씀한다.

나는 내 삶의 모든 시련과 고난, 상황과 사건들이 나의 신성한 계획과 선택의 결과라 믿게 되면서 그 의미가 달라지고 마음이 보다 평온해졌다. 우연이나 운명의 장난으로 불공평하게 내게 주어진 것이 아니기에 억울함과 분노에 뒤따르는 고통은 자연스럽게 줄어든 것이다.

세상의 모든 상황과 사건들이 개인·집단의식의 계획과 선택의 결과라 믿게 되면서 그 환상(연극)의 무대 뒤에 자리한 보다 깊은 영적 의미를 깨닫게 되었다. 나는 수없이 "어떻게 저런 일이 벌어질 수 있나?", "어찌 저렇게 나쁜 놈이 있나?" 말하며, 옳고 그름으로 평가했다.

나아가 모든 벌어진 상황과 사건들은 남과 남들의 잘못된 선택의 결과로 받아들여 판단하고 분노했다. 하지만 이제 우리 모두는 하나이고, 신성한 영적 계획에 따른 환상의 연극 무대 속 배우들이 바로 나 자신이라는 깨달음을 갖게 되었다.

이제 나는 영적존재로 인간체험을 하고 있기에 잘못된 판단과 선택으로 가장 고귀한 자신을 반영하지 못하는 상황과 사건들을 바꾸려고 노력하는 쪽에 서 있고자 한다. 참된 개인의식과 집단의식을 향해 가는 사람들을 돕고 함께하고자 한다.

나는 정혜신 심리학자가 그의 책 『당신이 옳다』에서 "우리는 남에 대한 충조평판(충고, 조언, 평가, 판단)을 하지 말아야 한다."고 강조한 깊은 뜻을 새삼 깨닫게 되었다. 나는 자신의 행위를 충조평판할 수 있는 존재는 자신뿐임을 안다.

자유선택권을 가진 영적 존재라는 인식, "우리 모두는 하나다."라는 생각은 나를 두려움과 조급함으로부터 벗어나게 했다. 나는 모든 것이 신의 완벽한 계획 속에서 이루어지는 것이라 믿기에 막연한 고통으로부터도 벗어나게 되었음을 안다.

불필요한 고통을 끝내려면

신은 우리의 선택이 만들어낸 사건과 그로 인해 일어나는 고통에 절대 개입하지 않는다고 말씀한다. 우리는 이를 어떻게 이해해야 할까?

신은 사랑 그 자체이다. 이에 신은 우리에게 준 자유의지와 자유 선택권에 따라 일어나는 모든 사건을 받아들이며 함께 한다. 대립되는 그 모든 상황과 사건들이 없다면 우리의 체험은 끝날 것이요, 우리가 여기에 존재할 이유가 없기 때문이다.

앞서 우리는 고통이란 우리가 만들어낸 상황과 사건들에 대한 판단에서 나온다는 것을 성찰했다. 우리는 이분법적 원리에 좌우되는 현실에서 늘 옳고 그름을 판단하려 한다. 하지만 우리가 영적 존재임을 자각한다면, 그 모든 것은 나름대로 의미를 지니고 있음을 인식하게 될 것이다.

따라서 불필요한 고통을 끝내려면 사건을 대하는 우리의 의식을 바꾸면 된다. 즉 고통은 사건에 대한 옳고 그름의 판단에서 나오기에, 모든 사건들은 신의 완벽한 계획 속에서 일어나는 것으로 의식하고 체험하라는 것이다. 우리가 필요해서 만든 모든 것이 환상임을 깨닫고, 그를 판단하려는 우리의 반응을 멈추는 것, 그것이 고통을 벗어나게 해주는 도구다.

이에 신은 강조한다. 선각자들은 모든 사건과 상황이 신성한 계획에 따른 체험(환상)임을 알고 있다. 그 체험이 고통스럽다고 생각(말, 행동)하는 것이 어떤 현실을 만들지를 안다. 우리가 주의를 기울이는 것은 현실이 된다. 이에 그들은 고통스럽다고 말하지 않는다. 그냥 체험할 뿐이라는 것이다.

우리의 삶은 많은 고통과 불편함을 동반한다. 어떤 종교는 삶 자체가 고난의 연속이라 말한다. 질병에 따른 고통도 대표적인 예이다. 그동안 나는 서양의학에 대한 불편함을 지니고 있었다. 서양의학의 공격적 치료 방식이 늘 강한 고통을 수반하기 때문이다.

극심한 빈부격차에 따른 불공평한 현실도 불편하다. 많은 이들이 고통 받고 있기 때문이다. 기후온난화를 가져온 극단적·이기적 산업화의 현실도 불편하다. 환경파괴로 인간과 자연 모두가 고통을 겪고 있기 때문이다.

이제 나는 이 모든 상황과 사건이란 건 우리의 집단의식이 선택하고 만들어낸 시공간 속의 결과라는 걸 안다. 운명조차도 이 행성의 의식임을 안다. 따라서 불공평한 현실도 우리의 집단의식의 일대 전환으로 변화시킬 수 있음을 안다. 그 불공평한 현실을 옆으로 치우고, 공평한 현실을 선택하면 된다.

나는 매월 적지 않은 건강보험료를 납부하지만 무료로 제공되는 정기적인 건강검진이나 암 검진을 받지 않는다. 몸과 마음의 질병도 일어날 일은 일어날 뿐이라는 것으로 받아들인다. 첨단의료장비로 미리 진단해 감지된 질병을 치료하고자 하는 것이 오히려 병의 저항력을 키우는 일이 된다.

모든 병에도 이유가 있다고 생각한다. 질병도 저항하지 않고 그를 살피면 사라진다. 나는 평소 몸과 마음과 영혼의 조화와 균형을 이루는 일상의 삶 그 자체가 건강검진이요, 질병예방임을 안다.

이제 나는 판단을 내려놓고, 우리 모두는 하나라는 의식, 일어날 일은 일어날 뿐이라는 관점으로 모든 사건과 고통을 대할 것임을 안다. 나는 고통을 참는 것은 좋은 것이고, 기쁨을 드러내는 것은 나쁜 것이라는 우리 사회의 잘못된 믿음에서 벗어날 수 있음을 안다.

정신과 육체에 장애를 안고 태어난 사람들

우리는 주위의 많은 이들이 힘든 정신적 육체적 장애를 안고 살아가고 있음을 안다. 선천적이든 후천적이든 그 장애를 안타깝게 생각하고, 불행한 삶의 조건으로 여겨 고통스럽게 바라본다.

그러나 신은 한 인간의 영혼이 선택하는 삶의 모든 조건은 자신이 선택한 것임을 말씀한다. 이 놀라운 답변을 우리는 어떻게 이해해야 할까?

앞서 우리는 눈송이 하나하나에도 경이로운 신의 창조력이 담겨 있듯이, 인간의 모든 삶에도 신의 완벽한 계획과 목적이 담겨 있음을 성찰했다. 따라서 한 인간의 영혼이 마주치게 되는 삶의 도전들마다 우연이 아닌 나름의 깊은 뜻이 담겨 있음을 깨닫는다.

그렇다고 우리의 모든 삶 속 체험해야 할 상황과 사건을 미리 선택한다면, 당연히 영적존재로서 갖게 되는 인간체험의 의미와 목적은 사라질 것이다. 그럼에도 불구하고 신은 우리가 자신의 체험을 창조하는 데 필요한 기본 사항을 선택할 수 있게 했다.

우리는 자신의 팔레트에 짜놓을 색깔들, 자신의 궤짝을 짜는 데 필요한 연장들, 자신의 작업장에 필요한 기계들을 선택할 수는 있다. 이런 것들을 써서 뭔가를 창조하는 것이 우리 인생의 일거리라는 것이다.

따라서 소위 장애가 있는 신체를 지닌 한 영혼은 그 나름대로 깊은 뜻을 갖고 그 몸을 선택한 것임을 추측할 수 있다. 우리는 그가 장애가 있는 신체를 도구로 자신의 삶의 화첩에 어떤 그림을 그려내며, 자신의 영적 진화 과정을 가꿔 가는지를 주의 깊게 살펴야 할 것이다.

이에 신은 모든 사람과 모든 조건을 축복하고 감사하라고 말씀한다. 이런 마음으로 우리가 타인의 영혼과 깊이 교감할 수 있다면, 우리는 그 영혼들의 목적과 의도를 분명히 알 수 있다는 것이다.

나는 한 영혼이 장애 있는 몸을 선택한 이유는 무엇일지 생각해 보았다. 물론 조심스럽다. 생각보다 현실에서 매 순간 부딪히는 불편함과 고통에 힘들어 하는 장애가 있는 분들에게 주제넘은 일인지도 모르기 때문이다. 그럼에도 나는 장애 있는 몸을 선택한 데는 이유가 있다는 데 공감한다.

아마도 자신의 잠재력, 용기, 의지, 인내심 등을 체험을 통해 깨닫고자 하지는 않았을까? 부모와 가족들에게 희생과 헌신, 사랑을 체험하게 해 주고자 하는 뜻은 있지 않았을까? 공동체사회 구성원들에게 차별과 편견을 극복하고 모두가 하나 되는 체험의 기회를 주고자 하지는 않았을까?

이제 나는 장애가 있는 몸을 갖고 태어나 힘든 삶을 헤쳐 가는 이들에 대해 새로운 관점으로 바라보고 대할 수 있음을 안다. 나는 모든 상황과 조건들에는 내가 모르는 그 영혼만의 진행과정과 신의 특별한 은총이 깃들여 있음을 알고 받아들일 수 있음을 안다.

나는 세상의 모든 일은 우연히 일어나지 않음을 안다. 이에 나는 이것이 주어진 모든 사람과 모든 조건을 축복하고 감사해야 하는 이유임을 안다. 그럼에도 불구하고 나는 장애자에 대한 사회적 차별과 편견을 극복하고, 그들이 자립할 수 있도록 돕는 개인적 사회적 노력에 관심을 갖고 함께해야 함도 안다.

3) 지옥이란 무엇일까?

영화 『천국보다 아름다운』의 교훈

일부 종교에서 지옥을 말한다. 천국이나 극락이 신과 함께하는 더 없이 좋은 곳이라면, 지옥은 생각하기도 싫은 끔찍한 형벌이 영원히 계속되는 최악의 곳으로 인식된다. 이런 종교적 믿음이 우리의 삶에 알게 모르게 영향을 미친다.

하지만 신은 지옥은 있지만 우리가 상상하는 그런 지옥은 존재하지 않는다고 말씀한다. 우리는 이를 어떻게 이해해야 할까?

앞서 우리가 성찰한 신은 완전무결한 절대자요, 무한 사랑 그 자체다. 신이 무엇이 두려워 우리를 규율하고 심판하며 벌주려 하겠는가? 우리 모두를 천국에 살도록 그냥 두면 되는 것을, 무엇 때문에 인간 체험을 하도록 지상에 내려 보냈겠는가?

따라서 우리가 선택하고 창조한 최악의 결과를 체험하는 것이 지옥이다. 이른바 물질적·육체적 욕망과 쾌락 또는 두려움과 죄의식에 따른 분리의식에 사로잡혀 참된 자신과 신의 관계를 잊고 산다면 그 삶 자체가 지옥임을 말씀한 것으로 나는 이해한다.

그 최악의 순간 속에서도 우리가 누구인지를 깨닫는다면, 가장 힘든 순간에도 모든 것이 환상임을 깨닫는다면, 우리가 자유의지와 자유선택권을 가진 영적 존재임을 깨닫는다면, 언제라도 신은 우리를 천국으로 인도하리라 나는 믿는다.

영화 『천국보다 아름다운』은 그 점을 아름답고 감동적으로 잘 표현하고 있다. 두 자녀를 교통사고로 잃고, 이혼 후 전남편까지 교통사고로 잃게 된 엄마가 죄책감에 사로잡혀 자살한다. 영계로 간 엄마는 스스로 고립된 폐가에서 외롭고 고통스럽게 지내게 된다. 신의 완벽한 계획과 무한한 사랑을 잊고 산다면 그 자체가 지옥인 것이다.

나는 사랑과 구원의 종교가 왜 심판하고 벌하는 신으로 인간을 겁주고, 영원히 불타는 지옥으로 신의 무한한 사랑을 제한하려 하는가에 대한 많은 의문을 갖고 있었다.

나는 두려움에 근거한 신학들 속에서 쌓아올린 방식인 죽음 뒤의 심판하고 벌하는 체험 같은 건 결코 존재하지 않음을 안다. 전능한 신과 함께 지낼 수 없다는 것만으로도 간단히 또 충분히 정의를 실현하게 될 텐데, 끝없는 고통이 왜 필요하겠는가?

이제 나는 지옥에 대한 진실한 의미를 이해하게 되었다. 지옥은 자신이 신과 분리된 존재라는 환상에 빠져 최악을 체험하는 것이다. 나는 그 최악의 체험은 돈과 권력의 욕망에 사로잡혀 참된 자신을 잃어버릴 때라고 이해한다.

나는 죽음 이후로까지 이어지는 신의 완벽한 계획과 사랑을 알고, 지금 여기 이 순간마다 참된 자신을 체험하기 위한 제대로 된 선택을 한다면 지옥은 없음을 안다.

지옥이라는 환상이 주는 두려움

신은 옳고 그름을 판단하지 않는다. 두려움으로 우리를 겁박해 착함을 강요하지 않는다. 영혼의 자유로운 선택과 체험들이 의미를 잃기 때문이다. 우리 모두가 창조자이기에 자신을 판단할 수 있는 유일한 존재는 자신뿐이다.

우리가 참된 자신을 체험으로 창조하기 위해 대립하는 다른 것을 선택할 수 없다면 이곳 물질계에 있을 이유가 없다. 신성의 모든 부분을 체험하고 재창조할 수 없기 때문이다.

이렇게 해서 개념을 체험으로 바꾸고, 그를 통해 신을 체험으로 알게 되는 것이 영혼의 목표요, 신의 계획이다. 따라서 굳이 지옥을 만들어 영혼의 자유로운 선택을 제한할 아무런 이유가 없다.

앞서 여러 차례 성찰했듯이 전지전능하며 완벽함 그 자체인 신이 무엇이 두려워 계율을 만들 것이며, 우리가 그를 지키는지 안 지키는지 심판하고 벌하려 하겠는가. 신은 자신의 창조물인 우리가 원하는 것을 원하기에, 우리는 두려움 없이 어떤 선택이라도 할 수 있다고 나는 이해한다.

그동안 나는 도덕적 양심에 근거한 선한 의지로 내 삶을 규율해 왔다. 그러나 한편으로는 종교적 설정인 지옥이라는 관념이 주는 두려움이 내 삶을 규율하는 데 일정한 영향을 주었음도 인정한다.

이제 나는 신과 하나 됨의 참된 자신을 체험하는 영적 존재임을 알기에 지옥이라는 개념이 주는 환상과 두려움에서 벗어났음을 안다.

나는 자연법칙인 우주의 법칙은 우리가 원하는 것은 신이 원하는 것이며, 이는 우리가 무엇이든 될 수 있고, 할 수 있고, 가질 수 있다는 신의 가장 고귀한 약속임을 안다.

나는 이 신의 가장 고귀한 약속을 기억해내기 위해 가능하면 외부 현실에서 벗어나 자주 내면으로 들어가려 애써야 함을 안다. 그러면 내면세계가 내게 새로운 시야와 통찰력을 가져다 줄 것임을 안다.

두려움에서 벗어나기 위한 법칙들

생각은 순수 에너지다. 에너지는 움직이고, 없어지지 않는다. 우리가 개인이나 집단적으로 생각을 모으고 충분한 에너지를 움직인다면 우리는 물질을 창조할 수 있다. 세상을 변화시킨다. 이는 우리의 삶과 역사 속에서 증명된 사실이다.

신은 이것이 우주의 연금술이요, 생명의 비밀이며, 모든 선각자들은 이 법칙을 이해하고 있음을 말씀으로 전하고 있다.

이렇듯 모든 생각은 모여들고, 비슷한 에너지는 비슷한 에너지를 끌어당긴다. 따라서 두려움이란 감정은 두려움이란 에너지를 끌어당긴다. 우리가 어둡고 한적한 길을 홀로 거닐 경우 무섭다는 상상이 날개가 달린 듯 커져가며 머리가 쭈뼛대는 경험을 누구나 한 적이 있을 것이다.

우리는 절대계 속 앎만이 존재하는 세계를 떠나 인간 체험을 하고 있는 영적 존재다. 개념으로만 알고 있는 사랑을 체험을 통해 깨닫고 재창조하기 위해 상대성의 세계에서 대립물인 두려움을 창조했다.

이에 두려움은 우리가 만들어낸 환상이며, 사랑만이 유일한 궁극의 실체임을 깨닫고, 사랑만을 선택한다면 두려움이라는 지옥에서 벗어날 수 있을 것이다. 나는 이것이 두려움에서 벗어날 수 있는 우주의 법칙이라 이해한다.

지난 날 나는 늘 마음 한 구석에 두려움이 자리해 있었다. 그 두려움의 근원이 무엇인지도 잘 몰랐다. 막연히 죽음에 대한 공포, 미래의 불확실성에 대한 불안, 그저 불완전한 인간존재의 특성이리라 생각했다.

나는 이제 그 두려움이 신이 창조한 상대계의 대립물임을 안다. 존재 그 자체요, 신의 궁극의 실체인 사랑을 체험하기 위한 물질계의 환상임을 안다. 또한 그 두려움은 나와 신의 관계를 잊고, 분리된 생각에서 나오는 것임을 안다.

이제 나는 두려움을 벗어내기 위한 우주의 법칙을 안다. 나는 모든 선각자들처럼 상대계가 지닌 비밀을 알기에 모든 순간 사랑만을 선택해야 함을 안다. 나는 내가 영적존재요, 신과 하나임을 깨닫고, 늘 신이 나와 함께하고 있음을 안다.

3. 인생의 도약과 성공

1) 내 삶의 도약과 성공 방법은 무엇일까?

생각과 말과 행동이 지닌 창조의 힘

월쉬는 어떻게 하면 자신의 인생을 도약시키고 성공으로 이끌 수 있느냐는 이 질문이 유치하고 진부해 보일 것이라 걱정했지만, 나는 그 질문들에 깊이 공감했다.

이에 신은 자신에 대해 판단하고 변명하는 짓은 그만 내려놓으라고 격려한다. 이는 수많은 사람들이 긴 세월동안 청해온 질문으로 그 질문이 어리석었다면 그렇게 까지 묻고 또 묻지는 않았을 것이라며.

우리는 몸과 마음과 영혼으로 이루어진 3중의 존재다. 영적존재로 신성의 각 부분들을 개념을 넘어 체험을 통해 재창조함으로써 신과 하나 되는 일을 함께하는 동업자다. 그렇다면 당연히 신은 우리가 원하는 것을 원한다. 우리가 인생의 도약을 원한다면 우리는 생각과 말과 행동이라는 창조 에너지를 활용해 그를 창조해낼 수 있다. 이는 신의 약속이다. 우리는 이를 믿고 따르며 실천하면 된다.

이에 신은 너이기도 한 신으로서 생각하고 말하고 행동하라 말씀한다. 우리는 이를 어떻게 이해해야 할까?

앞서 우리는 우주는 생명에너지 그 자체임을 성찰했다. 따라서 신의 창조물이요, 영적 존재인 우리의 생각과 말과 행동은 강력한 에너지를 낳게 되며, 이것이 지속되면 물질의 형상을 갖게 된다. 이에 우리가 원하고 되기를 바라는 삶을 그리고 그 속으로 옮겨간다면 우리는 원하는 삶을 이룰 수 있다는 것으로 나는 이해한다.

문제는 그 원함과 바람이 얼마나 참되고 고귀하며 절실한 가 일뿐이다.

이와 관련해 지중해의 성자로 불리는 신유가 다스칼로스는 생명에너지를 물질화시키는 우주의 법칙을 다음과 같이 전했다.

"물현이란 것은 근본 질료를 모아서 물질로 응결시키는 것을 말한다네. 이 근본 질료란 것은 무엇일까? 과학자들은 그것을 에너지라고 하고 우리는 그것을 생명력이라 부르고, 또 인도인들은 프라나라고 하지. 반대로 환원이라는 것은 물질의 상태로 응결된 것을 에너지, 혹은 생명력으로 환원시키는 것을 말하는 것이야. 생명력을 풀어주는 것이지."[8]

그는 이러한 능력을 얻기 위해서는 이기심으로 표현되는 현재인격은 밀어두고 내면의 진정한 자아를 찾아야 하며, 또한 생각을 다스리는 의식의 집중력을 길러야 함을 강조했다.

그동안 나는 생각과 말과 행동이 지닌 창조의 힘에 무지했다. 내가 원하고 선택한 것이 반드시 이루어질 것이라는 믿음을 의심했다. 생각과 말과 행동이 지닌 우주의 순수 에너지로서의 창조력을 깨닫지 못했다. 지금 이 순간 내 자신에 관한 고귀한 전망으로 살고 있지 못했다.

---

8) 『지중해의 성자 다스칼로스 1』, 키리아코스 C. 마르키데스 지음, 이균형 옮김, 정신세계사, 2021, 305쪽

이제 나는 내 인생의 도약을 원한다면 신처럼 생각하고 말하고 행동하면 된다는 것을 안다. 진실로 나는 신과 한 몸이며, 신과 함께 신성한 계획을 실행해 가는 동업자임을 깨닫는다. 내가 도약을 원할 때 신은 이를 이뤄준다는 약속을 믿는다.

나는 '내 인생의 도약'을 '세속적 성취(돈, 명예, 업적 등)'로 봤으나 이제 본질적으로는 몸과 마음과 영혼의 조화와 균형을 도모하는 일(영적 과제의 창조나 진화 과정)로 이해했다. 나는 영적 도약을 바라고 신처럼 생각하고 말하고 행동하기를 원한다.

나는 그러한 능력을 얻기 위한 수행의 첫 단계는 집중법과 자신의 이기심을 극복하는 방법을 배우는 것임을 안다.

우주 창조 명령 '나는I am'

우리는 누구나 자신의 삶을 도약시키길 원한다. 나아가 삶을 도약시킬 수 있는 구체적인 방법을 구하고 깨닫고 싶어 한다.

이에 신은 우리의 생각을 명확히 하고, 그것들을 진리라고 말하라 말씀한다. 우리는 이를 어떻게 이해해야 할까?

앞서 우리는 신은 우주 만물을 창조한 생명에너지 그 자체임을 성찰했다. 신은 자신을 체험으로도 알기 위해 무수한 영혼을 창조했다. 이에 영적 존재인 우리는 신의 창조력을 부여받은 창조자이다.

따라서 우리는 우리의 생각을 명확히 하고 그것을 진리라 말하면, 그 생각과 말과 행동은 신의 창조력을 지닌 강력한 명령이 된다는 것이다. 신은 우리가 '나는I am'이란 말 다음에 담아내는 말은, 우리가 원하는 어떤 말이든 그는 체험에 시동을 걸고, 그를 우리에게 가져다준다고 말씀한다.

문제는 이를 믿지 못하고 의심하는 우리의 마음이다. 우리는 정신에 반응하지 말고, 내면에서 우러나오는 느낌에 따라 우리의 생각을 길들이고 다스려야 한다. 부정은 부정을 끌어온다. 긍정적인 믿음으로 삶의 도약을 이끌어야 한다는 것으로 나는 이해한다.

이와 관련해 영적 구도자요, 수행자인 피터 마운트 샤스타는 그의 자서전에서 스승 펄의 말씀을 통해 '나는'의 창조력에 대해 다음과 같이 전한다.

"에고, 즉 작고 유한한 나(me)가 아니라 무한한 나(I)를 말하는 것이다. 이는 우주의 무한하신 하나님이 창조계에 나타나시도록 당신이 그분을 불러오는 것이다. I AM은 그리스도, 즉 형상과 행동으로 나타나신 하나님을 의미한다. '나는 하나님이다.'라고 말하자마자 당신은 창조계로 나오게 되고, 의식 안에서 행위자가 되고, 창조를 시작한다. 의식의 집중이 창조의 열쇠다. 당신은 당신이 관심을 집중하는 그것 그대로 존재하게 된다. 우리의 호흡은 기도와 같다. 들숨은 '나는'(I)이라고 말하는 것이고, 날숨은 '창조합니다.'(AM)라고 말하는 것이다."9)

또한 인도 출신의 선각자 파라마한사 요가난다는 20세기 최고의 영적 도서의 하나로 선정된 그의 자서전에서 자신의 말이 불러온 엄

---

9) 『마스터의 제자』, 피터 마운트 샤스타 지음, 이상범 외 2인 옮김, 정신세계사, 2022, 120-126쪽

청난 폭발력을 체험한 어릴 적 일화를 소개하며, 다음과 같이 말씀한다.

"소리의 무한한 힘은 모든 원자 에너지의 배후에 숨어 있는 우주의 진동력인 '창조의 말' 옴Aum으로부터 생겨난다. 어떤 말이라도 뚜렷하게 인식하고 깊은 집중 상태에서 발화할 때는 그 말의 내용을 실재화 하는 힘을 지닌다."10)

그동안 나는 내 존재와 삶의 목표가 무엇인지가 명확하지 못했다. 내 삶을 도약시키고자 하는 분명한 의지가 부족했다. 내 자신의 삶과 현실을 도약시키고 창조하는 과정에 대한 기본 이해에 무지했다.

이제 나는 내 인생을 도약시키기 위한 창조 과정을 깨달았다. 생각과 말과 행동 속에 담긴 창조 에너지가 갖는 힘을 인식했다. 내 인생을 도약시키기 위해 무엇보다 내 생각을 명확히 하고, 그것을 진리로 말할 수 있어야 함을 안다.

나는 우주 창조력의 가장 강력한 명령인 '나는I am'을 세상에 진술한다. 나는 '나는' 뒤에 내가 생각하는 그 모든 체험들이 이루어짐을 믿는다. 나는 '나는'이라는 창조의 열쇠로 내 생각을 길들이고 다스리는 훈련을 한다.

나는 호스피스 봉사 체험과 웰다잉 탐구를 통해 내가 누구이고 어떤 존재가 되고자 하는지를 알게 되었다. 나는 죽음을 직면하며 죽음의 두려움에서 벗어나 죽음에 자리한 신성한 계획을 깨닫고 죽

---

10) 『요가난다, 영혼의 자서전』, 파라마한사 요가난다 지음, 김정우 옮김, 뜨란, 2020, 43쪽

음을 기쁘게 대할 수 있게 되었다.

　나는 몸과 마음과 영혼이 조화된 영적인 존재가 되고 싶고, 영적인 일을 하고 싶다. 모든 것을 갖고 있는 존재이기에 갖고 싶은 것이 없다. 오직 여기 이 순간 속에 삶을 재창조하는 것만이 있다. 나는 영적 존재다. 나는 신이다. 매 순간 호흡하며 '나는I am'을 세상에 진술한다.

2) 어떻게 하면 충분한 돈을 벌 수 있을까?

충분한 돈을 벌 수 있는 방법

이 질문은 월쉬만이 아니라 많은 사람들이 지니고 있는 공통된 물음 중의 하나일 것이다. 그렇다고 엄청난 부를 상징하는 백만장자가 되기를 원하는 것이 아닐 것이다. 인간다운 삶을 유지하는데 필요한 최소한의 돈을 원하는 것임에도 늘 그를 해결하기 위해 급급하고 쪼들린 삶을 살아야 하는 자신의 처지를 한탄하는 마음이 담긴 질문이다.

이에 신은 우리가 충분한 돈을 벌지 못하는 것은 먼저 넉넉함에 대한 우리의 이해가 부족하고, 좋고 나쁜 것에 대한 잘못된 판단에서 나온다고 지적한다. 이는 간청의 기도가 아닌 감사의 기도가 되어야 하듯, 무언가 늘 부족하다는 받침 생각을 불러오는 것이 빈곤한 삶을 만들고, 그로부터 벗어나지 못하게 한다는 사실을 강조한다.

예를 들면 우리는 늘 돈을 원한다. 그런데 우리가 돈을 원한다는 것은 우리의 마음 속 뿌리생각으로 보면, 우리는 늘 돈이 부족하다는 것이 드러난 표현이다. 우리는 영적 존재이기에 우주는 이 내면의 생각을 더 중요하게 받아들인다. 신은 우리가 돈이 부족한 상태를 원하는 것으로 여겨 그렇게 만들어 주게 된다는 것이다.

또한 신은 우리의 사고 체계에서는 신은 좋은 것이고, 돈은 나쁜 것으로 보기에 그 둘은 함께 어울리지 못한다고 말씀한다. 이런 어굿난 사고방식은 우리가 어떤 좋은 일을 하더라도 돈을 벌기 어렵게 만드는 요인이 된다는 것이다.

따라서 이 모든 걸 바꿀 수 있는 방법은 신이 말씀하신 돈에 대한 뿌리 생각을 바꿔 생각-말-행동의 틀을 뒤집는 것이다. 먼저 돈을 좋은 것으로 멋진 것으로 충분히 있는 것으로 행동하고 말하라는 것이다. 그러면 이는 충분히 있다는 뿌리 생각이 되고, 우주는 우리에게 그 좋고 멋진 것이 충분하도록 만들어 준다는 것이다.

따라서 우리는 늘 부자처럼 행동하고, 부자처럼 말하면 된다.

나 역시 물질적 풍요를 기대하고 그로부터 연상되는 환상적인 삶을 꿈꾸는 일이 많았다. 그러면서도 그 풍요는 절제되어야 하고 바람직하지 않다는 윤리적 믿음이 있었다. 좋은 일을 하면서 돈까지 바라는 것은 인간적 도리에 어긋나는 것이라 생각했다.

좋고 나쁜 것에 대한 잘못된 사고방식을 지니고 있었던 것이다. 넉넉함에 대한 나의 이해도 부족했다. 늘 부족함을 뿌리생각으로 지니고 있었기에 그것이 물질적인 빈곤함을 불러오지 않았을까 이제야 깨닫는다.

이제 나는 자신의 현실적 여건과 역량의 한계라는 토대위에서 긍정성과 넉넉함을 살려가고자 노력하며 산다. 나는 지금의 물질적 소유에 만족감과 감사함을 지니며, 나아가 몸과 마음의 욕구를 넘어 영적 존재로서 주어진 진화의 과정을 자각하며 기쁘게 걷고 있다.

나는 왜 부자처럼 생각하고 말하고 행동할 수 있을까? 우리는 신과 하나이기 때문이다. 영원불멸하는 영적존재로 인간체험을 하고 있는 그 선택보다 귀한 보물이 있을까. 우리는 모든 생명에너지 그 자체로 존재한다. 나는 영적 진화와 성장을 위한 내 주변의 모든 사람과 조건의 완벽함을 깨닫기에 그 자체로 우리 모두는 더없는 부자로 존재할 수 있음을 안다.

나는 이런 풍요로움이 아닌 부족함으로 자신을 묶어내는 낡은 사고들로 가득 찬 뿌리 생각을 바꾸고자 한다. 나는 새로운 생각으로 우리 모두가 진화하고 성장하여 참된 자신이 될 수 있는 기회를 창조할 수 있음을 안다. 나는 이러한 신사고 운동에 앞장 설 것임을 다짐한다.

신의 공식 '나+성공했다.'

신은 우리가 하고 싶은 일을 하면서 돈도 벌고자 한다면, 행동이 아닌 존재 상태에 이르라고 말씀한다. 이는 무슨 뜻일까?

신은 행동은 몸의 기능이고 존재는 영혼의 기능이기 때문이라 말씀한다. 나는 우리가 영적 존재임을 안다면, 영혼은 모든 것을 알고 기억하고 있는 존재임을 안다면, 무엇을 하려하지 말고, 되고 싶은 그 상태에 있으면 된다는 말씀으로 이해한다.

즉 신은 소유-행위-존재의 순서가 아니라 존재-행위-소유의 순서로 우리의 삶을 바꿔보라 말씀한다. 나는 이를 예를 들면, "돈이 많으면 즐겁게 일할 수 있고, 그러면 행복한 존재가 될 수 있다."가 아니라 "행복한 존재 상태로 있으면 즐겁게 일할 수 있고, 그러면 돈도 많이 벌게 될 것이다."로 이해한다.

앞서 우리는 영혼은 신성의 무한한 부분을 체험을 통해 재창조하는 것이 목적인 존재임을 성찰했다. 이에 영혼은 자신이 누구인지, 어떤 존재가 되고자 하는지를 알고, 체험을 통해 그를 창조하며 성장하는 것이 가장 중요한 일이다. 우리는 신은 그 일을 할 수 있는 완벽한 조건과 기회를 주고 있음을 안다.

또한 우리는 몸과 마음과 영혼이 조화된 3중의 존재임도 성찰했다. 나는 신의 말씀을 이해하며, 모든 것을 기억하고 있는 영혼이 원하는 것을 기억해 내면, 마음은 그 기억들 중에서 선택하고, 몸은 마음의 선택을 물질 형상으로 만들어 낸다고 이해한다.

따라서 앞서 우리가 성찰한 바대로 몸과 마음과 영혼이 조화된 존재로서 '나는'이 갖고 있는 우주의 창조력을 믿고, 신이 말씀한 신의 공식인 '나+성공했다.'로 성공을 이끌어 낸다면, 우리가 바라는 대로 현실을 바꿔낼 수 있다고 나는 이해한다.

이에 우리는 '나는 성공했다.', '나는 성공부자다.', '나는 행복하다.'라는 존재 상태로 있을 수 있다면, 우리는 그렇게 행동하게 되고, 그러면 우리는 그런 원하는 결과를 만들어 낼 수 있으리라 나는 이해한다.

나도 지난 삶에서 세속적인 성공(진학, 취업, 부와 지위 등)을 위한 열정이 당연한 듯 살아왔던 때가 있었다. 한편으로는 내가 하고 싶은 일, 배우고 가르치는 일에 선의를 갖고 헌신하면 생활비는 자연스럽게 마련될 수 있을 것이라는 믿음을 지니고 있었다.

그러면서도 내 집 마련 과정에서 주변 사람들과 갈등하고, 교육문제로 기득권 체제와 충돌하며 많은 시행착오를 겪었지만 그 과정이 오히려 평온하고 떳떳하게 내 길을 자각하며 걸을 수 있는 소중한 체험이 되었음을 안다.

그렇게 자신의 내면에서 인도하는 길을 선택하며 그 일에 선의를 갖고 즐겁게 헌신했다. 70년대 말 시작된 교사의 보수는 얼마 되지 않았지만 늘 감사했다. 37년 후, 그 감사함은 퇴직연금이라는 생각하지도 못했던 기회로 다가왔다.

이제는 부와 성공의 욕구에서 벗어나 좀 더 영적 성장을 위한 체험의 기회를 갖고 있다. 그런 순간들이 쌓여 지금의 존재로 있다. 나는 이런 나의 영적 진화 과정에 놀라움과 함께 더할 바 없는 기쁨을 느끼고 있다.

한편, 나는 얼마든지 자신이 하고 싶은 일을 하면서도 생활비를 벌 수 있음을 안다. 세속적 성공을 선택하고자 하는 열망을 지닌 주변 사람들에게 '나는'이라는 창조의 열쇠, "나는 성공했다." 또는 "나는 성공을 앞두고 있다."라는 감사와 인정의 진술로 신의 창조력을 불러와 보라고 비법을 전할 수 있음도 안다.

또 다른 비법은 소유-행위-존재의 틀을 뒤집는 데 있음을 안다. 앞서 예를 들었지만 어떤 조건과 필요가 갖춰질 때, 우리는 무언가를 할 수 있고, 그러면 원하는 존재가 될 수 있다는 생각을 갖는다. 하지만 이제 나는 먼저 자신이 원하는 존재로 있을 때, 우리는 무언가를 할 수 있고, 그러면 원하는 것을 갖게 될 수 있음을 안다.

3) 어떻게 하면 내가 원하는 현실을 창조할 수 있을까?

현실을 창조하는 진리에 대한 믿음

그렇다면 원하는 현실을 창조하는 데 있어 우리가 깨닫고 있지 못한 진리는 무엇일까?

나는 앞서 여러 차례 성찰한 바대로 그 진리는 우리가 영적존재로 인간체험을 하고 있기에, 우리는 모든 것을 알고 또 갖고 있는 존재이기에, 신은 우리가 원하는 것을 완벽하게 제공할 준비가 되어 있다는 것이라 생각한다.

따라서 우리는 신과 하나요, 우리 역시 창조자이기에, 우리가 원하고 선택한 것은 반드시 창조할 수 있다고 믿는 것이 진리임을 나는 이해한다.

또한 신은 우리가 선택한 현실을 창조하는데 시간이 걸리는 이유에 대해 우리는 자신이 선택한 것을 가질 수 있다는 사실을 믿지 못하고 계속해서 마음을 바꾸려 하기 때문이라고 말씀한다.

마음은 늘 현실 속의 상대성과 이분법적 사고에 따른 수많은 상황과 사건들이 보여주는 환상에 젖어 수시로 옳고 그름을 판단하려 한다. 그 판단에 이끌려 수시로 마음을 바꾼다. 마음의 지시를 받는 몸은 어떤 생각을 물질 형상으로 만들어야 할지 혼란스러워한다. 시간이 걸릴 수밖에 없다고 나는 이해한다.

우리는 몸과 마음과 영혼이 조화된 3중의 존재이지만, 우리는 영적 존재이다. 느낌이라는 영혼의 언어, 내면에서 들려오는 소리에 우리가 좀 더 귀 기울일 수 있다면, 우리는 일관된 믿음으로 우리가 원하는 현실을 창조해낼 수 있으리라 나는 이해한다.

지난 날 나는 과거부터 이미 존재해온 현실에 매여 체험했던 것들에 기초해 생각하며 반응했다. 사회제도와 관행을 늘 의식하며 거기에 순응했다. 이성적 판단을 중요하게 생각했고, 그 판단에 의지했다. 지금 이 순간의 느낌에 따라 현실을 창조해 나가는 데 주저했다.

나는 몸과 정신에 반응해 무엇이 최선인지를 판단하려 시간을 낭비했으며, 그 선택에 조심스러워했다. 그 결정에 시간이 걸렸고, 막연한 기대에 빠져 보다 나은 현실 창조로 나아가질 못했던 경험들이 있다.

이제 나는 몸과 정신에 반응하기보다 영혼의 바람에 귀 기울이며, 느낌에 따르고 의식하는 삶으로 현실을 창조해 나갈 것이다. 나는 영적 존재인 우리는 신과 하나이기에 우리가 원하는 것을 반드시 창조해낼 수 있다는 것이 우주의 진리임을 안다.

사랑을 담아 메시지 보내기

앞서 우리는 영혼은 느낌으로 말하기에, 자신의 느낌에 귀 기울이고 존중하는 것이 중요함을 성찰했다. 이에 우리의 부정적이고 파괴적인 느낌들까지도 표현해야 하느냐는 의문에 신은 자신의 진실을 사랑으로 표현한다면, 부정적이고 위험한 일은 일어나지 않는다고 말씀한다.

우리는 이를 어떻게 이해해야 할까?

나는 신은 무한한 사랑의 존재 그 자체이기에, 신의 창조물인 우리 영혼들도 그러하다고 믿는다. 따라서 영혼의 언어인 느낌은 사랑 그 자체이기에 부정적이지도 파괴적이지도 않다고 이해한다.

이에 신은 메시지를 얼마나 잘 받는가는 메시지를 얼마나 잘 보내는가만큼 중요하지 않다고 말씀한다. 우리는 이를 어떻게 이해해야 할까?

우리의 사회 질서와 관습에서는 늘 남에 대한 예의와 존중을 중요한 가치로 강조 받아왔기에 이해하기가 쉽지 않다. 민족과 국가를 우선하는 공동체 의식은 개인의 태도와 관계에 있어서도 늘 남을 의식하게 마련이다.

하지만 우리 모두가 영적 존재임을 깨닫는다면, 내 영혼의 진실한 사랑의 느낌을 얼마나 잘 담아낼 것인지가 우선됨을 받아들일 수 있다. 내가 보낸 메시지를 내가 원하는 방식으로 상대방이 받아줄 것을 바란다면, 즉 조건이 뒤따른다면 이는 참된 사랑의 방식이 아닐 것이다.

반대로 생각한다면 우리가 사랑을 담아 보낸 메시지를 상대방이 어떻게 받을 것인지는 똑같이 영적 존재인 당사자가 판단하고 선택할 일이 아니겠는가. 상대방 자신이 어떻게 받을 것인지를 강요받을 수 없는 것은 당연한 일이다.

나아가 부정적 느낌도 그렇다. 만약 우리가 가질 수 있는 부정적인 느낌을 마음속에 가두고 표현하지 않으면, 즉 밖으로 드러내지 않으면 그 부정적인 느낌을 가두게 되고, 그는 더욱 증폭되지 않겠는가. 사랑을 담아 자신의 느낌을 솔직하게 전해야 한다고 나는 이해한다.

하지만 신은 부정적 느낌은 영적 존재인 우리의 진실은 아님을 강조한다. 그 부정적 느낌은 치유되지 않은 자신의 부분에서 생긴 것임을 유의하라는 말씀에 나는 공감한다.

지난 날 나는 자신의 메시지에 대한 타인의 반응에 좀 더 신경을 썼다. 남이 어떻게 받아들일까에 대한 기대가 나의 생각과 말과 행동의 기준으로 작용했다. 그런 민감함과 주저함이 함께 있는 사람들에게는 안정감과 신중함으로 보일 수 있으나 한편으로는 답답함과 불편함으로 다가갈 수도 있었다.

부정적인 느낌들을 표현하는 데도 그랬다. 파괴적이 아닌 절제된 표현도 어려웠다. 이제 나는 내 순수성이 훼손된다고 생각하지 않는 한 그 사람에게 부정적인 느낌을 표현하지 않도록 노력한다. 나는 명상과 관찰을 통해 나의 치유되지 않은 부분인 갇힌 부정성을 드러내고 풀어낼 수 있음을 안다.

나이 들어가며 조금씩 내 자신이 주어진 상황과 사건의 원인이요, 내 삶의 주인으로 체험하고 창조하는 존재가 되고자 했다. 뜻을 함께 하는 동료들을 만나며 새로운 변화를 창조해 가는 체험의 기회를 적극적으로 만들어 갔다.

이제 나는 사랑과 용기를 담아 메시지를 보내고, 체험하며, 창조하는 삶을 만들고자 내면의 소리인 느낌에 귀 기울인다. 사랑을 담아 메시지를 보내면 상대방이 그를 어떻게 받아드리는가는 그 사람의 선택임을 안다.

참된 자신의 느낌에 귀 기울이려면

그렇다면 자신의 참된 느낌에 귀 기울이고 있는지를 어떻게 확인할 수 있을까? 이에 대해 신은 '지금 여기가 되는 것', 그 순간에 있으라고 말씀한다. 이는 무엇을 말하는 것일까?

나는 이를 과거라는 지나간 체험의 기억에 매달려 집착하거나 흔들리지 말라는 뜻으로 이해한다. 나아가 아직 알 수 없는 미래의 체험을 상상하며 자신을 구속하고 굴레에 담가두려 하지 말라는 뜻으로 이해한다. 옳고 그름을 판단하지 말고 지금 이 순간 내면에서 전해오는 느낌 속에 있으라는 뜻으로 해석한다.

또한 앞서 우리는 신은 모든 우주 만물, 모든 상황과 사건들을 한 순간에 창조했음을 성찰했다. 따라서 우리는 우리가 원하는 것을 찾고 이루려고 노력할 필요가 없으며, 그 원하는 것에 존재하면 됨을 이해했다.

우리는 앞서 여러 차례 우리가 영적 존재로 이 순간 여기 이곳에서 삶을 살아가는 목적에 대해 말해왔다. 우리는 '자신이 누구인지'

알기 위해서, 그리고 '되고자 하는 자신'을 창조하기 위해서 이 세상에 왔다.

삶이란 영적 존재인 우리가 인간으로서 신성의 모든 것을 체험을 통해 재창조하는 과정이다. 매 순간 이를 기억한다면 우리가 참된 자신의 느낌에 귀 기울일 수 있는지를 확인할 수 있을 것으로 나는 이해한다.

그리고 앞서 우리의 이 모든 상황과 사건은 우리가 만들어낸 환상임을 성찰했다. 그 환상에 매달리지 말고, 즉 주어진 현실에 매이지 말고, 우리가 영적 존재임을 깨닫고, 매 순간을 창조해 가는 창조자로 살 때, 그 내면의 느낌에 귀 기울일 수 있으리라 나는 이해한다.

지난 날 나는 창조하는 삶이 아닌 반응하는 삶을 살았다. 누가 주사를 맞을 때 아플까 얼굴을 돌리는 걸 보고 나면, 나도 얼굴을 돌린다. 남들의 이전 체험에 근거해서 내 현실을 지각했다.

이전 체험을 무시하고, 지금 이 순간 여기에서 내가 당장 해야 할 일 속에 있지 못했다. 지금 이 순간을 깨끗한 상태로 만나는 일이 자신의 현실 창조를 위한 가장 위대한 도전임을 인식하지 못했다.

나는 앞서 내 인생의 도약에서 관찰한 것처럼, 우리 모두가 신과 하나이며, 우리 모두가 그리스도임을 안다. 변화와 창조가 우주의 법칙임을 안다. 내 자신이 신임을 알고, 내 자신의 창조력을 믿으며, 삶의 모든 지금 이 순간을 통해 재창조의 과정을 가고 있음을 안다.

얼마 전 나는 두 건의 경미한 차량 접촉 사고를 경험했다. 한 번은 다른 사람이 내차에, 한 번은 내가 다른 사람의 차에 피해를 주었다. 가볍다 해도 그 피해를 복원하는 과정에서 발생하는 비용과 수고, 불편함을 초래한 미안함에 대한 사과의 과정 등 한동안 마음이 어수선하다.

나는 이런 경우 몸과 마음에 반응하기보다 내면의 느낌에 좀 더 귀 기울이며 영적 성장을 위한 체험의 기회로 받아들이는 것이 중요함을 알게 되었다. 우연한 사고에 뒤따를 불편함과 경제적 손실에 짜증을 내거나 불안해하기보다 서로가 참된 자신으로 사랑을 담아 메시지를 보내고, 지금 여기 이 순간에 이 체험을 통해 내가 새롭게 창조하고자 하는 존재가 무엇인지, 어떤 존재가 되고자 하는지를 배우는 것이다.

내가 접촉사고를 일으켜 승합차 앞부분 한 쪽 헤드라이트 유리에 미세한 금이 갔던 차주는 "전적으로 제 책임이니 수리하시고 연락 주시면 현금 또는 보험 처리 해드리겠습니다. 불편함을 끼쳐드려 죄송합니다."라는 나의 말에 "알았습니다. 우리 좋은 사람이에요."라며 웃으며 답했다.

그 후 나의 우려와는 달리 자체 보험처리를 하셨는지 지금까지 연락이 없다. 천사가 따로 없다. 우리 모두는 하나다. 매 순간 참된 자신이 되어야 함을 새삼 깨닫는다.

4. 건강과 생명

1) 우리의 건강 문제들은 어떻게 해결할 수 있을까?

모든 병은 자신이 불러온 것

신의 응답은 완벽하다. 반박할 여지가 없다. 그러면서도 그 속에 기쁨과 진리와 사랑이 듬뿍 담겨있다. 나를 비롯한 모든 사람들이 평생 안고 사는 건강 문제, 질병의 원인과 해법이 명쾌하다. 이해하기 어렵지도 않다.

"모든 병은 스스로 창조한다."라는 말씀 속에 담긴 뜻은 무엇일까?

나는 '우리가 누구인지', '어떤 존재가 되려는지'와 관련된 의식의 문제라는 데 공감한다. 생활수준의 향상과 함께 건강을 위해 단백질 공급이 필수적이라며 얼마나 많은 육류를 섭취하고 있는가. 식물성 단백질 섭취로도 얼마든지 대체 가능함에도 말이다. 술과 담배도 마찬가지다.

"걱정을 그만두면 건강은 이내 좋아질 것이다."라는 말씀도 그렇다. 생각은 에너지를 끌어당긴다. 특히 부정적 생각이 상상의 나래를 펴면 걷잡을 수 없다. 당연히 우리의 세포를 파괴하며 병을 가져올 것이다.

이에 대해 신은 걱정은 마음이 자신과 나(神)의 연관성을 이해하지 못할 때 보여주는 마음의 행동이라 말씀한다. 이는 무슨 뜻일까?

나는 우리가 영적 존재임을 깨닫고, 신의 완벽한 계획과 무한한 사랑을 믿으면 마음의 평안을 가져오기에 자연스럽게 건강도 좋아지리라는 것으로 이해한다.

나아가 신은 우주 만물을 창조한 생명에너지 그 자체다. 그 창조력을 지닌 우리이기에 우리의 생각과 말과 행동은 그 자체가 에너지로 물질 형상을 창조한다. 우리가 좋아지기로 마음먹으면 그는 현실로 나타날 것이라고 나는 이해한다.

나의 수많은 병치레 속에서 "모든 병은 자신이 불러온다."는 것을 깨닫는다. 한편 "병회복과 건강은 마음먹기에 달렸다."도 경험 속에서 깨닫는다.

나는 어린 시절 전쟁 후의 가난과 비위생적인 치아 관리 탓인지 가장 많이 찾은 병원이 치과였다. 충치 치료와 치아 마모로 인한 신경치료와 레진치료, 잇몸치료에 정기적인 스케일링까지 누구나 꺼려하는 통증과 불편함을 수없이 감수했다.

그 탓인지 성장하며 하루 세끼 식사 후 양치질을 끝내면 어떤 간식도 사양했다. 부실한 치아 상태지만 그런 절제된 관리 덕분인지 아직 임플란트나 부분 틀니 없이 지내고 있어 늘 감사할 뿐이다.

나는 "우리가 병을 사랑한다."는 것은 그 병의 원인이 되는 각종 부적절한 체험을 즐긴다는 것으로 생각한다. 이는 그런 부정적인 체험을 통해 진리를 깨닫고 성장할 수 있음을 비유한다. 이제 나는 그 체험은 충분히 경험했으니 좀 더 진화된 체험으로 나아가라는 내면의 신호를 깨닫는다.

나는 건강검진이나 병원진료를 받지 않는지도 오래되었다. 일상검진(마음 비움, 평정 유지, 소식과 채식 위주의 식단, 금주와 금연, 산책과 호흡, 규칙적 생활, 영적 탐구 등)이 우선이다. 이것이 건강을 위한 보다 근본적인 해결책이라 믿기 때문이다.

나는 몸과 마음과 영혼이 조화된 영적 존재임을 안다.

우리는 결코 죽지 않을 존재

신은 우리는 결코 죽지 않으며, 생명은 영원하다고 말씀한다. 우리는 이를 어떻게 이해해야 할까?

앞서 우리는 현실 속에서 인간의 존재를 몸과 마음으로 이루어진 이분법적 존재로 생각함을 성찰했다. 이에 따라 우리는 인간의 생명은 일회적이며, 우리의 몸은 그 생명을 유지하기에는 한계가 있다고 믿었다.

하지만 이제 우리는 몸과 마음과 영혼으로 이루어진 3중의 존재임을 깨닫게 되었다. 우리가 존재 전체요, 생명에너지 그 자체인 영적 존재라면 생명은 끝이 없고, 우리의 몸도 우리가 원하는 만큼 오랫동안 그 생명을 유지할 수 있다는 것으로 나는 이해한다.

나는 존재 전체요, 사랑만이 전부였던 우리가 개념으로만 알고 있던 것을 체험을 통해 참된 자신을 인식할 기회를 갖겠다고 이 상대계를 만들어 물질인 몸의 형상을 취한 것임을 깨닫게 되었다.

존재 전체인 신이 전체를 무한수의 부분으로 나누어 몸을 창조했다면, 그 최고의 창조물이 고작 100년도 안 되는 짧은 생명을 가질 수밖에 없다는 것은 이해하기 어렵다.

이에 나는 신이 "나는 너희의 장대한 몸을 오래오래 지속되도록 설계했다."라고 한 말씀에 공감한다. 우리가 영적 존재임을 인식하고 몸과 마음과 영혼의 조화와 균형을 이루며 살고자 하는 진실한 원함만 있다면 얼마든지 가능한 일이라고 믿는다.

한편 나는 생명 창조와 관련해 오늘날 우리의 현실 속에서 진화론과 창조론의 논쟁이 존재함을 이해한다. 나는 이를 대립적 측면에서가 아니라 그 나름의 조화된 의미가 있음도 이해한다. 나는 창조론을 믿는다. 그러면서도 영적 존재로서의 진화와 성장에 담긴 의미도 믿는다.

지난 날 나 자신도 만물의 영장이라는 인간의 평균 수명이 겨우 70~80년에 머무를 수밖에 없다는 사실에 안타까움과 깊은 의문이 있었다. 자연스럽게 죽음이 무엇인지, 죽음 이후의 세계는 없는 것인지, 그 의문의 해답을 구해보고자 하는 깊은 열망이 있었다.

이제 나는 우리의 몸이 죽지 않도록, 무한히 오래 살도록 설계되어 있었다는 신의 말씀에 안도하며, 그 논리적 설득력에도 진리가 담겨 있음을 안다.

나는 생명 창조와 관련해 우리 인간의 상대적 관점에서 진화론과 창조론이라는 이분법적인 사고와 옳고 그름을 판단하려는 체험의 당위성을 이해한다. 그러면서도 이는 우리가 바라보는 의식의 한계일 뿐, 그 차이 속에 담긴 성스러운 의미가 무엇인가가 관건임을 안다.

영적존재로서의 생명 그 자체인 우리가 몸을 통한 인간체험으로 신성을 재창조하려는 목적을 위해서라도 우리의 몸은 우리가 원한다면 무한히 오래 살 수 있을 것임을 나는 안다.

나는 한 순간의 성스러움이란 신이 절대계의 관념으로만 알 수 있는 앎을 체험을 통해 깨닫기 위해 상대계인 물질계의 환경과 조건을 한 순간에 창조했다는 것으로 이해한다.

또한 수십억 년의 차이란 무한한 신의 특성을 모두 체험하고 참된 자신(신, 사랑)으로 다시 하나 되기 위해서는 우주 수레바퀴라는 오랜 과정과 순환이 필요함을 뜻하는 것으로 나는 이해한다.

2) 영원한 생명의 신비에 대해 알 수 있나요?

영원한 생명의 신비

신은 영혼은 고안하고, 마음은 창조하고, 몸은 체험한다고 말씀한다. 우리는 그 순환 구조를 어떻게 이해해야 할까?

우리는 신과 하나다. 이에 우리의 영혼은 모든 것을 알고 있다. 잠시 인간 체험을 위해 망각 상태로 물질계에 있지만, 이번 삶에 꼭 필요한 체험을 기억해내는 일이 고안하는 것이라 나는 이해한다.

그러면 마음은 영혼이 기억해낸 즉 고안해낸 것을 지금 이 순간의 생각으로 선택하고 그를 새롭게 창조해 나간다. 그리고 몸은 마음이 생각하고 창조해낸 것을 물질 형상으로 만들며 체험한다.

그러면 영혼은 자신의 체험 속에서 자신을 인식한다. 그런 인식하에 영혼은 다음의 이 순간에 가장 적합한 기억을 다시 고안해내는 순환 구조를 만들어가며 영원한 생명을 이어간다는 것으로 나는 이해한다.

나아가 신은 우리의 몸이 마음과 영혼에 속해 있듯이, 우리는 신의 마음과 영혼에 속해 있으며, 그 신은 또 다른 존재의 몸이라 말씀한다. 이에 나는 참으로 우주에는 우리가 알지 못하는 놀라운 점들이 많다는 것에 새삼 경이로움을 느낀다.

지난 날 나는 '아프면 병원에 가야지', '약을 먹으면 좋아질 거야', '죽음 앞에 장사 없지' 등 건강과 수명에 대한 우리 사회의 지배 관념에 많은 영향을 받아왔다. 물론 우리 사회의 진리 탐구 노력을 폄하 하려는 것은 아니다. 다만 그 지배 논리가 새로운 진리 탐구에 대한 자각을 제한하려 해서는 안 될 것임도 자각한다.

나는 우리가 믿어온 진리에서 벗어날 때, 새로운 진리에 마음을 열 수 있음을 안다. 나는 우리가 영적 진리에 기초할 때, 우리는 죽게 되어 있는 존재가 아닐 수 있음을 이해한다.

나는 몸과 마음과 영혼이 지닌 고안-창조-체험이라는 순환관계의 영속성이 우리 몸이 끝없는 체험 속에 영생할 수 있음도 이해한다.

나아가 나와 신의 몸과 마음과 영혼도 하나임을 이해하고, 이 우주에는 영원한 생명과 관련해 우리가 알지 못하는 수많은 신비함이 존재하고 있음도 이해한다.

무한함이라는 삶과 우주의 비밀

신은 자신이 신이며, 다른 존재의 자식이듯이, 진실은 끝이 없다고 말씀한다. 우리는 이를 어떻게 이해해야 할까?

우리는 현실에서 신은 유일하며, 존재하는 가장 큰 형상으로 믿는다. 전능한 분인 신은 오직 한 분뿐이다. 그런데 신은 하나이면서 그렇지 않을 수도 있다고 말씀한 것이다.

이에 신은 물질 입자를 통해 진실은 끝이 없음을 설명한다. 우리가 물질을 계속해서 반으로 갈라 더 이상 가를 수 없게 하려면 얼마나 많이 갈라야 할까? 나는 물질을 반으로 가르는 과정은 끝이 없기에 완전히 없애는 것은 불가능하다고 이해한다.

이에 신은 우리는 이제 막 무한함이라는 삶과 우주의 비밀을 들여다봤음을 강조한다. 이제 그 무한이라는 비밀이 한 쪽 방향으로만 나가지는 않을 것이기에, 위나 아래라는 건 없다는 것이다.

아래로도 끝이 없듯이 위로도 끝이 없다면, 신은 또 다른 존재의 자식일 수 있다는 신의 말씀도 이해할 수 있다. 따라서 신은 존재 전체다. 그렇다면 우리도 신과 하나라면 죽음도 끝이 아니라 단지 형상만을 바꿀 뿐이라는 걸 나는 이해한다.

나는 신에게도 신이 있을 수 있음을 이해하기 어렵다는 것을 안다. 이 세상에는 내가 모르는 수많은 것들이 있음을 수용한다. 우리의 현실 체험이 갖는 한계를 이해한다.

그러면서도 물질 입자를 한없이 쪼개가더라도 그를 없앨 수는 없기에, 위로도 끝이 없음을 이해한다. 이에 우리가 할 수 있는 전부는 그것의 형상을 바꾸는 것에 불과함도 이해한다.

나는 형상을 바꾸고자 한 것은 매 순간 체험의 모든 것을 완벽하게 경험하며 깨달음에 도달하기 위한 영혼의 선택이라 이해한다. 그 형상을 바꾸는 일을 즐겁게 가기 위한 과정이 죽음이요, 환생 또는 윤회라 이해한다.

이런 시각에서 볼 때 신은 존재하지 않을 수도 있고, 모든 게 신일 수 있음을 이해한다. 따라서 나는 생명에너지 그 자체인 신은 그 창조물인 우리 모두와 함께 존재하지 않을 수 없음을 안다.

나는 영혼-마음-몸, 고안-창조-체험, 성신-성부-성자의 삼위일체, 그 삼각형의 상징화를 깨달을 때, 내가 바로 신임을, 신과 내가 한 몸임을 알게 되리라 믿는다.

3) 우리의 생명은 언제 시작되고 끝날까?

생명의 시작과 끝

우리가 영적 존재라면, 우리의 영혼은 언제 몸으로 들어가며, 생명이 시작될까? 우리는 그 시작 신호가 출산 때인가, 아니면 생명의 물질 요소들이 결합하는 수정 때일까 궁금해 한다.

이에 신은 생명은 시작도 끝도 없기에 그 시작점도 있을 수 없다고 말씀한다. 우리는 이를 어떻게 이해해야 할까

앞서 우리가 성찰했듯이 만물은 항상 살아 있다. 죽음 같은 건 없다. 그런 존재 상태는 없다. 이는 신은 존재 전체요, 있음 그 자체이기에 신의 존재를 증명할 수 없고, 증명할 필요가 없음과 같다. 또한 신은 생명 그 자체이기에 죽을 수 없고, 따라서 생명의 시작과 끝도 없다는 것으로 나는 이해한다.

다만 영적 존재인 우리가 인간 체험을 위해 몸을 선택해 합쳐지는 때를 굳이 구분하고자 한다면 그 때는 언제인가 라는 의문을 가질 수 있다. 이에 신은 영혼이 몸으로 들어가는 것이 아니라, 영혼이 몸을 감싼다고 말씀한다.

이에 대한 좀 더 자세한 신의 설명은 영혼에 대한 장에서 알 수 있다.

최면요법을 통해 삶과 삶 사이 영혼의 기억을 이끌어내어 상담한 결과를 책으로 펴낸 마이클 뉴턴은 환생하는 영혼이 어떻게 아기의

몸에 깃들게 되는가에 대해 아래와 같이 주장했다.

"태아가 태어나기 얼마 전에 영혼은 발달하고 있는 태아의 뇌를 조심스럽게 건드리며 보다 완벽하게 깃든다. 만약 영혼이 어느 태아에 깃들기를 바란다면 태아는 그것을 마음대로 받아들이거나 거부할 선택의 여지가 없다. 영혼이 처음 태아에 깃들게 되었을 때 영혼의 연대적인 시간이 시작된다."[11]

마이클 뉴턴의 주장은 환생의 계획에 따라 영혼이 아기의 몸속으로 깃들며 영적존재로서의 생명이 시작된다고 본 것이다.

지난 날 나는 정자와 난자가 만나 수정이 되면서 생명이 시작된다고 배웠다. 그 후 영혼이 몸에 깃들어 생명이 시작된다고 생각했다. 영혼은 몸 안에 존재한다고 인식하고 있었던 것이다.

이제 나는 영혼은 존재와 생명 그 자체이며, 생명의 시작과 끝은 없다는 것을 안다. 그리고 영혼이 몸을 감싸는 것이며, 항상 살아 있는 것은 자신을 그냥 새로운 형상, 새로운 물질 형상으로 모양 짓고 생명 에너지로 가득 채운다는 것을 안다.

우리는 어느 누구도 죽일 수 없어

신은 우리는 누구도 죽일 수 없다고 말씀한다. 이를 어떻게 이해

---

11) 『영혼들의 여행』, 마이클 뉴턴 지음, 김도희·김지원 옮김, 나무생각, 2021, 447쪽

해야 할까?

그러나 우리 현실은 여전히 죽음에 대한 두려움이 짙게 깔려 있다. 이 두려움의 근저에는 자신의 생명이 영원함을 믿지 못함도 있지만, 내 생명이 누군가에 의해 해를 입고 죽임을 당하지 않을까 하는 막연한 염려와 불안이 자리하고 있음을 알 수 있다.

도시화된 문명사회의 각종 이기들이 곳곳에서 우리의 생명을 위협하고 있는 실정이다. 더욱이 돈과 권력에 대한 탐욕이 빚어낸 살인과 전쟁은 생명의 영원함에 대한 믿음을 심각하게 파괴하고 있지 않은가.

앞서 우리는 생명이 시작되고 끝나는 지점이 없음을 성찰했다. 죽음은 끝이 아니라 새로운 시작으로 우리의 영혼이 그 몸의 형상을 바꾸는 것일 뿐임을 인식했다. 우리의 영혼은 존재 전체요, 생명에너지 그 자체인 신의 창조물이다.

따라서 신은 영혼의 삶이란 완벽하게 자신을 표현하는 신의 의지이기에, 누구도 그 의지를 거스를 수 없음을 말씀한 것이라 나는 이해한다. 당연히 우리가 영적 존재임을 깨닫는다면 한 영혼이 다른 영혼의 생명을 끝내게 할 수는 없을 것이다. 우리 모두는 하나이기 때문이다.

현실에서 우리가 다른 사람의 생명을 끝낼 수 있다고 믿는 것은 자신이 신과 하나이며, 영적 존재임을 깨닫지 못하는 무지와 분리의식에서 나온 잘못된 행위임을 나는 이해한다.

나는 우리 사회와 지구상 곳곳에서 일어나고 있는 살인과 전쟁의 실상에 깊은 우려와 안타까움을 갖고 있다. 나아가 인간에 의해 벌어지고 있는 심각한 환경파괴 역시 모든 생명체를 해치는 일임을 자각한다.

나는 우리 사회에서 이루어지고 있는 폭력과 살인은 우리가 이원론에 사로잡혀 서로 분리되어 있다는 무지에서 비롯된 잘못된 행위임을 안다.

나는 우리 모두가 한 영혼이며 존재 전체요 생명에너지 그 자체인 신성을 각자 개별적으로 체험하고 있는 존재임을 안다. 따라서한 영혼이 다른 영혼을 대신해 생명을 끝내게 할 수 없음을 안다.

나는 모든 생명체들 마다 주어진 영혼의 삶은 신의 의지에 따라이루어지는 것이기에 그 누구도 신의 의지에 반해 개별 영혼의 생명을 끝낼 수는 없음을 안다.

낙태 행위에 대한 판단

신은 앞서 영혼의 의지를 거스르는 어떤 일도 일어날 수 없다고 말씀했다. 그렇다면 우리는 낙태라는 행위를 어떻게 판단해야 할까?

이에 언제나처럼 신은 옳고 그름을 판단하지 않으며, 다만 우리가 가고자 하는 방향이 우리에게 이바지 하는 방향인지 관찰할 뿐이라 말씀한다. 그 관찰의 기준은 한 사람이나 사회가 무엇을 즐거움으로 부르는지, 무엇을 자신에게 이바지한다고 선언하는지에 따라 알 수 있으며, 그 모든 것이 자기규정의 행동이라고 강조한다.

그렇다면 이런 관점에서 우리는 낙태라는 행동을 어떻게 규정할 것인가.

우리는 일반적으로 낙태를 생명을 해치는 살인 행동으로 규정해왔다. 그렇게 낙태를 제한하는 것이 당사자들이나 사회 전체에 이바지하는 것으로 보았다. 하지만 영적 관점에서 본다면 생명 그 자체인 영혼이기에 어떤 영혼으로부터도 자신의 결정이나 선택을 제한당할 수 없다. 그건 신의 의지에 반하는 일이다.

이에 나는 우리가 임신을 중단하려는 이유가 영적 존재로서 자신이 성장하고 진화하는 과정, 참된 자신이 되려는 자기규정에 부합하는 일인지 아닌지를 관찰하는 것이 보다 중요한 방향임을 신은 말씀하신 것으로 이해한다.

이에 나는 자신과 우리 사회가 일어나는 모든 상황과 사건들이 우리의 체험을 위한 신의 완벽한 계획이며, 그는 배움과 성장을 위한 연극이라는 환상의 체험임을 깨닫는다면, 모든 임신과 출산 그리고 육아에 대한 사회적 책임을 인정하는 것이 보다 진화된 존재의 선택일 것임을 이해한다.

또한 현실적으로 낙태를 법으로 제한한다는 것은 영적 존재로서 우리가 지닌 자유의지와 자유선택권을 제한하는 일임을 성찰한다. 그 모든 판단은 자신만이 할 수 있으며, 그 행위의 모든 것은 자기규정의 행동임을 나는 이해한다.

지난 날 나는 낙태나 사형제도나 안락사 등에 대한 의문을 갖고 있었다. 그 모든 것이 임의로 생명을 해치는 잘못된 행위로 생각했다. 그것이 제한 없이 자유롭게 행해질 때 일어날 수 있는 생명 경시 풍조를 우려했던 것이다.

이제 나는 낙태나 안락사를 범죄 시 하거나 사형 제도를 존속시키려는 법과 제도에 반대한다. 나는 한 영혼이 다른 영혼의 의지를 거스르면서 그것에 영향을 미치기란 불가능하며, 어떤 희생자도 악인도 없음도 안다.

이제 나는 그 모든 선택의 본질을 이해하고 존중한다. 그 선택이 내가 되고자 하는 참된 자신에 이바지 하는가, 모든 사람에게 도움이 되는 일인가를 살핀다. 나는 인간의 모든 행동이 자신이 누구인지를 규정하는 것임을 안다.

따라서 나는 영적 존재인 우리의 자유의지와 자유선택권은 최대한 존중되어야 하며, 그 어떤 강제와 의무로 제한되어서는 안 된다는 것을 안다.

5. 관계, 남녀관계

1) 사랑과 두려움의 관계는 무엇일까?

사랑하다가 파괴하고 다시 사랑하는

우리는 왜 가장 소중히 여기는 것을 사랑하다가 파괴하고 다시 사랑하는 걸까? 이에 신은 자신이 창조한 위대한 상대성, 양극성이 두려움과 사랑이기 때문이라 말씀한다. 우리는 이를 어떻게 이해해야 할까?

앞서 우리는 여러 차례 신이 우주 만물을 창조한 목적에 대해 성찰했다. 사랑만이 존재하는 절대계에서는 사랑을 개념으로만 알 수 있다. 사랑 아닌 것을 체험하지 못한다면 사랑을 제대로 알 수 없다는 것이다.

이에 신은 자신을 무수한 영혼으로 나누었고, 영적 존재인 우리가 영적 세계의 모든 개념을 지상에서 물질적으로 체험하기 위해 만든 상대성의 양 극단이 사랑과 두려움이라는 것이다. 우리가 선을 체험하려면 그 대립물인 악이 필요하듯, 인간의 모든 생각과 행동은 사랑이나 두려움, 어느 한쪽에 뿌리를 두고 있어야 한다는 것으로 나는 이해한다.

따라서 사람들은 이 감정에서 저 감정으로 늘 흔들리며, 이런 행동을 거듭 반복 체험하게 되는 것이다. 그리하여 우리는 사랑하게 되자마자 두려움과 걱정에 사로잡히게 마련이다. 상대방도 나의 사랑을 되돌려줄까, 그 사랑이 나를 떠나가지는 않을까 말이다.

신은 사랑에는 어떤 조건도 필요 없음에도 우리가 이런 감정의 혼란을 가져오게 된 배경을 우리의 잘못된 종교적 신화와 부모들에서 찾는다. 신은 우리를 조건부로 받아들이며 심판한다는 거짓말, 사랑이 조건부라고 가르친 부모들의 거짓말이 그것이다.

하지만 이 모든 것이 무한한 신의 사랑으로 계획된 일이요, 신성을 체험으로 재창조하기 위한 연극이요, 우리 모두가 하나요, 영적 존재임을 안다면 우리는 사랑만을 선택함으로써 두려움에서 벗어날 수 있을 것이라 나는 이해한다.

80년대까지 나의 교사로서의 책무는 아이들을 기존 사회 질서에 순응시키고, 점수로 줄 세우는 일이었다. 그것이 내 사랑의 방식이었다. 내가 사랑을 주는 만큼 아이들이 나를 존경하고 사랑해 주리라 믿었다.

그런데 나는 그 사랑을 의심하고 옳고 그름을 판단했다. 그 과정에서 수많은 아이들의 마음에 두려움과 상처를 심어주었다. 사랑에는 조건이 없음을 제대로 이해하지 못했다. 사회 질서와 관행을 무비판적으로 수용했다.

교사로 성장하며 내 마음 속 깊이 자리한 사랑으로 의심을 거두고 두려움을 극복해 나갔다. 아이들 하나하나가, 아이들 모두가 스스로 빛나는 고귀한 존재임을 믿고 오직 사랑만으로 대하고자 노력했다.

이제 나는 이 사랑과 두려움의 감정 모두가 신이 우주와 이 세상을 창조한 위대한 양극성의 체험임을 깨달았다. 나는 모든 인간관계를 비롯한 세상의 모든 문제가 이 둘의 선택으로 나타난 결과임을 안다. 이에 나는 두려움이라는 환상에서 벗어나 언제나 사랑만을 선택할 수 있어야 함을 안다.

사랑보다 두려움을 더 선택하는 이유

월쉬는 우리가 어떤 결정을 내리는 순간에 사랑보다 두려움이 이기는 경우가 훨씬 많은 것 같다며 그 이유가 무엇인지를 물었다.

이에 신은 적자생존, 양육강식의 경쟁논리가 우리 사회를 지배하고 있고, 우리는 어릴 때부터 그 가르침에 길들여지기 때문에, 어떤 상황이든 자신이 이에 못 미치는 것처럼 여기며, 가진 걸 잃게 될까 봐 두려워하게 된다고 말씀한다.

또한 우리는 수단이 목적에 우선하는 성공지상주의, 물질만능주의 사회 속에서 살아가고 있다. 경쟁에서 이기든 지든 그 성공의 기쁨과 패배의 슬픔 저 아래에 자리한 받침생각은 두려움이다. 우리가 사랑보다 두려움을 더 선택할 수밖에 없는 것이다.

하지만 우리 모두가 하나라면 이기고 지는 것이 무슨 의미가 있겠는가. 이에 신은 우리가 사랑이·뒷받침된 행동을 선택할 때 우리는 '자신이 참으로 누구인지', 또 자신이 어떤 존재가 될 수 있는지를 깨닫는 충만한 영광을 체험할 것이라 강조한다.

앞서 우리는 영적 존재이기에 자신의 내면에서 들려오는 소리인 느낌에 귀 기울여야 한다는 것을 성찰했다. 따라서 이 진실한 느낌을 존중한다면, 우리가 분리된 의식에 휘둘려 두려움의 환상 속에 살아갈 것인지, 아니면 모두가 신과 하나인 참된 자신을 의식하며 살 것인지 결정할 수 있다는 것으로 나는 이해한다.

적자생존, 양육강식의 경쟁논리는 우리 사회 전체 특히 교육과 학교현장을 입시경쟁교육 속에 내몰고 있다. 친구들은 함께 가야할 동반자가 아닌 등급을 놓고 대립해야 하는 적이 되었다. 나는 그 최일선 현장에 서 있었던 교사였다. 그 과정에서 수많은 아이들의 마음에 두려움과 상처를 심어주었다.

교사로 성장하며 그 잘못된 체제에 저항했다. 새로운 대안교육체제를 뿌리내리기 위해 뜻을 함께하는 동료들과 공부하며 실천적 대안을 모색하고 실행하려 노력했다. 이제 나는 내 자신을 일깨워준 수많은 스승들과 내 내면의 소리에 귀 기울이며, 왜곡된 두려움에서 벗어나 진정한 사랑을 선택할 수 있게 되었음을 안다.

나는 우리가 영적존재요, 우리 모두가 하나이며, 신의 사랑은 무한하다는 우주의 법칙을 안다. 그를 알게 해주는 도구인 내면의 느낌에 귀 기울인다면, 그 두려움에서 벗어나 두려움까지도 사랑할 수 있음을 믿는다.

2) 남녀관계의 유의점은 무엇일까?

남녀관계의 목적

월쉬는 일반적인 인간관계를 원만하고 행복하게 유지할 방법을 묻고 있지만, 신은 월쉬가 이 질문을 하는 까닭을 알고 있기에, 사랑이라는 인간관계를 특별히 길게 다뤄보자고 말씀한다. 이는 다섯 번이나 결혼과 이혼을 반복하며 월쉬를 심히 곤란하게 만든 그 문제였다.

이에 신은 우리가 관계를 맺는 목적은 참된 자신이 되고, 그것을 결정하는 것이라 말씀한다. 우리는 이를 어떻게 이해해야 할까?

사실 우리가 우주에서 존재할 수 있는 것은 오직 다른 사람들과 다른 장소들과 다른 사건들과의 관계를 통해서만 가능하다. 그렇지 않다면 우리가 이 지구상에서 상대성에 기초한 삶을 체험하는 것이 불가능하기 때문이다.

신은 우리가 이 점을 확실히 이해하고 깊이 파악할 수 있다면, 우리의 직관은 체험들 하나하나와 인간의 모든 만남, 특히 개별적인 인간관계들을 축복하게 될 것이라 강조한다. 모든 관계 속에는 서로의 성장을 위한 신의 완벽한 계획이 담겨 있다는 뜻으로 나는 이해한다.

신은 그 강조점의 첫 번째로 관계의 목적은 자신을 완전하게 만들어줄 타인을 갖는 데 있는 게 아니라, 자신의 완전함을 함께 나눌 타인을 갖는 데 있다고 말씀한다. 관계의 목적이 상대방이 아닌 참된 자신을 만드는데 있음을 말씀한 것으로 나는 이해한다.

반대로 관계의 목적을 상대방이 의도하는 목적에 맞추게 되면, 상대방에게 자기 아닌 온갖 종류의 존재가 되라는 극심한 압박을 주게 됨으로 인해 관계를 해치게 된다는 것이다. 자신에 대한 사랑을 시험하고, 그 사랑이 깨질까 늘 조바심을 갖게 되기 때문이다.

강조점의 두 번째로 관계는 가장 고귀한 자아 개념을 체험할 수 있는, 인생에서 가장 중요한 기회를 제공하기 때문에 성스러운 것이라는 점이다. 중요한 건 상대방이 아니라 그 관계에서 자신이 무엇이냐는 것뿐이다.

신은 자신이 없다면 세상도 없기에, 사랑을 가장 잘하는 사람은 자기중심적인 사람이라 말씀한다. 왜냐하면 자신을 사랑할 수 없는 사람은 남도 사랑할 수 없기 때문이다. 우선 자신이 영적 존재임을 자각하고, 사랑 그 자체인 참된 자신이 되어야 하는 이유라고 나는 이해한다.

이에 우리의 첫 번째 관계는 자신과 맺어져야 하며, 우리는 먼저 자신을 존중하고 소중히 여기고 사랑해야 함을 신은 말씀한 것으로 나는 이해한다. 우리가 관계의 어려움 속에서 구원받을 길은 남들의 행동이 아니라, 자신의 반응 속에 있음을 신은 강조한 것이다.

그동안 나는 남을 위하는 것이 나를 위하는 일이라 생각했다. 남을 나를 포함하는 사회 전체로 강조하며 남을 우선하는 태도와 자신의 희생을 높이 평가했다. 막연히 나를 먼저 사랑해야 한다는 것이

왠지 이기적 행위로 느껴졌다.

따라서 남녀 관계에서도 나는 상대방의 생각과 기대에 초점을 맞춰주는 것이 우선해야 할 자세라 보았다. 상대방에게 믿음을 주어야 하고, 그 믿음은 오랫동안 변함없어야 한다고 생각했다. 관계의 중심을 남에게 두고, 변화라는 자연의 법칙을 이해하지 못한 미숙한 생각이었다.

이제 나는 자신을 먼저 사랑해야, 즉 참된 자신이 돼야 남도 사랑할 수 있다는 것을 깨달았다. 내가 없다면 세상은 사라지게 될 것이기에 자신을 먼저 사랑해야 함은 당위임을 안다. 나아가 내가 존재 전체이기에 나를 사랑하는 것은 곧 남을 사랑하는 일임을 안다.

이제 나는 관계의 목적이 의무가 아닌 기회를 창조하는데 있음을 안다. 이는 서로가 참된 자신이 될 기회를 말한다. 따라서 나는 관계가 서로를 강제하는 의무가 아닌 자유로운 선택으로 각자의 삶을 재창조할 수 있는 기회를 보장하고 제공하는 데 있음을 안다.

이제 나는 내가 맺는 모든 관계의 목적과 교감하며, 서로를 성스러운 여행길에서 만난 성스러운 영혼으로 봐야 함을 안다.

관계에서 상처받고 고통 받을 때

우리 모두는 다양한 관계 속에서 삶의 즐거움과 보람을 느끼고 의미를 찾는다. 그 속에서 다채로움과 배움이 움트고 꽃핀다는 것도 우리는 이해한다. 하지만 인간관계가 늘 안정적이고 좋은 것만은 아나라는 것도 우리는 안다. 각자 살아온 과정이나 가치관이 다르고, 그 취향과 욕망이 다를 수밖에 없기 때문이다.

그러기에 이런저런 갈등이 일어나고 상처를 받게 된다. 직장 내 갑질이나 데이트 폭력 속에 상처받고 남용되는 사회적 약자의 고통이 그 대표적인 예이다.

이에 신은 남들의 행동에 반응하지 말고 자신을 먼저 존중하라 말씀하시지만 이는 쉽지 않은 일이다. 우리는 남들의 말과 행동에 쉽게 상처받는다. 나 역시 나의 말과 행동으로 상대에게 마음을 불편하게 할 때가 많음도 안다.

이렇게 자신이 관계 속에 상처받을 때 우리는 어떻게 해야 할까?

신은 먼저 자신이 받고 있는 정확한 느낌을 자신과 남들에게 솔직하게 인정하는 것이 중요하다고 말씀한다. 이는 어떤 의미일까?

이는 자신이 상처받고 남용되고 있음을 자각하고 인정하고 정직하게 드러내는 것이다. 그런 자각과 인정은 자신을 존중하고 사랑할 때 가능하다. 그럴 때 이 진심이 상대방에게 전해지고, 상대방도 이것이 서로를 상처주고 남용하게 됨을 자각하게 되기 때문임을 강조한 것이라고 나는 이해한다.

우리가 영적 존재임을 자각한다면, 우리의 모든 관계의 목적은 자신이 누구인지, 어떤 존재가 되고자 하는지에 있음을 알 수 있다. 자신이 상처받고 있다면 그 관계는 목적을 이뤄가기가 어렵다.

나아가 관계에서 상처주고 남용되게 하는 상대방 자신도 스스로에게 상처주고 남용되게 하는 일임을 자각할 수 있게 해야 한다. 우리가 남용됨을 막아야 하는 또 다른 이유이다. 이는 독재에는 독재로,

전쟁에는 더 강한 전쟁으로도 참된 자신을 지킬 수 있어야 한다는 것으로 나는 이해한다.

그 다음 선각자는 모든 체험이 자신을 성장시킨다는 걸 알기에 재난을 축복한다는 말씀의 의미는 무엇일까?

우리는 영적 존재로서 신성의 모든 체험이 나와 신이 원하는 일임을 알고 있다. 그 상대성이 존재하지 않는다면 우리가 여기 있을 이유가 없다는 것도 잘 알고 있다. 언젠가는 그 불편함 조차 즐겁게 받아들일 때가 올 것이라는 의미로 나는 이해한다.

이에 신은 우리에게 놀라운 인간관계의 비전을 전한다.

"지금 사랑은 무엇을 하려 하는가?"이다. 이는 무슨 의미일까?

나는 참된 자신이 되는 것, 내 자신이 사랑 그 자체가 되는 것, 내가 신과 하나 되는 것일 때, 상대방에게도 최고의 선물이 될 수 있다는 것으로 이해한다. 자기를 사랑할 수 없다면 남도 사랑할 수 없다고 하지 않았는가.

나는 타인으로부터 자신이 남용되고 상처입고 있다고 느끼면서도 그를 단호하게 끊어내는 것이 힘들었다. 자신의 느낌을 솔직하게 표현하지 못했다. 타인의 부탁을 거절하기가 힘들었다.

이제 나는 자신이 남용되게 하는 것은 타인에게도 해가 되는 일이요, 거절이 타인의 자립을 도울 수 있는 일임을 안다. 남을 사랑하는 것이 제멋대로 하도록 허용해 주는 일이 아님을 안다. 그 남용을 막는 일이 자신과 인간의 존엄성을 지키는 선일 수 있음을 안다.

나는 우리 사회가 사회적 약자들이 그런 용기를 내기 어렵다는 현실을 알고, 그들이 격려 받고 보호받을 수 있는 공적 체계를 구축하고 운영해 나가기 위한 세심한 노력을 기울여야 함을 안다.

나는 현실 세계에서 일어나는 수많은 억압과 독재, 폭력과 전쟁 등으로 인간의 기본권이 침해당하고 상처입고 남용당할 때, 그 부당한 짓을 그만두게 하려면 거꾸로 그를 뛰어넘는 독재와 폭력을 행사해야 함을 역사 속에서 경험했다. 그는 민중의 항쟁이요 혁명이라 기록됐음을 안다.

나는 모든 인간관계의 결정적인 대목에는 "지금 사랑은 무엇을 하려 하는가?" 딱 한 가지 질문만이 존재함을 안다. 이는 모든 현실에 적용할 수 있는 비전상의 진리로 관계 속에 가장 고귀한 선택이란 자신에게 가장 좋은 것, 즉 자신을 위한 최고의 선을 만들어내는 것임을 안다.

나아가 나는 선각자들이 모든 체험이 자신을 성장시킨다는 걸 알기에 재난을 축복함도 안다. 나는 상대계인 이 물질계의 모든 체험이 성스러운 영혼의 길에서 만나는 고귀한 선택임을 안다.

우리가 관계에 추구해야 할 지침

우리는 수많은 인간관계를 맺으며 살아간다. 당연히 그 과정에서 다양한 약속을 맺고 그를 지키려 노력하며 상호 신뢰를 쌓는다.

이렇듯 우리 사회는 우리가 약속을 지키고 따를 때, 이는 개인과 사회 전체의 이익과 발전을 가져온다고 믿는다. 이를 위해 필요한 규칙을 만들고 준수할 의무가 뒤따름을 당연함으로 받아들이는 것이다.

그런데 신은 관계에서는 아무 의무도, 어떤 제한이나 한계도, 지침이나 규칙도 없으며, 누구도 벌 받지 않고 벌 줄 수 없다고 말씀한다. 우리는 이를 어떻게 이해해야 할까?

나는 우리가 인간 체험을 하고 있는 영적 존재이기 때문이라 생각한다. 존재 전체요, 궁극의 실체인 신은 자신을 체험으로도 알기 위해 존재 아님이 존재하는 상대성의 환상 세계인 물질계를 창조했다.

신성의 모든 부분을 체험으로 재창조하기 위해 우리에게는 자유의지와 자유선택권이 주어졌다. 만약 신이 특정 유형의 사람이 되기를 바라며, 온갖 의무과 제한을 두고, 그 행위를 심판한다면 우리가 이 지상에서 인간 체험을 해야 할 이유가 없기 때문이다.

그런 의미에서 우리에게는 죄지음 같은 건 존재하지 않는다는 응답도 이해할 수 있다. 전능하고 완벽 그 자체인 신이 무엇이 두려워 우리에게 규칙을 만들어 그를 지키지 않았다고 벌을 주겠는가.

신과 우리가 하나이고, 우리가 원하는 건 신이 원하는 것이다. 벌 주고 심판하는 신은 잘못된 종교적 믿음과 부모의 가르침이 만든 허상이라 나는 이해한다.

우리가 참된 자신이 될 때, 우리는 서로에게 의무와 제한을 요구하지 않는다. 사랑에는 조건이 없음을 우리는 안다. 의무와 제한이 따르지 않는 관계 속에서 우리는 완전하고 자유로운 삶을 가꿀 수 있다. 왜냐하면 그럴 때에야 우리는 온전한 자유선택권을 행사할 수 있는 기회를 얻을 수 있기 때문이다.

이에 신은 관계를 맺고 유지할 때 의무감에서 뭔가를 해서는 절대 안 된다고 말씀한다. 이는 우리는 어떤 관계이든 의무가 아닌 자유로운 관계 속에서 자신이 누구인지, 나는 어떤 존재가 되고자 하는지와 관련해 최대한 성장할 수 있는 기회를 제공받을 수 있어야 한다는 것으로 나는 이해한다.

그동안 나는 내 자신의 선택에 의해 맺어진 관계와 약속에는 책임과 의무가 뒤따르는 것은 당연한 것이라 생각하며 살아왔다. 그 관계와 약속 뒤에는 어느 정도 한계와 제한이 주어질 수 있음을 수용했다.

그것이 인간의 도리요, 사회 질서를 유지하기 위한 최소한의 불편함으로 감수해야 할 일이라 생각했다. 사회 속 각종 제도와 종교에는 어느 정도의 규율이 필요함을 인정했다. 일부 종교에서 말하는 원죄도 성악설로 대표되는 인간의 본성으로 어느 정도 이해되는 측면이 있었다.

그러나 우리 사회에서 벌어지고 있는 끔찍한 사건 사고, 민족 간 국가 간 벌어지는 끊임없는 전쟁 등은 그런 인식이 얼마나 잘못된 것인지를 증명해주고 있다.

이제 나는 우리의 인간관계에 있어 어떠한 의무도 없음을 믿는다. 나는 신의 위대한 계획과 약속을 알기에, 자유로운 영적존재인 우리는 그 어떤 선택과 그에 따른 결과에도 죄지음 없고 벌 받지 않음을 안다. 그렇지 않다면 우리가 신의 곁을 떠나 이 물질계의 삶 속으로 올 필요가 없음을 안다.

나는 결혼을 비롯한 모든 관계를 맺고 가질 때, 의무가 아닌 참된 자신이 되기 위한 영광스러운 기회를 갖기 위함임을 안다.

원만한 관계를 지속해 나가려면

월쉬는 관계를 맺고 유지할 때 의무감이 아닌 참된 자신이 되게 해주는 영광스런 기회라는 점에서 그렇게 하라는 신의 말씀을 수용한다. 그럼에도 자신은 상대방과의 관계가 잘 돌아가지 않을 때면 자꾸 그 관계를 포기하곤 한다며 도움을 요청한다. 다섯 번이나 결혼에 실패한 그가 아니더라도 대부분의 사람들이 공감할 질문이다.

그러나 신은 우리는 관계를 오래 유지하는 것이 바람직하다고 생각하나 관계는 수명이 길고 짧은 것과는 관련이 없다고 말씀한다. 이것은 무엇을 의미할까?

나는 우리가 영적 존재로 이곳에서 인간 체험을 할 때 가장 중요한 판단 근거는 그 체험이 '자신이 누구인지', '참된 자신이 되는 데 도움이 되는지'라 이해한다. 그리고 우리의 모든 관계는 이를 위해 신의 완벽한 계획과 서로의 요청에 의해 만들어짐도 성찰했다.

따라서 관계 유지의 길고 짧음에 상관없이 그 모든 관계의 체험은 우리의 영적 성장에 도움이 될 수 있음을 의미한다고 나는 이해한다. 자신을 둘러싼 어렵고 힘든 관계일수록 그 속에 담긴 영적 의미는 더 클 수 있기 때문이다.

그렇다면 관계를 통해 서로가 참된 자신임을 깨닫고 성장하려면 어떻게 해야 할까?

당연히 올바른 목적과 이유를 갖고 관계를 맺어야 할 것이다. 자신의 이기적 욕망에서 벗어나 위에서 신이 응답하신 바대로 서로의 잠재력을 끌어내고 열등한 관념을 치유하며 성장의 기회를 줄 수 있어야 할 것이다.

그러나 신은 대부분의 사람들이 남녀관계를 맺은 건 사랑에 빠졌기 때문이지만, 그들은 자신이 사랑에 빠진 것이 자신의 욕구 충족에 대한 반응으로 이루어졌음을 부인한다고 말씀한다. 우리는 이를 어떻게 이해해야 할까?

영적 존재의 관점에서는 자신을 둘러싼 모든 관계는 사랑과 축복과 감사의 관계다. 그러나 관계의 목적을 서로가 뭔가를 주고받아야 성사되는 거래로 여긴다면 서로에 대한 실망이 시작되고, 그 관계는 실패하게 됨을 강조한 것으로 나는 이해한다.

그리고 축복받는 관계의 목적은 치유 과정이라는 말씀은 무엇을 의미할까?

우리는 남녀관계가 오래 지속될수록 긴장감은 떨어지고 소원함마저 느낄 때가 많다. 이는 관계의 목적을 자신의 욕구 충족을 위한 거래에 두는 데서 오는 잘못된 결과다. 하지만 영적 관점에서 우리 모두는 이 땅에 내려와 특별한 체험을 하고 있는 천사들이다.

따라서 우리의 전망을 더 깊게 한다면, 관계 속에서 서로가 볼 수 있는 것은 무한대이다. 그 무한을 볼 수 있는 기회를 창출하기 위해 우리를 가로막고 있는 환상, 그 두려움을 극복할 수 있도록 서로를 믿고 격려하는 과정이 치유라고 나는 이해한다.

　그 동안 나는 관계를 잘 그리고 오래 유지해 나가는 일이 가장 중요하다고 생각했다. 관계가 쉽게 끝나는 것은 뭔가 문제가 있고, 잘못된 것이라 판단했다.

　이제 나는 관계에서 나타나게 되어 있는 수명은 각각 나름대로의 보상이 있음을 깨달았다. 모든 관계의 길고 짧은 수명에는 영적존재의 진화과정에서 계획된 나름의 목적이 깃들여 있음을 안다.

　나는 모든 관계 속에서 서로가 참된 자신으로 성장하고 치유하며 신과 궁극적으로 재결합할 수만 있다면 관계의 길고 짧음은 문제될 것이 없다는 것을 안다.

　나는 관계 속에 상대방에 대한 기대와 거래가 아닌 서로의 참된 자신이 되고 그를 성장시킬 수 있는 기회로 여겨야 함을 안다. 모든 관계가 주는 도전과 어려움은 서로의 진화와 성장의 기회이며 선물임을 안다.

　나는 관계를 통해 내 자신과 상대방에게서 보는 것 이상을 서로에게 보여줄 수 있도록 두려움을 거둬내고 마음을 열도록 해야 함을 안다. 그것이 치유과정이고, 깨달음의 과정임을 안다.

관계를 통해 우리 영혼이 해야 하는 일

　신은 모든 관계를 통해 우리 영혼이 해야 하는 일은 자신을 깨어나게 하는 것이고, 신의 일은 그 밖의 모든 사람을 깨어나게 하는 것이라 말씀한다.

그렇다면 우리가 남들을 그들 자신으로 보고 기억해내고, 깨어나게 하려면 어떻게 해야 할까?

이에 신은 우리가 할 수 있는 두 가지 방식을 제시한다. '자신이 누구인지'를 기억해내는 일을 남들이 할 수 있게 하는 것과 내 자신부터 해내는 것이 그것이다. 당연히 후자가 훨씬 쉬운 일일 것이다. 내가 참된 자신이 되면, 다른 모든 사람들이 내게서 그들 자신을 보게 되지 않겠는가.

나는 살아오며 종교적 삶의 태도에 대해 비교적 긍정적이고 존경하는 마음을 지니고 있었다. 다만 왠지 특정 종교를 선택해 교리에 순종하는 것이 나의 자유로운 선택이나 주체적인 삶의 태도를 제한하지는 않을까 하는 염려가 있었다.

그런데 가끔 자신의 종교적 믿음에서 오는 축복과 은혜로움이 넘쳐나서 그런지 나를 특정 종교로 인도하고픈 열정과 기대로 넘쳐나는 분들을 만날 때가 있다. 나는 바람직한 전도는 자신이 누구인지를 기억해내고 사랑 그 자체로 존재함으로써 우리 모두가 그에게서 자신을 보게 되도록 하는 것이라 생각한다.

우리 주변에는 수많은 선각자들이 나름의 방식으로 거울이 되어 진리를 전하고 있음을 발견한다. 어떻게 보면 우리 모두가 그런 진리를 전하는 사자가 될 수 있다. 자신이 영적 존재요, 참된 자신임을 기억해낼 수 있다면 말이다.

이에 월쉬와 신은 너무도 아름다우면서도 깊은 깨달음을 듬뿍 담아내는 농담을 주고받는다. 엄마와 친구의 걱정에도 불구하고, 하느님을 그리고 있는 어린 여자 아이와 신과 나누는 긴 대화를 적고 있는 어떤 사람의 이야기가 그것이다.

이에 신은 이 농담 속에 담긴 아름다움은 그들은 추호도 의심하지 않고 자신이 하는 일을 정확히 알고 있다고 믿었다는 점이라고 말씀한다. 나는 이 믿음이 우리 모두는 신과 하나이며, 영적 존재들이기에 그냥 내버려두면 된다는 것으로 이해한다.

나는 우리 모두가 잘못된 생각으로 고통 받고 상처입고 있는 사람들을 치유하고, 스스로 기쁨과 환희를 기억하고, 깨달을 수 있도록 하는 진리를 전할 목소리, 사자, 트럼펫이 될 수 있음을 안다. 이는 내 자신이 참된 자신이 되는 것으로 가능한 것임을 안다.

나는 어렸을 때부터 하늘의 별을 보고, 수많은 선각자들이 전하는 책 속에 담긴 진리를 보고, 무명교사예찬사를 수없이 되 뇌이며, 야학의 호롱불과 아이들의 귀가를 돕는 긴 밤길을 걸으며, 이런 소명을 자각하고 수행할 준비를 해왔음을 안다.

나는 평생 교사로 뜻을 함께하는 동료교사들과 연구모임을 만들어 어렵고 복잡해진 진리를 쉽고 단순하게 이해할 수 있도록 가르치고 배우는 일에 전념했다. 또한 뜻을 같이하는 동료교사와 학부모들과 참교육운동에 헌신하고, 새로운학교를 위한 계절학교 형식의 대안교육을 설계하며, 사랑으로 모든 아이들이 저마다의 빛깔로 아름답게 성장할 수 있는 체험으로 안내했다.

이제 나는 내가 해야 할 일이 아닌 할 기회가 주어진 일을 통해 신의 진리를 전하는 사자로 남은 생애를 바칠 것이다. 나는 여기서 해야 할 일이 뜻하는 것은 일을 의무로 대하는 태도임을 안다. 그러면 일이 수동적이고 강요된 느낌으로 다가오게 된다. 또한 나는 할 기회로 일을 대하면 자유선택권에 따르는 기회와 도전의식이 창조적 행위를 가져오고 순수한 기쁨과 즐거움을 안겨줄 것임을 안다.

나는 진리를 전하는 이 일을 수행하며 마음의 고통을 겪은 수많은 선각자들을 기억한다. 또한 나는 수많은 비난과 조롱을 감수하고, 지상의 영광을 포기할 수 있음을 안다. 나는 이 기회 속에 담긴 기쁨과 아름다움과 성스러움을 추호의 의심 없이 믿고 나아갈 수 있음을 안다.

나는 신이 인간과 맺는 관계의 성격에서 종교의 주춧돌이나 모든 영성의 토대가 되는 건 의무가 아니라 기회임을 안다. 나는 우리가 맺는 모든 관계는 자신의 영혼이 사용할 완벽한 도구로서 창조되었음을 안다. 따라서 나는 관계의 목적은 의무가 아닌 기회를 창조하는 데 있음을 알기에 그들이 그렇게 하도록 그냥 내버려두기만 하면 되는 것을 안다.

6. 섹스, 성 체험

1) 섹스의 진정한 의미는 무엇일까?

섹스라는 체험의 진정한 의미

섹스는 왜 굉장한 즐거움일까?

우리가 잘 알고 있듯이 그것은 인간의 기본 본능 중 하나이기 때문일 것이다. 그 본능적 욕구 충족 없이는 우리의 인간 체험은 더이상 지속될 수 없다. 이렇듯 가장 중요한 체험이기에 당연히 영적존재인 우리는 자유의지와 자유선택권에 따라 그 즐거움을 마음껏누릴 수 있어야 한다는 것으로 나는 이해한다.

그런데 왜 우리의 사회적 관습과 일부 종교에서는 섹스의 목적을자식을 얻는 생식 행위로 제한하거나, 성 에너지의 절제를 넘어 금욕을 강조할까?

아마도 성적 쾌락을 남용하거나 그를 도구화 하는 것에 뒤따르는개인적 사회적 폐해를 경계하는 데에서 나오는 가르침이라 나는 이해한다.

그러나 신은 섹스의 목적은 생식에 있는 것이 아니라 그 체험을통해 신과 하나 되는 기회를 갖는데 있다고 말씀한다. 이 말씀의 뜻은 섹스라는 행위를 통해 참된 자신이 되고, 사랑 그 자체인 존재,온전한 존재가 되기 위함이라는 것으로 나는 이해한다.

우리가 원하는 모든 체험은 신이 원하는 체험이다. 따라서 참된성스러움과 자각은 성 에너지의 부정 혹은 변형으로 얻어지는 것이 아니며, 사랑 없이 성행위를 해도 괜찮으며, 단지 육체적인 쾌감만으로도 성행위를 할 만한 충분한 이유가 있다는 신의 말씀에 나는 공감한다. 그런 낮은 차원의 체험이 없다면 보다 높은 차원의 체험을 이룰 수 없기 때문이다.

그러나 우리는 몸과 마음과 영혼으로 이루어진 삼중의 존재다. 이에 우리의 영혼이 성장하고 진화해 가며, 원하는 체험과 즐거움은 변하기 마련이다. 몸을 중심으로 하는 것에서 영혼이 중심이 되는 체험과 즐거움으로 자연스럽게 옮겨 갈 수 있음을 나는 이해한다.

지난 날 나는 섹스를 부끄러워했고, 그의 순수성과 즐거움에는 무지했으며, 섹스의 가장 큰 목적이 신과 하나 되는 사랑의 체험임을 깨닫지 못했다. 나이 40이 넘어서야 제대로 된 성교육 책을 접하고, 60이 넘어서야 이 책을 만나며 섹스에 대한 관점을 넓힐 수 있었다.

나는 섹스에 관한 우리의 모든 선택은 허용되며, 그 체험에서 나오는 기쁨과 황홀경은 신과 하나 되는 체험임을 안다. 신과 하나 되는 이 체험을 통해 우리는 사랑 그 자체인 참된 자신이 되고자 하는 것이 섹스의 진정한 의미임을 안다.

다만 나는 섹스를 권력, 자기애, 지배욕 등을 오용하여 성의 순수성과 즐거움을 망치지 말고, 몸과 마음과 영혼이 조화된 사랑으로 체험해야 함을 안다. 나는 이런 참된 자신을 가져다 줄 수 있는 체험의 원인이 되어야 함을 안다.

이제 나는 영적 성장의 과정에서 몸의 즐거움보다 영적 활동에 따르는 더 큰 즐거움을 선택할 수 있음도 안다.

섹스의 즐거움을 부도덕 시 하는 이유

월쉬는 신은 왜 섹스를 그렇게 근사하고 황홀하고 강렬한 체험이 되게 해놓고, 우리가 그와 관련된 온갖 즐거운 일들은 어째서 '부도덕하거나 불법이거나 탐욕스러운' 것이 되느냐고 물었다.

이에 신은 우리가 섹스에 대해, 나아가 사랑과 삶의 모든 것에 대해 내리는 도덕 규정과 종교상의 제한, 사회적 금기, 관습상의 감정들은 우리가 사실상 자신의 존재를 축복하기 어렵게 만들어버렸다고 말씀한다. 우리는 이를 어떻게 이해해야 할까?

당연히 섹스만이 아니라 모든 삶은 즐거움과 축복이어야 한다. 하지만 종교적 신화는 원죄를 강제하며, 삶은 고난의 연속이라 주문한다. 우리 모두는 그를 극복하고, 구원받기 위해서는 치열한 업보의 수레바퀴를 끊임없이 돌려야 한다. 그래야 죽은 후 심판을 통해 천국의 은총을 누릴 수 있다.

이에 신은 단호하게 아니라고 선언한다. 성 에너지는 살아 있는 모든 것의 원동력이며, 그것은 타고난 것, 존재 전체에 내재되어 있는 것이라 말씀한다. 이는 무슨 뜻일까?

우리에게 성 에너지가 없다면 생명이 지속될 수 없기 때문이다. 이는 사랑 그 자체인 신의 완벽한 설계이기에 타고난 것, 자연스러운 것일 수밖에 없다고 나는 이해한다. 우리가 신과 하나라면 우리역시 사랑 그 자체인 존재다.

사랑으로 표현되는 신성의 모든 것을 상대성이 존재하는 이 물질계에서 우리는 체험으로 재창조해 나간다. 이 모든 영적 진화 과정은 모든 체험의 합인 사랑의 표현이다. 따라서 섹스는 사랑의 경이로운 표현이기에 더 없이 즐겁고 축하할 일임을 나는 이해한다.

지난 날 나 자신도 우리 사회가 지닌 성의 억압과 금기, 순결과 절제를 존중하고 따랐다. 삶을 시련과 고난, 시험받는 시간, 익혀야 할 혹독한 교훈이 있는 학교로 여겼다.

그리고 현재의 삶이 주는 참된 즐거움을 즐기고 누리며 살기보다, 다음에 올 더 좋은 세상을 위해 참고 견뎌야 하는 힘든 체험 정도로 여겼던 대부분의 종교적 가르침도 존중했다.

나는 섹스는 하나 되고자 하는 모든 생명체의 원동력이 되는 에너지임을 안다. 그럼에도 우리 사회의 도덕과 종교적 규정들이 섹스의 즐거움을 제한하려 함은, 삶의 모든 자유선택권이 기득권을 수호하고 유지하기 위한 권력의 통제력을 잃게 만들기 때문임을 안다.

이제 나는 섹스는 사랑 그 자체이며, 타인과 자신에 대한 사랑, 삶에 대한 사랑의 경이로운 표현임을 안다. 그러므로 우리 모두는 섹스를 좋아해야 함을 안다.

양성 창조 이유와 성행위라는 체험

먼저 신은 양성을 창조한 이유를 만물에 음과 양을 둔 것과 같다고 말씀한다. 우리는 이를 어떻게 이해해야 할까?

우리는 앞에서 여러 차례 다양한 방식으로 우주 창조의 비전에 대한 신의 설명을 통해 이를 이해할 수 있었다. 존재 전체이며 신의 세계인 절대계는 사랑만이 존재한다. 이에 신은 그 대립물인 존재 아님을 창조해 자신을 알고자 했다.

따라서 있음과 없음, 음과 양, 선과 악, 여자와 남자라는 양성 등의 상대성이 존재해야 했다. 양성은 영혼이 인간 체험을 통해 신과 하나 되는 사랑을 체험하기 위한 신의 위대한 창조물이라 나는 이해한다.

그렇다면 우리는 성행위라는 이 체험을 어떻게 다루어야 할까? 신은 섹스를 수치와 죄의식과 두려움으로 다루지 말고, 사랑에 대한 축하로 섹스를 선택하고 표현하고 즐기라고 말씀한다. 우리는 이를 어떻게 이해해야 할까?

신이 창조한 체험에 부끄러움과 수치심을 가질 필요가 없음은 당연하다. 우리는 섹스를 사랑하고 좋아해야 한다. 자신에게 넉넉한 즐거움을 줄 때, 그것을 남들에게 줄 넉넉한 기쁨을 가질 수 있을 것이다. 사랑이 사랑을 끌어당김은 우주의 법칙이기 때문이라 나는 이해한다.

우리는 사회적 명성과 영광, 개인적 부와 성공에 대한 편견을 갖고 있다. 물질적 욕망의 충족이 개인에 머무르고, 극심한 빈부격차 등 여러 폐해를 끼치고 있기 때문이다. 하지만 우리는 자신이 더 많은 즐거움을 가질수록, 남들에게 더 많은 즐거움을 줄 수 있음을 성찰했다.

앞서 우리가 살펴본 대로 우리의 모든 체험은 의미가 있다. 의미가 있다는 것은 영적 존재로 성장하는 데 도움이 된다는 뜻이다. 낮은 체험이 없다면 높은 체험도 없다. 따라서 우리가 갖게 되는 모든 체험은 즐겁다. 보다 많은 즐거움을 가져야 하는 이유라 나는 이해한다.

지난 날 나는 양성이 존재하는 이유와 목적에 대해 깊이 생각하지 못했다. 이제 나는 양성이 우주 만물에 담긴 대립물의 하나로 물질계의 체험을 위한 신의 위대한 창조물임을 안다. 나는 양성이 존재하는 목적이 참된 자신, 사랑을 통해 신과 하나 되는 체험을 위해서 창조된 것임을 안다.

나는 섹스를 사랑해도 좋고, 또 내 자신을 사랑하는 것도 좋음을 안다. 섹스에 탐닉하는 건 도움이 되지 않지만 섹스와 사랑에 빠지는 거라면 괜찮음을 안다. 내가 삶을 사랑하고 즐거움에 넘칠 때, 그것들을 자신에게로 끌어오게 되고, 그러면 남들에게 줄 넉넉한 사랑과 즐거움을 가질 수 있음을 안다.

이 신의 응답 내용은 섹스, 성 체험에 담긴 우주 만물의 본질을 깨닫는 계기가 되었다. 기분 좋은 모든 것들이 삶의 재료이기 때문이다. 나는 자신에게 즐거움을 부여해 거기서 훨씬 더 뛰어난 뭔가를 찾아낼 때 영적으로 진화할 수 있음을 안다.

나는 여기서의 열쇠는 우리 모두가 하나라는 자각임을 안다.

성 에너지 표현, 그 우주 차원의 의미

신은 거듭해서 성 에너지는 모든 생명력의 원천이며, 그 발상은 자신이 인간에게 준 천성이기에 공개적으로 즐겁게 자주 표현하라 말씀한다.

하지만 월쉬는 이 성 에너지를 잘 표현해야 함을 받아들이면서도 그를 제한하는 자신의 한계를 불편해한다. 더욱이 보다 절제된 감정 표현을 존중하는 동양의 전통 속에 살아온 우리가 아닌가. 성 에너지의 내밀함을 넘어 그를 공개적이고 즐겁게 자주 표현하라는 신의 응답은 파격적이라는 느낌을 준다.

성 에너지를 표현하는 방식의 파격을 당연한 진리로 깨닫게 해주는 에너지가 지닌 우주 차원의 본질이란 무엇일까? 신은 우주 만물 속에 자신의 신호를 전달하는 에너지를 심어놓았다는 말씀은 무슨 뜻일까?

우리는 우주는 생명에너지 그 자체이며, 그 에너지로 채워져 있음을 안다. 따라서 생명에너지로 창조된 영적 존재인 우리의 모든 생각과 말과 행동은 에너지가 되어 우주 전체에 영향을 미친다. 사람만이 아니라 모든 생명체는 서로 에너지를 주고받으며 자신의 존재를 규정한다는 뜻으로 이해한다.

우리의 선조들은 오래전부터 이런 우주 만물의 신호와 연관성을 성찰했다. 인도에서 유래된 불교의 인드라망도 그 한 예이다. 인드라라는 망(그물)은 한 없이 넓고 그물의 이음새마다 달려 있는 구슬은 서로를 비추며 연결되어 있는데, 그것이 바로 우주 만물과 인간세상의 모습이라 해석할 수 있다.

이런 의미에서 섹스라는 성 에너지의 교환도 사랑을 매개로 연결되는 축복된 결합이며, 하나 되는 체험이라는 점에서 우주 만물 속에 심어진 신호임을 이해한다. 그 축복된 결합이 주는 감미로운 기쁨은 모든 생명력의 원천일 수 있음도 이해한다.

그러나 신은 자신을 전체의 부분들로 인식하기에 아무리 축복된 결합이라도 하나 됨의 그 상태로 영원히 있을 수는 없다고 말씀한다. 대립되는 존재 상태가 없다면 자신을 인식할 수 없기 때문이다. 따라서 성 에너지 교환이라는 결합과 분리의 왕복 운동도 우주 속에 있는 만물의 기본 리듬임을 신을 강조한다.

이에 우리는 성 에너지를 공개적이고 즐겁게 자주 표현하라는 신의 응답이 주는 우주 차원의 본질을 깨닫는다.

지난 날 나는 성행위를 감추고 절제해야 할 체험으로 생각했다. 섹스를 기분 좋게 느끼는 것에 죄의식을 가졌다. 일상에서 성적 표현을 자주 그리고 자연스럽게 드러내는 것에는 어색함과 불편함이 뒤따랐다.

이제 나는 이 신의 응답 내용을 접하며 섹스, 성 체험에 담긴 우주 만물의 본질을 깨닫는 계기가 되었다. 나는 모든 성 에너지를 사랑으로 기분 좋게 표현해야함을 안다. 기분 좋은 모든 것들이 삶의 재료이기 때문이다. 나아가 이 책은 우리의 삶에서 섹스를 아름답게 즐길 수 있도록 안내하는 훌륭한 성교육서이기도 하다는 것을 안다.

성 에너지의 상호 교환 과정을 섬세한 과정으로 표현한 '토메리 체험'의 놀라운 예화는 한편의 멋진 예술 작품이다. 섹스를 에너지 협동교환이라는 단어로 축약해 우주 만물의 본질을 꿰뚫어 내어 설명한 부분도 감동적이다.

나는 아무리 좋은 체험이라도 시작이 있으면 끝이 있고, 뜨거운 열정의 시간이 지나면 차가운 휴식의 시간이 필요한 것이 우주의 법칙임을 안다. 끌어당김의 법칙, 삶과 우주의 밀물과 썰물, 그 신의 리듬을 깨달으며 나는 지금 여기 이 순간의 삶을 축복해야 함을 안다.

2) 성 체험의 허용과 제한은 있어야 할까?

성행위의 허용과 제한, 동성애, 자녀 성교육

월쉬는 여전히 섹스에 대한 인간의 예의를 두 사람 사이의 내밀하고 신성한 부분을 위해 필요한 태도로 주장하며, 추가로 위와 같은 섹스와 관련한 다양한 질문을 했다.

이러한 월쉬의 태도는 앞의 질문을 통해 성 에너지가 지닌 우주 창조의 진리를 감사히 받아들이면서도 사회적 관행과 거듭된 결혼생활의 실패 속에서 의식의 전환을 가져오기가 쉽지 않았던 것으로 나는 이해했다.

한편 이 질문들은 인간 체험을 하고 있는 우리 모두가 공감할 부분이기도 하다.

신이 말씀한 "사랑은 지금 무엇을 하려 하는가?"는 왜 우리가 모든 결정을 내릴 때 중심 되는 질문일까?

신은 앞선 관계라는 주제에서 사랑을 잘하는 사람은 이기적인 사람이라 했다. 자신을 사랑할 수 있는 사람이어야 남도 사랑할 수 있기 때문이다. 또한 자신에게 넉넉함을 줄 수 있을 때라야 남들에게도 넉넉함을 줄 수 있음을 성찰했다.

나아가 이기적이 된다는 것은 자신을 자각하게 된다는 의미라는 신의 말씀은 놀라운 전환과 깨달음을 주고 있음을 나는 이해한다. 우리가 영적 존재로 사랑 그 자체인 참된 자신을 체험을 통해 자각해 나가는 것이 우리의 삶의 목적이기 때문이다. 우리 모두는 하나이지만, 자신이 없다면 모든 체험은 끝난다.

"최대의 성장은 최대의 자유를 행사할 때만 이루어진다."는 말씀의 뜻은 무엇일까?

이것 역시 영적 존재인 우리가 지닌 자유의지와 자유선택권과 관련된다고 나는 이해한다. 우리가 원하는 것은 신이 원하는 것이다. 성 에너지도 마찬가지다. 다만 많은 선각자들이 성 에너지에 대한 절제와 금욕을 선택하는 것은 의식의 진화 과정에서 좀 더 영적인 체험으로 나아가고자 하기 때문이지, 그의 필요성을 부정해 억지로 내려놓는 것은 아니라고 나는 이해한다.

또한 "변태적이고 사랑 없는 섹스도 괜찮은가?"라는 물음에, 신은 제한 없는 자유를 행사함에 있어 우주의 기본 되는 지침이 있으니, 상대방에게 피해를 주거나 동의를 얻지 않는 행동은 해서는 안 된다고 말씀한다.

앞서 우리는 영적 존재이기에 자유를 행사함에 있어 어떤 제한이나 의무를 강제 받지 않는다는 것을 성찰했다. 또한 자신이 남용되도록 허용하는 것은 남도 남용되게 하는 것임도 공감했다. 나아가 신이 인정하지 않는 것은 없으니, 그 판단은 자신만이 할 수 있다는 것도 성찰했다. 그 판단이 자신을 규정한다는 것으로 나는 이해한다.

따라서 자유를 행사함에 있어 상대방에게 피해를 주거나 동의를 얻지 않는 행동을 하지 않겠다는 것은 보다 높은 수준으로 자신을 규정하는 것임을 나는 자각한다.

한편 자녀 성교육과 관련해 우리의 현실은 대단히 소극적이고 폐

쇄적이었음을 관찰한다. 아이들은 성장하며 자신들의 성적 호기심을 충족시킬 기회를 의도적으로 차단당한다. 어른들의 섹스에 대한 예의와 내밀함이 아이들에게는 왜곡된 성의식을 심어주는 결과를 만들어내는 것이다.

이에 신은 인류의 가장 신성한 의식들 대부분이 드러내놓고 치러졌다며, 부모가 모든 성행위를 수치가 아닌 기쁨으로 대하는 모습을 보며 자연스럽게 배우게 하라고 제안한다. 자기 부모가 서로 사랑하며, 그를 몸으로 드러내는 것이 지극히 당연하고 멋진 일임을 아이들이 보게 하는 것이 가장 좋은 성교육임을 나는 이해한다.

당연히 나는 나의 부모와 사회의 성에 대한 절제와 장막으로 성에 대한 무지를 키웠다. 그에 따른 성적 표현의 부자연스러움으로 자녀를 대할 수밖에 없었다.

이제 나는 우리 사회의 섹스에 대한 예의와 내밀함이 갖는 부정적 측면을 인식하고, 그의 건강한 드러냄이 오히려 그의 신성함을 드러내 줄 수 있음을 안다. 이는 모든 사회제도와 생활양식에도 적용되는 진리임을 깨닫는다.

나는 신이 인정하지 않는 일은 없음을 안다. 그렇지 않다면 우리의 모든 인간체험이 부정되기 때문이다. 성행위의 목적이 하나 됨을 통해 사랑을 체험하는 일이라면 동성애도 차별이 아닌 차이로 존중해 주어야 함을 안다.

나는 뒤늦게나마 성 체험에 대한 본질을 깨달을 수 있음에 감사한다. 나는 사랑에 기초한 참된 자신을 자각하고, 남에게 피해를 주지 않으며, 상대방의 동의를 구했다면 모든 성 체험은 자유요, 축복임을 안다.

나는 자녀와 청소년들의 성교육은 이를수록 좋다고 생각한다. 성에너지를 포함한 모든 에너지에 담긴 우주 법칙과 관련한 이해에 기초해 그의 소중함과 자연스러움을 깨달아 갈 수 있도록 돕고 대화를 나누어야 한다고 믿는다.

의식의 승격을 위한 성 체험

월쉬는 모든 성적 표현들을 닫아 버린다면 인간 종의 진화는 그 상태에서 멈춰버릴 것이라는 신의 말을 받아들이면서도 올바른 성적 표현에 대해 다시 한 번 질문한다.

나는 이미 앞선 문답 속에서 여러 차례 이에 대한 해답을 구했음을 안다. 그럼에도 여기에서 다시 주목하는 것은 '의식의 승격'이라는 신의 응답이 의미하는 것이 무엇인가를 이해할 수 있음에 특별한 감사함을 갖기 때문이다.

우리는 몸과 마음과 영혼으로 이루어진 삼중의 존재다. 물론 우리는 영적 존재이기에 영혼의 지배를 받지만, 인간 체험을 통해 참된 자신이 되기 위해서는 이 세 측면의 조화와 균형이 중요하다.

이 세 측면 모두가 중요하기에, 그 중 한 부분에만 집중한다면 그것은 완전하지 않게 된다. 몸과 마음과 영혼이 조화된 상태에서 성에너지를 교환할 때, 우리는 참된 자신으로 하나 되는 의식의 승격을 체험하게 된다는 뜻으로 나는 이해한다.

인도의 고대 요가 선각자들은 우리 몸을 작은 우주로 보고 꼬리뼈부터 정수리에 이르기까지 인간의 척추를 따라 바퀴나 연꽃 모양의 에너지 센터가 다수 존재한다고 전했다. 이것이 차크라이다. 대표적으로 일곱 곳이 있다. 이는 우주의 에너지로 수행자의 노력이나 그 밖의 다양한 이유로 깨어나면 각각의 차크라를 통과하면서 의식의 상승이 일어난다.12)

따라서 우리는 열정적이고 욕망에 찬 성적 표현에 제한을 두어야 할 것은 없지만, 일곱 차크라를 가진 3중의 존재로서 조화와 균형을 이루는 온전한 자신으로 우주의 생명력인 에너지를 가능한 끌어올리라는 의미로 나는 이해한다.

그것이 의식의 승격이며, 그런 온전한 상태로 성 에너지를 체험할 때 우리는 절정의 체험, 즉 사랑으로 하나 됨의 상태인 열반의 황홀함을 깨닫게 될 것으로 나는 이해한다.

지난 날 나는 몸과 마음의 이분법적인 틀 안에서 사고하고 행동했다. 섹스의 체험도 그 틀 안에서 이루어졌다.

이제 나는 몸과 마음과 영혼의 세 측면에서 사고하고 행동한다. 내 자신이 미시우주 안의 우주임을 안다. 섹스도 이 우주의 모든 에너지의 조화와 균형이며, 상호 교환임을 안다.

나아가 이제 나는 나의 세 측면과 일곱 에너지 중심의 조화와 균

---

12) 『심리학자는 왜 차크라를 공부할까』, 박미라 지음, 나무를 심는 사람들, 2020, 19-20쪽

형이라는 의식 상승을 통해 하나 됨을 체험하고 재창조하는 것이 가장 중요한 삶의 목표임을 안다.

나는 요가에서 말하는 일곱 차크라(바퀴, 에너지 중추)는 아래쪽부터 회음부의 선골신경총(생명 차크라), 하단전의 전립선 신경총(성 차크라), 위 뒤쪽의 태양 신경총(권력 차크라), 심장 주변의 심장 차크라(배려 차크라), 인후 부위의 후두 신경총(창조 차크라), 양미간 사이의 동굴 신경총(영적 차크라), 정수리 부분의 송과선(열반 차크라)을 가리키는 것으로 이해한다.

그리고 나는 영성의 생리학에 대해 진심으로 더 많이 알고 싶어 하는 사람이라면 영성의 신비와 그것의 과학을 이해한 멋진 전달자들의 책을 참고하면 됨을 안다.

나는 그런 배움 속에서 우리가 몸을 놓아버린 게 얼마나 기쁜 일인지 기억해낼 수 있고, 그러고 나면 어째서 두 번 다시 죽음을 두려워하지 않을 수 있는지 이해할 수 있음을 안다.

7. 약속과 사랑

1) 약속의 진정한 의미는 무엇일까?

약속에 대한 우리 사회의 잘못된 신화

월쉬는 우리 모두는 독창적인 피조물이자 창조자이기에 어떤 생각이나 말이나 행동도 똑같이 복제할 수 없고 늘 변화한다는 것이 진리요, 이는 하나뿐인 성스러운 약속임을 받아들인다. 그러면서 우리는 절대 누구한테 어떤 것도 약속해서는 안 된다는 말이냐며 반문했다.

이에 신은 우리는 변화 그 자체이기에, 언제나 똑같으리라고 진실되게 약속을 할 수 없다고 말씀한다. 우리는 이를 어떻게 이해해야 할까?

사실 인간의 삶은 인간관계의 연속이다. 우리가 영적 존재이지만 인간 체험의 대부분은 관계 속에서 이루어진다. 음과 양, 선과 악 등 무수한 대립물이 존재하는 상대계에서 복잡하게 얼기고 성긴 그물망이 없다면, 존재 전체인 신의 특성을 어떻게 다 체험할 수 있겠는가.

이에 우리는 그 관계망 속에 맺어지는 무수한 약속들은 당연히 지켜야 할 것으로 수용한다. 그 약속이 지켜지지 않는다면 사회 전체의 질서는 무너지고, 우리의 삶은 감당할 수 없는 혼란을 겪게 될 것이라고 우려한다.

그러나 우리가 성찰한 우주의 진리 중 하나는 "모든 것은 변한다."라는 것이다. 신은 창조자다. 모든 것은 변화하고, 순환한다. 우리도 영적 존재로 창조자다. 우리는 매 순간 창조한다. 앞으로 우리가 어떤 선택을 할지, 어떤 변화를 선택할지는 아무도 모른다.

따라서 우리는 서로가 한 약속이 변함없기를 원하지만, 그렇게 되려면 우리는 약속 이후 벌어질 미래를 알 수 있어야 한다. 그러나 그건 불가능하다.

이에 우주의 진리를 인간의 약속이 넘어설 수는 없을 것이다. 미래의 변화된 조건을 수용하고, 약속이 지켜지지 않을 수 있음을 깨달아야 한다. 우리는 이 약속을 자유로운 선택의 기회로 받아들여야 한다는 것으로 나는 이해한다.

나는 약속은 반드시 지키는 것이 인간의 도리라고 믿어왔다. 약속을 지키지 못함으로써 가져올 피해와 상처를 우려했다. 그러나 나는 이는 몸과 마음에 반응하는 이분법적 사고에 따라 움직이는 인간 체험임을 안다.

이제 나는 우주가 변화 그 자체이기에 미래의 변함없음을 약속한다는 것은 불가능하며, 우리에게 의무와 갈등만을 가져다 줄 뿐임을 안다.

나는 몸과 마음에 반응하는 존재를 넘어, 몸과 마음과 영혼이 조화되는 창조하는 존재로 살아갈 수 있음을 안다. 나는 우리가 이를 인식하는 영적존재로 살 때, 서로에게 충만한 삶과 창조하는 삶의 기회를 제공할 수 있음을 깨닫는다.

다른 사람이 약속을 지키길 기대할 권리

우리는 다른 사람이 약속을 지키길 기대할 권리가 있다고 믿는다. 이는 나를 비롯한 모든 사람들이 갖고 있는 약속에 대한 일반적이고 당연한 생각이다.

그런데 신은 상대방이 이제 그 약속을 지킬 마음이 없는데 왜 그 약속을 지키길 강제하느냐고 말씀한다. 대단한 반전이요, 놀라운 성찰이 담긴 말씀이다. 우리는 이를 어떻게 이해해야 할까?

앞에서 우리는 "모든 것은 변한다."라는 우주 창조의 진리에 공감했다. 신의 모든 창조물은 똑같을 수가 없다. 눈송이 하나도 그 모양이 다 다르다. 영적 존재로 신의 창조력을 부여받은 우리이기에 매 순간 우리의 삶은 창조 그 자체다. 매 순간 변화하는 삶인데, 어찌 서로의 약속은 변함없어야 한다고 믿었을까?

또한 영적 존재로서 우리 모두는 자유의지와 자유선택권을 부여받았다. 내가 원하는 것은 신이 원하는 것 아닌가. 우리 모두의 선택은 완벽한 신의 계획이다. 약속을 지키고 싶어 하지 않는 선택을 했다고, 상대를 강제하고 상처를 주는 것은 우주의 진리에 반하는 일이다.

나아가 우리는 모두가 하나이기에 남에게 가한 그 강제와 상처는 자신에게로 돌아온다. 그렇게 하는 것이 상처가 아니라면 상대는 자진해서 약속을 지켰을 것이라는 신의 말씀은 깊은 깨달음을 준다.

지난 날 나는 서로가 합의한 약속은 서로가 지켜야할 의무가 있다고 생각했다. 어떤 이유에서라도 약속을 지키지 않는 것은 상대방에게 상처를 주는 일이라 생각했다. 경제적 이해관계를 넘어 도덕적 양심에 어긋나는 부끄러운 일이라 생각했다.

이제 나는 상대방이 약속을 지키지 않는 경우는 그가 더 이상 그 약속을 지키길 원하지 않거나, 그렇게 할 수 없다고 느꼈기 때문이라는 관점에 동의한다. 미래를 예측할 수 없는 우리의 한계와 모든 것은 변할 수 있다는 진리를 이해하고 수용한다.

나는 내 자신이 상대방에게 약속을 지키라고 할 때 야기되는 상처를 피하기 위해 상처를 입히는 것은 올바른 태도가 아님을 안다. 나는 상대방이 자진해서 약속을 지키지 못했을 경우 그의 선택을 존중할 것임을 안다.

약속을 지키길 요구해서 상처주지 말아야

다른 사람에게 자신이 한 약속을 지키라고 하는 게 어째서 그 사람에게 상처를 주는 걸까? 그러면 반대로 자신이 받을 상처를 감수하고 지켜봐야 할까?

이는 상대방에 대한 이해와 배려의 차원에서 그를 받아들인다 해도 상처받을 자신의 마음은 어찌해야 하는 것이냐며 쉽게 드러내지 못하는 속마음을 전한 것으로 나는 이해한다. 이 역시 나를 비롯해 많은 사람들이 공감할 부분이다.

그렇기에 누군가에게 자유를 줄 때, 오히려 우리는 발생할 위험을 제거하게 된다는 신의 말씀은 우리에게 깊은 깨달음을 안겨준다.

우리가 약속의 부담에서 벗어날 때, 그는 상대방만이 아니라 자신에게도 이익이 된다. 남에게 한 강요와 상처는 당연히 자신에게도 상처로 다가온다. 상대방에게 자유를 줄 수 있다면 우리가 받을 수 많은 갈등과 분노에서 벗어날 수 있지 않겠는가.

상대방을 약속의 굴레에서 벗어나 자유롭게 선택할 수 있는 기회를 줄 때, 오히려 우리는 그 부담과 위험을 덜고 자신을 더 믿고 사랑하며, 자유로운 존재가 될 수 있을 것으로 나는 이해한다.

남들에게 자유를 주는 것은 자신에게 자유를 주는 것이라는 신의 말씀은 앞서 자신을 사랑하고 자신에게 넉넉함을 줄 때, 우리는 남들에게 줄 사랑과 넉넉함을 갖게 될 것이라는 우주의 법칙과 연결됨을 깨닫게 된다.

지난 날 나는 내가 다짐한 약속을 지키지 못해 상대방에게 주게 될 크나큰 상처를 가늠하며, 평생 부끄러움과 죄책감을 지니고 살아온 경험이 있다. 물론 그 반대로 서로 다짐했던 약속을 지켰던 내 자신이 그를 지키지 못한 상대방에 대한 아쉬움과 안타까움을 오랜 기간 지니고 있었던 경험도 있다.

나는 우리 사회 곳곳에서 일어나고 있는 이혼과 데이트 폭력 사건들을 접하며, 상대방을 그가 한 약속에 붙잡아 두려할 때 얼마나 큰 해악이 뒤따르고 있는가도 관찰하고 있다.

이제 나는 우리가 자유선택권을 가진 영적존재임을 깨닫고 약속이라는 올가미에서 벗어날 때 서로에게 자유를 주지, 결코 해를 끼치지 않으리라는 것을 안다.

물론 약속은 반드시 지켜야겠다는 다짐과 실천으로 자신을 규정할 수 있다. 하지만 그것이 더 이상 약속을 지킬 수 없다는 다짐과 실천으로 자신을 규정하겠다는 상대방의 자유선택권을 침해해서는 안 될 것임을 나는 안다.

약속과 합의의 참다운 이행

우리가 약속을 강제할 수 없다면 무슨 수로 계약 조건의 이행을 설득할 수 있을까?

몸과 마음의 이분법적 사고와 생활양식에 기초해 유지되는 사회적 질서와 체계로서는 약속을 강제하는 법적 뒷받침은 당연하다. 법은 도덕의 최소한이지 않은가. 법적 강제가 없다면 계약 이행의 의무와 책임을 무엇으로 보장할 것인가.

하지만 신은 이를 폭력으로 보고 있다. 원시적 문화 윤리로 보고 있는 것이다. 왜 그럴까?

그 역시 영적 관점으로 해석하기 때문이라 생각한다. 앞서 우리는 이 관점으로 볼 때 미래의 변화를 예측할 수 없고, 약속을 강제하는 것은 우리의 자유의지에 반하기 때문임을 성찰했다.

합의를 위해 강제력에 의존한 폭력을 쓰는 것은 몸과 마음의 이분법적 사고에서 비롯되는 분리의식과 적자생존의 두려움에서 비롯된 한계라는 것이다. 우리는 몸과 마음과 영혼으로 이루어진 삼중의 존재다. 우리 모두는 하나라는 접근 방식은 새로운 깨달음을 준다.

이에 신은 삶은 '갖기 위한 것'이 아니라 '주기 위한 것'이니, 그렇게 하려면 남들을 용서해야 한다고 강조한다. 소위 성공이란 걸 얼마나 많이 '가졌는가'가 아니라, 남들에게 얼마나 많이 '모으게 했는가'로 바라보는 것이 영적인 관점이라 말씀한다.

우리는 앞서 '소유-행위-존재'의 방식을 '존재-행위-소유'의 방식으로 바꿀 때, 우리의 의식을 고양하고 삶의 도약을 이룰 수 있음을 깨달았다.

계약의 이행을 강제하지 않고, '되찾으려고' 염려하지 않고, 오직 '내주는' 것만 염려하면 된다. 그렇게 사랑 그 자체인 참된 자신이 되면, 그 사랑은 일곱 배로 돌아오는 것이 우주의 법칙이다. 이는 우리는 영적 존재이며, 모두가 하나라는 의식의 전환임을 나는 이해한다.

나는 약속과 합의의 이행을 강제하는 우리 사회 제도와 규범들이 폭력적 수단이며, 서로의 자유를 제한하는 미개한 방식임을 이해한다. 상대방만이 아니라 자신을 해치는 것에 불과하다는 것에 공감한다.

나는 우리가 영적 존재임을 자각한다면 모든 약속과 계약이행은 자유의지에 기초한 영성과 양심에 기초할 때 법적 의무와 강제력은 불필요한 것임을 안다.

나는 우리의 삶은 갖기 위한 것이 아니라 주기 위한 것임을 다시 한 번 성찰한다. 신이 우리를 창조함은 자신의 모든 것을 내어줌이 아닌가. 나는 신은 우리를 통해 자신을 체험하듯, 우리는 내어줌을 통해 물질의 이익을 포함해 자신의 모든 것을 다시 창조할 수 있음을 안다.

나는 모든 사람들이 약속과 합의를 넘어 그냥 자기 나름의 길을 가고, 선택하며, 체험하도록 놔둘 것이다. 그들과 내가 하나임을 알기에. 우리 모두가 천사들임을 알기에.

2) 사랑의 진정한 의미는 무엇일까?

한 번에 두 사람 이상과 밀착된 사랑하기

우리 사회는 일부일처제를 기초로 가정을 유지한다. 따라서 배우자를 배신하고 다른 사람을 사랑하는 것은 옳지 않은 사랑으로 여긴다. 이에 배우자의 부정은 이혼과 위자료 청구의 소송 사유가 된다.

그렇다면 우리가 한 번에 두 사람 이상과 밀착된 사랑을 하는 것은 정말 옳지 않은 일일까?

약속에 대한 새로운 깨달음이 자연스럽게 남녀 간의 사랑에 대한 의문으로 이어진 것이다. 다섯 번의 이혼을 경험한 월쉬의 내밀한 마음속에 자리한 것은 자신의 선택에 대한 신의 격려와 응원을 받고 싶은 깊은 열망이 표현된 것은 아닐까 나는 이해했다.

그러자 신은 우리는 모든 이를 최대한으로 사랑하는 것이 자신이 할 수 있는 가장 즐거운 일이기에, 그것은 잘못된 신화일 뿐이라고 단언한다. 왜 그럴까?

영혼은 축소된 신이다. 신은 사랑 그 자체다. 신은 무한하고 어떤 종류의 한계도 없으니, 신은 그 정의에서 이미 자유다. 이에 모든 영혼도 자유로운 존재다. 모든 관계에 있어 사랑은 그 어떤 제한도 한계도 있을 수 없다.

따라서 우리가 특정한 사람과 특정한 관계로 매여 있어야 하고, 그를 넘어 두 사람 이상을 관계하고 사랑하는 것이 배신이라면, 이는 신과 영혼의 관계를 부정하는 일이다. 이에 우리는 가능한 모든 사람을 사랑할 수 있는 것이 가장 즐거운 일임을 깨닫고 수용할 수 있어야 함을 나는 이해한다.

지난 날 나는 한 번에 한 사람만을 위해 예비해둔, 강렬하고 밀착된 사랑에 기초한 관점을 갖고 있었다. 당연히 결혼과 배우자에 대한 관점도 그에 기초했다. 이제 나는 이런 사랑에 대한 제한된 생각이 우리 조상들과 종교 등 사회 체제가 전해준 잘못된 사랑 인식에서 비롯되었음을 안다.

나는 영적존재인 우리의 모든 사랑에 제한을 두는 것은 영혼 자체를 부정하는 것임을 안다. 나는 사랑에 대한 제한이 두려움에 근거한 우리 사회의 잘못된 인식이며, 한계가 없는 성적 자유 속에서도 우리 영혼의 진화와 성장은 올바른 방향을 찾아가리라는 것을 안다.

나는 몸과 마음의 이분법적 사고를 넘어 영적 관점에 기초한 새로운 사랑을 인식할 수 있음을 안다. 나는 신과 하나고, 신은 모든 사람을 똑같이 사랑함을 깨닫는다.

젊은 여자와 사랑에 빠져 아내를 버린 경우

사랑에는 어떤 제한도 있을 수 없다면, 젊은 여자와 사랑에 빠져 자기 아내를 버린 경우를 옳다고 할 수는 없지 않느냐는 월쉬의 이 질문 속에 담긴 의미는 무엇일까?

나는 이를 월쉬 자신의 남녀관계 체험의 본질이 사랑이라는 참된 자신을 향한 열정으로 인정받고 싶은 마음이 자리하고 있기 때문으로 이해했다.

이에 신은 어떤 것도 옳고 그름을 판단하지 않으며, 그냥 있는 그대로를 관찰할 뿐이라 말씀한다. 그러면서 어떤 경우든 그 남자는 자기 부인을 여전히 사랑한다고 단언한다. 이는 무슨 뜻일까?

이는 앞서 살펴본 것처럼 영혼은 자유 그 자체이기에, 어떤 약속이나 사랑도 제한할 수 없다는 우주의 법칙에 근거할 수 있다. 이 역시 자신을 사랑하고 자신에게 넉넉함을 줄 때, 남들에게도 사랑과 넉넉함을 줄 수 있기 때문이다.

앞서 신은 모든 행동이 자기규정의 행동이라 말씀했다. 남녀관계에 있어 소위 자유 결혼이나 성적 개방성이라는 그 체험과 관련하여 우리가 어떤 선택을 하던 그건 자신이 누군지를 규정하고 창조한다.

또한 우리는 영적 존재이기에 자유의지와 자유선택권에 따라 선택한 체험을 통해 우리가 어떤 존재가 되고자 하는지를 규정하는 것도 자신만이 판단할 수 있다. 나아가 우리의 모든 체험은 나름의 의미를 지니고 있음을 나는 이해한다.

아내가 나이 든 노인이 젊은 여자와 사랑에 빠져 더 이상 자신을 사랑하지 않는다고 판단하고 자신의 삶을 실패로 규정한다면, 그 체험을 통해 자신을 규정하고 참된 자신으로 나아가는 방향이 올바른 것인지 다시 한 번 성찰해볼 필요가 있을 것이라 나는 이해한다.

자신의 사랑은 상대방의 태도와 선택에 따라 결정되는 것이 아니라, 참된 자신을 자각하는 나의 선택에서 결정된다. 사랑에는 조건이 없으며, 우리 모두는 천사다. 모든 선택과 체험은 참된 자신으로 성장하기 위한 기회로 여길 수 있어야 한다는 것으로 나는 이해한다.

지난 날 나는 나이와 결혼 여부와 상관없이 서로가 합의한 약속이라면, '일편단심 민들레'의 변함없는 마음을 지켜가는 것이 진정한 사랑의 자세라 생각했다. 나아가 한 사람과의 특별한 관계를 약속으로 증거하고, 그를 지키지 못함을 인간적 도리를 다하지 못하는 배신으로 생각했다.

이제 나는 우리 모두가 사랑 그 자체임을 알고, 영혼이 지닌 자유로움을 알기에 그를 제한하는 그 어떤 사회적 관념에서도 벗어날 수 있음을 안다.

나는 결혼이라는 체험을 통해 내가 영적 존재임을 깨닫고, 우리 모두가 하나이며 사랑 그 자체인 참된 자신이 되고자 함임을 안다. 이는 결혼이라는 체험을 통해서 나는 누구이며, 무엇이 되려 하는가에 대한 답이다.

나는 모든 이를 최대한으로 사랑하는 것이 영적 존재인 자신이 할 수 있는 가장 즐거운 일임도 안다.

사랑, 그 무한함과 영원함과 자유로움

월쉬의 사랑이 무엇인가 라는 이 질문은 앞의 사례들에서 보듯 두려움에 근거한 우리 사회의 잘못된 신화로 혼란스러워진 사랑의 참된 의미를 다시 물은 것이다.

사랑이 무엇인지에 대한 우리 사회의 정의와 해석은 다양하다. 나는 사랑을 열정과 친밀감과 헌신의 개념으로 이해했다.

이에 신은 사랑을 무한함과 영원함과 자유로 표현했다. 왜 그럴까?

영적 존재인 우리는 사랑을 통해 존재 전체인 신과의 하나 됨을 체험한다. 우주 만물을 창조한 신은 완벽한 사랑 그 자체다. 당연히 신의 완벽함은 무한하고, 영원할 것이며, 자유롭다. 이에 사랑은 모든 것을 받아들이는 바다와 같고, 그 생명은 끝이 없으며, 그 어떤 구속이나 의무도 없다고 나는 이해한다.

그럼에도 현실에서 우리는 신의 사랑을 의심하고 부정하기도 한다. 인간의 사랑도 그렇다. 서로의 사랑을 늘 확인하고 언제까지 이어질까 하는 두려움에 물들기도 한다. 나는 이런 의심과 두려움은 상대성과 대립물이 존재하는 물질계의 체험을 위한 환상일 뿐이라 이해한다.

우리가 영적 존재이고, 신의 완벽한 사랑을 믿으며, 이 땅에 내려온 천사들임을 깨닫는다면 그런 의심과 두려움에서 벗어날 수 있으리라 이해한다.

따라서 관계 속에서 이루어지는 모든 삶과 결혼과 성을 포함한 모든 사랑 체험에서 무한함과 영원함과 자유 그 어느 하나라도 부정된다면 참된 사랑일 수 없다는 신의 응답에 깊은 깨달음을 얻는다.

지난 날 나는 사랑을 열정과 친밀감 그리고 헌신이라는 교과서적인 해석을 받아들였다.

이는 첫 사랑의 설렘과 뜨거운 열정이 조금씩 식어 가면, 동고동락하며 쌓여진 우정 같은 친밀감으로 이어가다, 어느 순간 모든 것을 내려놓고 받아들이며 함께 살아가는 부부 간의 헌신적 사랑이 그 예라 이해했다.

이제 나는 사랑과 관련된 신, 삶, 무한함, 영원함, 자유가 동의어임을 안다. 그로서 사랑의 보다 깊은 의미를 깨닫게 되었다.

나는 사랑 아닌 것과 두려움을 체험하는 것은 사랑인 것과 참된 자신인 것을 체험하기 위한 과정임을 안다. 나는 두려움을 넘어 참된 사랑을 체험하는 길에 무한함과 영원함과 자유가 내가 누구인지, 나는 어떤 존재가 되고자 하는지를 판단하는 준거 틀이 될 수 있음을 안다.

이제 나는 비로소 참된 사랑의 그 길에 들어서려 하고 있음을 안다.

한 사람과만 특별한 사랑을 표현하겠다는 약속

신은 한 사람과만 특별한 사랑을 표현하겠다는 약속이 자유를 제한하는 경우가 아닐 수 있음은 계속해서 선택인 한에서 라고 말씀한다. 이는 무슨 의미일까?

나는 이 역시 사랑의 본질적 측면의 하나가 자유이기 때문이라 생각한다. 또한 영적 존재인 우리가 지닌 자유의지와 자유선택권 때문이라 이해한다. 그 자유선택권을 제한받는다면 우리가 이 지상에서 인간 체험을 할 이유가 사라질 것이다.

따라서 우리가 어느 특정한 한 사람만을 특별히 더 사랑하는 체험을 원한다면 당연히 그 체험을 선택할 수 있어야 한다. 하지만 변화는 우주 만물의 법칙이기에 그 체험이 자신에게 변할 수 없는 의무로 다가온다면, 그는 참된 사랑을 제한하는 일이 된다. 그런 의미에서 그것이 계속해서 선택인 한에서 그럴 수 있다는 것으로 나는 이해한다.

우리는 앞서 우리가 맺은 약속에는 미래의 변화를 예견할 수 없기에 서로가 내릴 수 있는 자유로운 선택의 기회를 보장할 수 있어야 한다고 성찰했다. 이런 관점에서 우리는 어느 한 사람만을 특별히 더 사랑하겠다는 약속은 자신이 누구인지, 어떤 존재가 되고자 하는지와 관련한 자기규정 속에서 이루어져야 함을 깨닫는다.

다만 사랑이 지닌 무한함과 영원함과 자유를 인식한다면 한 사람만 특별히 더 사랑한다는 것은 불가능한 일이라 나는 이해한다.

지난 날 나는 일편단심, 검은머리가 파뿌리가 되도록 사랑해야하는 결혼 서약에 동의했다. 이는 한 사람만을 위한 특별한 사랑을 체험하기로 서약한 것이다. 하지만 자유와 무한함과 영원함이라는 보다 본질적인 사랑의 의미를 이해하지 못한 서약이었다.

이제 나는 사랑은 서로를 제한하는 의무가 아닌 서로의 참된 진화를 돕는 기회이며, 자유로운 선택의 보장 속에서 이루어짐을 안다.

또한 나는 단 한 사람과 특별한 사랑을 약속하는 체험을 선택할 수 있음을 안다. 단 그것이 의무가 아닌 자유로운 선택이 되어야 함을 안다.

나는 어느 한 사람만을 특별히 더 사랑하겠다는 약속은 자신이 누구인지, 어떤 존재가 되고자 하는지와 관련한 자기규정 속에서 이루어져야 함을 자각한다. 그 자기규정의 준거 틀은 우리 모두는 하나라는 진리임도 안다.

8. 결혼

1) 우리 결혼 문화의 한계와 문제점은 무엇일까?

힘든 결혼임을 알면서도 결혼을 더 좋아하는 이유

월쉬는 신의 이야기를 이해하고 종합했을 때 나올 결론은 사람들 대부분은 약속을 지킬 수 없으니 약속을 하지 말라는 것으로, 이건 결혼제도란 배에 커다란 구멍을 뚫어 가라앉히고 말 이야기라고 반문한다.

하지만 신은 결혼제도를 아끼고 보호하고 싶어 하는 사람들은 아직 얼마든지 있다는 월쉬의 항변에도 불구하고, 자신의 진술을 고수할 것임을 선언한다. 전 세계 국가별 이혼율 통계가 그를 증명하고 있다며 말이다. 결혼한 부부의 절반 이상이 이혼을 선택하는 현실이라면, 결혼 서약을 지키며 성공적인 부부생활을 가꾸고 있는 비율은 얼마나 되겠는가.

이에 신은 결혼이 우리가 사랑의 무한함과 영원함을 체험하기 위한 가장 좋은 방법으로 창조해냈음에도 그것이 실패할 수밖에 없었다고 말씀한다. 이는 무슨 뜻일까?

즉 우리의 결혼은 여자가 의지처와 생존을 보장받고, 남자가 변함없는 섹스 이용권과 반려자를 보장받을 수 있는 유일한 방법이었다고 말씀한다. 결혼을 남녀 간의 주고받는 거래로 여겼고, 그것은 사업과 흡사했다는 것이다.

이에 결혼은 사랑이라는 참된 자신을 체험하기 위한 영적 목적이 우선되어야 함에도 현실은 그와는 거리가 멀었다. 서로의 이해타산을 감춘 위장된 사랑이 오래 지속되기는 힘들다. 본질적으로 사랑에는 조건이 없는 것이니 결혼생활이 힘들 수밖에 없을 것이다.

그럼에도 우리가 결혼을 더 좋아하는 이유는 무엇일까?

나는 우리 모두는 인간 체험을 하고 있는 영적 존재이기 때문이라 이해한다. 하나 됨의 그 사랑, 참된 자신을 체험하기에 결혼은 더없이 좋은 기회일 수 있기 때문이 아닐까 생각된다.

지난 날 나는 결혼을 때가 되면 당연히 해야 할 사회적 의무로 받아들였다. 결혼이 무엇인지, 어떤 의미가 있는 것인지, 내 자신이 어떤 준비와 노력을 기울여야 하는 것인지 제대로 된 교육과 깨달음이 부족했다.

미숙한 결혼생활 속에서 수많은 시행착오를 겪으며 서로에게 아픔과 상처를 안겨주기도 했다. 망각의 체험과정으로 성장과 진화를 도모하기 위함이라면 이해가 되기도 하지만 이제 와 생각해 보면 안타깝기도 하다.

하지만 나는 결혼이라는 체험이 어렵고 힘든 것이었기에 그 과정에서 깨닫게 되는 하나 됨의 체험이 주는 아름다움과 기쁨 역시 그 어떤 체험 못지않게 소중함을 안다.

나는 하나 됨의 그 사랑, 참된 자신을 체험하기에 결혼은 더 없이 좋은 기회일 수 있다는 점에도 공감한다.

우리의 결혼과 결혼서약이 지닌 한계와 문제점

신은 우리 결혼서약이 단 하나뿐인 중요 법칙인 자연법과 충돌하고 있다고 말씀한다. 그 자연법을 우리는 어떻게 이해해야 할까?

앞서 우리가 살펴본 '사랑은 존재 전체다.' '사랑에는 조건이 없다.' '사랑은 무한함과 영원함과 자유다.' '창조는 변화다.' 등으로 자연의 법칙을 말할 수 있을 것이다. 이는 영적 존재인 우리의 천성이다.

그러나 우리의 결혼은 모든 사회제도가 그러하듯 안전을 보장받으려는 의도가 숨어 있다. 이에 우리의 결혼서약은 서로의 이해가 충돌할 수 있음에도 그를 강제하려는 데 문제가 있다는 것이다. 실제 현실에서는 이혼이 법적 소송의 중요한 대상이 되고 있지 않은가.

우리가 진실로 누구인지, 어떤 존재가 되고자 하는지를 생각하고 안다면, 사랑에 기초한 결혼에 서약이라는 강제와 제한을 둘 필요가 어디 있겠는가. 서로가 영적 존재로 성장하고 진화하는 데 필요한 무한한 기회를 선택할 자유가 존중된다면 서약이란 필요 없을 것이라 나는 이해한다.

또한 신은 우리의 결혼서약은 둘 사이에 지닌 사랑의 감정을 다른 사람에게는 결코 갖지 않겠다는 다짐을 포함하고 있기에 이는 우주의 법칙에 어긋난다는 것이다. 앞서 우리는 어느 한 사람을 다른 사람보다 특별히 더 사랑하겠다는 약속은 자연법에 어긋나는 것임을 성찰했다.

우리의 결혼과 결혼서약은 영적 존재로서 지닌 자유의지와 자유선택권의 기회를 통해 각자의 독특함을 표현하고, 서로 사랑하며 참된 자신으로 성장하는 내용이 담겨져야 할 것으로 나는 이해한다. 결혼에 의무와 거래가 담긴다면 그는 참된 관계가 될 수 없다는 것에 나는 공감한다.

이제 나는 결혼과 결혼 서약에 담겨 있는 왜곡된 본질을 깨달았다. 나는 결혼을 통해 안전을 보장받기 위해 우리의 천성을 경시하는 인위적 제도에 저항할 수밖에 없음을 안다. 또한 나는 어느 한 사람만을 다른 누구보다 더 사랑하겠다는 약속은 신의 섭리에 어긋나는 약속임을 안다.

결혼은 참된 자신을 위한 무한하고 영원하며, 자유롭고 공정한 선택의 기회가 보장되는 사랑이 기초해야 함을 안다. 결혼 서약은 서로가 하나 됨을 체험하며, 서로의 영적 성장과 진화를 돕고 격려하며, 제 길을 잘 갈 수 있도록 기회를 보장해 주기 위한 다짐임을 안다.

나는 신이 우리가 고안한 문화가 엉터리임을 드러낼 뿐이지 옳고 그름을 판단하지 않는다는 것에 동의한다. 문이 제대로 열리고 닫히지 않을 때처럼, 뭔가가 자신의 목적에 맞게 기능하지 못한다면 그 정도만큼 엉터리다.

나는 자신의 목적이란 '자신이 참으로 누군지' 결정하고 선언하며, 창조하고 표현하며, 체험하고 성취하는 것임을 안다.

결혼에 대한 심판과 관찰의 차이

그렇다면 신이 말씀한 심판과 관찰의 차이란 무엇일까? '우리가 가고 싶다고 말하는 곳에 이를 수 있는지'란 무엇을 말하는 것일까?

나는 앞서 우리가 성찰한 '자신이 누구인지', '어떤 존재가 되고자 하는지'가 그 해답이 될 수 있을 것이라 이해한다. 우리는 영적 존재다. 사랑 그 자체인 참된 자신임을 깨닫고 그것이 되어 가는 데 도움이 되는지 아닌지를 살펴보고 있다는 것이다. 옳고 그름을 판단하고 그를 심판해 벌주기 위한 것이 아니다.

그런데 신은 현재의 결혼과 종교, 정치 문화들이 우리를 그리로 데려가지 못하고 있음을 관찰하고 있을 뿐이라 말씀한다. 이는 무슨 뜻일까?

결혼의 경우는 오늘날 드러나고 있는 이혼율이 그를 단적으로 말해주고 있다. 종교도 우리를 평화로 이끌지 못하고 있다. 끝없이 이어지는 종교적 갈등과 전쟁이 그를 말해주고 있다. 정치 역시 대립과 갈등 속에 그 기능의 한계를 보이고 있지 않은가.

종교가 참된 영성으로 현실의 환상에서 깨어나게 하고, 정치가 이해관계를 조정해 인권과 복지를 증진해야 함에도 제 역할을 다하지 못하고 있음을 본다. 이는 오히려 종교와 정치가 서로 유착되어 독점적 권력화를 공고히 함으로써 기득권 유지를 가속화 하고 있기 때문이라고 나는 이해한다.

나는 결혼과 종교와 정부만이 아니라 우리의 문화 전체가 모든 사람들에게 똑같은 기회를 제공하는 과제를 감당하지 못하고, 의식주와 같은 기본적인 문제들조차도 제대로 해결하지 못하고 있음을 관찰한다.

나는 이것들이 옳고 그름에 대한 판단이 아니라, 우리 사회를 관찰하면 확인할 수 있는 것으로 우리가 나아가야 할 바람직한 방향을 찾기 위한 일임을 안다. 나는 그 방향이 참된 자신으로 자신을 새롭게 재창조하는 것임을 안다.

나는 우리 사회가 사랑의 참된 의미를 깨닫고, 참된 영성을 회복해 우리 모두가 하나임을 깨닫는 것이 무엇보다 중요함을 인식한다.

나는 우리 사회의 결혼제도를 관찰하고 살펴보는 것이 심판과 판단으로 부정하기 위함이 아닌 결혼제도의 보다 올바른 의미와 방향을 찾고자 함에 있음을 안다.

인간의 잘못된 문화 신화

왜 우리는 오랫동안 자신의 문제를 처리하는 면에서 진전을 이루지 못했을까? 왜 신은 우리가 남은 밥을 '가진 자'에서 '못 가진 자'로 전해주는 가장 간단한 과제조차 처리하지 못하고 있음을 관찰하고 있다고 말씀할까?

이에 신은 우리의 잘못된 문화 신화를 관찰한 바를 말씀으로 전한다. 첫 번째는 원죄의 신화다. 이는 무슨 뜻일까?

아담과 이브가 신의 명령을 어겼다는 이유로 에덴동산이라는 천국에서 쫓겨나며 갖게 된 죄가 원죄라는 것이다. 하지만 전능한 신이 무엇이 두려워 계명을 만들 것이며, 무엇이 신을 화나게 해 우리를 벌주려 할 것인가. 무한한 사랑의 신이지 않은가.

두 번째는 적자생존의 신화다. 이는 무슨 뜻일까?

원죄를 지닌 우리의 숙명이다. 기본 천성을 악함으로 보니 현실 세계에서는 자신의 생존이 최우선일 수밖에 없다. 약육강식의 사회 풍토를 당연하게 받아들인다면, 어떻게 우리 모두가 하나 되는 방식으로 문제를 해결해 나갈 수 있겠는가. 경쟁이 불러온 두려움만 깃들게 될 것이다.

하지만 신은 우리의 기본 본능은 공정함과 하나 됨과 사랑임을 강조한다. 기회의 평등이라는 공정함 속에 참된 자신이 되고자 하는 각자의 독특함을 표현할 수 있어야 함을 이해하는 것이 중요하다는 것이다.

앞서 여러 차례 성찰한 바대로 우리는 영적 존재로서 인간체험을 하고 있다. 우리 모두는 하나인 천사들이다. 지금의 현실은 신성을 체험하기 위해 만들어진 환상의 세계요, 연극 무대이고, 우리 모두는 배우임을 깨닫는 것이 무엇보다 중요하다고 나는 이해한다.

이에 공정함과 하나 됨과 사랑이 우리의 기본 본능임을 자각할 때, 우리의 잘못된 문화 신화를 극복할 수 있음을 나는 이해한다.

나는 타고난 사악함이나 적자생존을 중심으로 삼는 우리 사회의 잘못된 신화가 우리의 문제를 해결하는 데 장애가 되어왔음을 자각한다. 나는 세상의 모든 지각 있는 존재의 기본 본능은 공정함과 하나 됨, 사랑임을 깨닫는다. 이것이 우리 사회의 문제 해결을 위한 의식 혁명임을 안다.

나는 기회의 평등을 보장하는 것이 우리 사회의 공정함을 실현하는 기초가 될 것임을 안다. 나는 모든 살아 있는 것들의 기본 본능은 동일함이 아니라 독특함을 표현하는 것임을 깨닫는다.

우리 모두는 신과 하나이기에 무한한 사랑의 존재다. 타고날 때부터 선한 존재다. 따라서 인간의 기본적인 삶을 보장받는 것은 당위이다. 그를 위한 기본소득 정책은 영적 인식에 기초함을 안다. 그 위에서 각자의 독특함을 마음껏 발휘하면 된다고 나는 이해한다.

나는 이러한 의식의 깨달음에 기초할 때 우리의 결혼제도가 지닌 잘못된 문화 신화 역시 새롭게 변화되고 발전할 수 있을 것임을 안다.

2) 결혼과 관련한 사랑과 그 필요조건은 무엇일까?

결혼과 관련한 사랑과 그 필요조건

월쉬는 다시 한 번 우리의 결혼과 관련한 사랑과 그 필요조건에 대해 질문했다.

이에 신은 사랑에는 어떤 필요조건도 없다고 단언한다. 그러면서 우리 문화의 믿음 중 받는 것보다 주는 것이 사랑이라는 신화는 잘못된 것임을 예로 든다. 이는 무슨 뜻일까?

앞서 우리가 성찰한 바대로 사랑은 무한함과 영원함과 자유로 이루어진 존재 전체다. 신성의 모든 합이 사랑이라면 그는 모든 선택과 기회를 받아들인다. 사랑에 조건과 제한이 뒤따른다면 이는 사랑의 본질에 어긋나는 것이라 나는 이해한다.

또한 앞서 우리는 가장 사랑을 잘하는 사람은 이기적인 사람임을 성찰했다. 자신이 사랑 그 자체인 참된 자신이라는 존재로 있다면, 자신에게 넉넉한 사랑을 줄 수 있다면, 당연히 남들에게도 그런 존재가 될 수 있음을 보여주면서 넉넉한 사랑을 전해줄 수 있을 것이다.

우리의 결혼과 결혼서약도 이러한 사랑과 하나 됨의 깨달음에 기초한 관계라면 군이 불필요한 의무로 사랑의 본질이 훼손될 서약이 끼어들 이유가 없을 것이라 나는 이해한다.

지난 날 나는 사랑에는 다양한 방식이 있다고 생각했다. 이기적 사랑, 주고받는 사랑, 이타적 사랑의 구분도 그 한 방식이다. 결혼도 사랑이 중요하지만 그 사랑을 현실적으로 지탱해 주려면 기본적 조건이나 결혼서약 등의 필요조건이 있을 수 있음을 받아들였다.

이제 나는 사랑에는 어떤 필요조건도 제한도 의무도 없음을 깨닫는다. 사랑의 참된 의미를 받아들인다면, 결혼에 있어서도 서약 교환이라는 것이 필요 없음을 이해한다.

나아가 나는 사랑 역시 내 자신이 참된 자신이 되는 데서 출발하는 것임을 깨닫는다. 자신과 참된 자신에 관한 가장 숭고한 관념을 실현하고 체험할 때, 우리는 진정으로 남을 위할 수 있음을 안다.

나는 결혼의 목적은 서로에게 자신이 참된 자신으로 성장하기 위한 선택과 체험의 기회를 제공하고 북돋아 주는 데 있음을 안다.

참된 사랑을 표현할 비법

월쉬는 참된 사랑을 표현할 비법이 있으며, 그 표현에 한계가 있느냐고 물었다.

나는 이를 사랑을 잘하는 사람은 이기적인 사람이라면, 남녀관계에 있어 자신이 상대방에게 어떤 방식으로 참된 사랑을 표현해야 하는 것인가. 다시 말해 자신의 사랑을 표현하는데 어떤 한계가 필요한가를 묻고 있는 것으로 이해한다.

이에 신은 사랑 표현에 어떤 한계도 설정할 필요가 없다고 말씀한다. 왜 그럴까?

나는 본질적으로 사랑에는 조건이 없기 때문이라 이해한다. 따라서 이 말씀은 사랑의 표현 형식인 우리의 결혼서약이 그 본질에 어긋나는 서로에 대한 불필요한 의무와 책임을 강제하고 있음을 관찰한 말씀이라 이해한다.

이에 신은 월쉬와 낸시가 새롭게 만든 결혼서약이 공정함과 사랑, 영적 본성을 잘 담아낸 멋진 예로 칭찬하며 그를 많은 이들에게 전할 것을 제안한다.

둘의 서약이 아닌 선서문에는 결혼을 서로의 안전과 기대를 구하거나 소유와 의무를 짐 지우지 않고, 참된 자신으로 성장하기 위한 보다 많은 기회를 상대방에게 제공하려는 다짐과 영적 진리를 잘 담아내고 있다는 것이다.

지난 날 나는 결혼서약이 갖고 있는 책임과 의무를 다해야 한다는 일정한 한계를 의식했고, 수용했다.

이제 나는 결혼이 서로에게 변하지 않는 지켜야할 약속이라는 의미가 담긴 서약이 아닌, 서로를 지지하고 존중하며 각자의 삶을 발전시킬 기회를 제공하는 다짐의 의미가 담긴 선서라는 표현을 사용하고자 한다.

나는 "누군가를 지배하는 것보다 자유롭게 하기가 훨씬 힘들다. 누군가를 지배할 때는 당신이 원하는 것을 얻지만, 누군가를 자유롭게 할 때는 그들이 원하는 것을 얻는다."라는 월쉬의 말에 동의한다.

이제 나는 하나 됨의 사랑과 영적 성장을 위한 자유로운 기회 보장을 담아 월쉬와 낸시가 만든 새로운 결혼 선서문을 세상에 전하며, 참된 자신을 위한 진실한 사랑을 실천하겠다.

9. 히틀러 체험

※ 히틀러 체험의 목적은 무엇일까?

삶의 목적과 신학의 참된 기초

신이 말씀한 삶의 목적은 '자신이 누구인지' 알고, '자신'을 재창조하는 것이다. 이는 무엇을 의미할까?

우리는 앞서 여러 차례 존재 전체인 절대계는 사랑 그 자체임을 이해했다. 이에 신은 사랑만이 존재하는 영역에서 전체를 부분으로 나눠 영적 존재인 우리를 통해 사랑을 체험으로도 알고자 물질계를 창조했다. 신성의 모든 부분을 체험하고 재창조하며 사랑 그 자체인 참된 자신, 신을 인식하고자 하는 것이다.

따라서 영적 존재인 우리는 신과 하나이기에 사랑 그 자체다. 우리의 인간 체험의 목적은 신을 기쁘게 하는 것이 아니라 참된 자신을 체험하는 것이다. 그러나 우리는 환상과 연극의 세계에 불과한 이 물질계의 체험에 심취한 나머지 이곳을 실제로 여긴다. 사랑의 대립물인 두려움의 환상에 젖어 자신의 진짜 모습을 잃어버린 것이다.

우리가 신과 하나임에도 불구하고, 신에게서 분리되어 있다고 여길 때 두려움이 깃든다. 이에 신은 우리의 신학이 우리에게 원죄가 있고, 구원을 받기 위해서는 죄의 사함을 구하기 위해 수많은 시험과 시련을 이겨내야 한다는 잘못된 신화를 만들어 냈음을 관찰한다. 신을 심판하고 벌하는 두려운 존재로 만들었다는 것이다.

따라서 참된 신학은 숭배와 감사를 요구하고, 질투하고 분노하는 신을 믿지 않는다. 모든 지혜와 사랑인 신, 모든 것을 받아들이는 온화한 신을 믿는다. 우리 모두가 사랑 그 자체인 참된 자신이요, 신과 하나임을 기쁘게 받아들일 때 참된 신학은 만들어진다고 나는 이해한다.

나는 앞서 현실 세계를 지배하고 있는 이원론에 근거한 분리의식과 적자생존의 원리가 우리의 삶을 황폐화하고 그릇된 방향으로 이끌고 있음을 성찰했다.

이제 나는 우리 모두가 영적 존재로 신과 하나 됨과 서로 연결되어 사랑 그 자체인 신성의 모든 것을 체험하는 것이 참된 삶의 목적임을 이해한다. 이러한 영적 목적을 일깨워주는 참된 신학에 근거한 종교의 역할이 어느 때보다 중요한 시점임을 나는 공감한다.

그동안 나는 삶을 하나의 시험이요, 시련의 과정으로 생각했다. 또한 나는 숭배와 감사와 애정을 요구하고, 분노하고 심판하는 신을 믿는 신학에 기초한 종교상을 갖고 있었다.

이제 나는 종교와 신학의 왜곡된 진리로부터 자유로워졌다. 나는 신의 무한한 사랑과 지혜를 알기에 그를 북돋고 기쁘게 하는 모든 신학과 종교를 존중하며 함께한다.

이제 나는 삶이란 것을 사랑 그 자체인 참된 자신이 되고자 하는 하나의 기회, 가치 있음을 발견하는, 즉 기억하는 과정으로 믿는다. 끊임없이 주어질 기회와 체험의 창조 과정을 기쁘게 받아드려야 함을 안다.

나는 이러한 참된 삶의 목적과 신학에 기초할 때, 우리 사회를 지배하고 있는 분리주의와 적자생존의 원리가 만들어내는 최악의 체험들에서 벗어날 수 있음을 안다.

히틀러 체험의 목적

월쉬는 '일어나는 모든 일, 모든 것이 신의 의지'요, '깨달음의 비밀은 모든 사건 뒤에 있는 목적을 아는 것'이라는 신의 말을 받아들이면서 이 질문을 요청했다. 나름 우리가 도저히 받아들일 수 없는 최악의 사건도 신의 의지에 의해 일어난 것이라는 걸 이해하기 어려움을 드러낸 질문이라 나는 이해한다.

그럼에도 신은 자신이 창조한 우주에 우연이란 있을 수 없다고 단언한다. 앞서 우리는 우주는 생명에너지 그 자체요, 모든 생명체는 에너지를 만들어 내며 서로 연결되어 새로운 물질을 창조한다는 것을 성찰했다. 따라서 행성 차원에서 일어나는 모든 사건과 상황들은 개인과 집단의식이 만들어낸 결과라는 것이다.

이에 신은 히틀러 체험은 우리의 잘못된 집단의식이 창조한 것이라 규정한 것이다. 이는 무슨 의미일까?

우리는 앞서 여러 차례 우리가 누구인지, 어떤 존재가 되고자 하는지가 자신을 규정한다고 성찰했다. 따라서 히틀러 체험은 우리가 영적 존재로서 사랑 그 자체인 참된 자신을 잊고, 신과 분리되어 있다는 두려움에 사로잡혀 있을 때, 우리가 경험할 수 있는 최악의 체험으로 자신을 규정한 사례인 것이다.

히틀러 체험의 목적과 교훈은 우리가 체험하는 삶 전체가 우리는 하나라는 의식에 기초할 때, 우리는 진실로 온전한 삶의 체험을 갖게 될 수 있음을 깨닫게 해주는 데 있다고 나는 이해한다.

나는 독재자나 전쟁과 같은 악의 존재와 대규모 불행이 초래된 이유와 목적을 잘 이해하지 못했다. 당연히 그 폭력과 억압에 두려움을 느끼고 순응했다. 나이 들어가며 그 모순을 인식하고 집단적 저항과 새로운 대안과 실천을 모색했다.

영적 탐구를 통해 우리가 대규모 집단적으로 체험하는 모든 상황과 사건들은 우리의 집단의식이 만들어 낸 다시 말해 요청한 것이라는 근본적인 깨달음을 얻었다. 모든 사건과 체험이 우리의 기회를 창조하기 위한 신의 완벽한 계획임도 알게 되었다.

이제 나는 대규모 재난 뒤에 자리한 목적 즉 우리 모두가 요청한 의도가 무엇인지 세심하게 관찰한다. 그 체험이나 고통이 불필요하다면 의식하는 관찰을 통해 그 체험을 선택하지 않으면 된다. 집단 속에서 그 의식을 바꾸거나, 아니면 떠나거나, 아니면 새로운 집단을 창조하면 된다.

나는 이제 분리와 차별이 만들어낸 최악의 사례인 히틀러 체험과 같은 부정적 체험을 떠나 모두가 하나 되는 세상을 열어가는 본보기가 되고자 한다.

히틀러가 천국에 간 이유

월쉬는 그럼에도 불구하고 아직도 어떻게 히틀러가 천국에 갈 수 있었는지, 그는 어떻게 해서 자신이 한 일로 천국이란 상을 받을 수 있었는지 이해하기 어렵다고 반문한다.

이에 신은 히틀러는 누구에게도 해를 입히지 않았다고 단언한다. 왜 그럴까?

나는 영적 존재는 영원불멸하는 존재이기에 죽음이란 존재하지 않는다는 점, 죽음은 영혼이 진화 과정에서 몸의 체험을 다하고 자신의 본향으로 돌아가는 기쁜 일로 받아들이기 때문으로 이해한다. 죽음은 끝이 아니라 새로운 시작이기에, 그는 피해일 수 없다는 것이다.

또한 예수는 원수도 사랑하라 말씀했다. 사랑 그 자체인 신이 용서할 수 없는 범죄와 범죄자가 있을 수 있을까? 무한한 사랑의 신이기에 신이 받아들일 수 없는 상황과 사건은 있을 수 없다.

이에 월쉬는 설사 자신이 그 사실을 받아들인다 해도, 히틀러는 자신이 실제로 좋은 일을 하고 있다는 것을 몰랐으며, 자신이 나쁜 일을 한다고 여겼을 것으로 본다고 주장한다. 나 역시 그렇게 생각했을 것이다.

그러나 이 역시 신은 그렇지 않다고 단언했다. 왜 그럴까?

그 당시 수백만의 자기 국민들이 히틀러에게 동조했다. 그를 잘한다고 찬양했다. 실제로 그는 자기 국민을 돕고 있다고 생각했다. 히틀러가 천국에 있음은 그를 있게 한 수백만 명의 집단의식이 있었기 때문이다.

이에 신은 이 세상에는 우리가 알 수 없고 이해할 수 없는 수많은 일들이 있음을 받아들여야 함을 강조한다. 선과 악, 차가움과 뜨거움이라는 대립물이 없다면 우리는 신성의 모든 것을 알 수 없을 것이다. 이것이 히틀러 체험의 교훈이라 나는 이해한다.

지난 90년대 말, 나는 한 언론사에서 주최한 교사 해외 탐색대 공모에 당선되어 동료들과 함께 독일 교육현장을 방문한 적이 있었다. 독일의 민주적 학교 운영과 통일 교육에 대한 현장 답사로 우리 교육 발전의 계기를 마련해보자는 취지였다.

학교 방문과 함께 당시 동서 분단 장벽을 해체하고 통일 독일을 이룬 역사적 현장, 2차 세계대전 당시 대규모로 학살된 유태인 수용소 현장들도 방문할 기회가 있었다. 나 역시 히틀러의 만행에 분노했던 기억이 새롭기에, 이 책에서 히틀러가 천국에 갔다는 신의 말씀이 놀라운 충격으로 다가왔었음을 인정한다.

이제 나는 비로소 영적인 관점에서 히틀러가 왜 천국에 갈 수밖에 없는지, 우리가 히틀러 체험을 하는 목적이 무엇인지를 좀 더 깊게 성찰하게 되었다. 상대성이 존재하는 이 지구에서의 인간 체험은 대립물이 필요하며, 그 극단적인 악의 체험도 사랑을 깨닫기 위한 우리 모두의 요청이며, 신은 이 모든 것이 환상인 것을 알기에 그 모두를 용서하고 축복한다는 것을 깨닫게 되었다.

나는 지금 이 순간에도 우리의 삶에서 또 다른 히틀러들이 그 역할을 다하고 있음을 관찰하고 있다. 나는 이제는 그런 부정적 체험

들이 더 이상 필요하지 않음도 안다. 우리는 그런 체험을 선택하지
않음으로써 그 체험을 사라지게 할 수 있음을 안다.

10. 교육

1) 교육의 의미와 목적과 기능은 무엇일까?

우리 교육에 대한 관찰

신은 우리가 교육을 잘해내지 못하고 있다고 관찰한다. 이는 심판이 아니라 상대적임을 강조한다. 우리가 하려고 하는 것, 가고자 하는 방향에 비춰 그것의 상대적 효율성을 살펴본다는 것이다.

나는 그 방향을 '우리가 누구인지, 어떤 존재가 되고자 하는지'에 있다고 이해한다. 그는 사랑 그 자체인 참된 자신, 모두가 하나인 영적 존재이다.

이에 신은 교육은 지식을 전하는 것보다 지혜와 관계있다고 말씀한다. 왜 그럴까?

나는 인류의 축적된 경험인 지식도 중요하지만, 스스로의 체험을 통해 응용되고 깨닫게 되는 과정에서 얻게 된 지식인 지혜가 우리가 가고자 하는 방향에 비춰 상대적 효율성이 높다는 것으로 이해한다.

나는 이를 이제 영적인 관점에서 이해한다. 우리는 영적 존재이기에 자유롭고 주체적인 존재이며, 모든 영혼이 한 몸에서 나왔다. 신성의 모든 것을 이미 알고 있는 존재다. 다만 앎을 체험으로 재창조하며 다시 자신이 신임을 깨닫기 위해 이곳에서 인간 체험을 하고 있는 것이다.

이에 우리의 교육은 망각을 통해 잠시 잊고 있지만, 영적 존재인 우리가 가고자 하는 방향으로 우리 아이들을 인도하고 돕고 격려하는 교육 방식이어야 한다. 따라서 우리의 교육은 아이들이 자유롭고 주체적으로 함께 체험하며 문제를 해결해 나갈 때 상대적 효율성이 극대화될 것이다.

하지만 현재의 교육은 아직도 아이들을 도구화 수단화하고 있다. 생각하는 법 대신 생각할 것들을 가르치는 데 집중하고 있다. 아이들 스스로 발견하도록 그냥 내버려두지 못하고 있다. 두려움에 사로잡혀 있는 것이다. 아이들의 자유로움이 자신의 권위를 흔들지 않을까 환상에 젖어있다.

앞서 우리는 두려움은 자신이 영적 존재임을 깨닫지 못하고, 신과 분리되어 있다고 생각하는 데서 나오는 것이라 성찰했다.

지난 날 나는 이런 지식 전수 위주의 교육을 받으며 성장했다. 그 지식을 함축한 교과서는 성전이었다. 그 내용을 암기하고 평가받고 순위를 매겨 진학을 결정하는 것이 당연하다 생각했다.

어렵게 교사가 되어 그 지식 전수의 역할을 충실히 담당하는 것으로 교육의 본분을 다하는 것으로 생각했다. 물고기 잡아 주는 교육보다 물고기 잡는 법을 가르쳐야 함은 고전에 담긴 이상적 교육이었고, 현실 교육제도 속에 매몰되어 새로운 실천을 모색하지 못했다.

나아가 물고기를 사랑하고 함께 공존해야 할 존재로 인식할 수 있도록 인도하고, 아이들 스스로 그 상황과 사건의 내용과 본질을 탐구해 그의 바람직한 해결 방안을 모색해낼 수 있는 교육은 더 더욱 꿈꾸지 못했다.

이에 나는 우리 교육에 대한 신의 관찰이 핵심을 잘 짚어내고 있음을 안다. 우리 아이들에게 지식도 중요하지만, 그를 넘어 응용된 지식인 지혜를 배울 수 있도록 해야 함을 안다.

지식보다 지혜가 중심인 교육이 되려면

월쉬는 우리도 아이들에게 지식이 아닌 지혜를 주려고 애쓰고 있다며 항변한다. 그러면서 지식이 없다면 지혜도 있을 수 없다고 말하며 이 질문을 요청한 것이다.

이에 신은 월쉬의 말에 동의하면서도 역사적 사례를 들어 아이들에게 그들 나름의 진리를 발견하고 창조할 능력을 줄 수 있도록 교육제도를 수립해야 한다고 응답했다.

우리는 왜 아이들의 비판적 사고와 문제해결력, 논리력과 창의력을 키워줄 수 있는 교육제도와 교육과정을 수립하고 실천하지 못할까?

앞서 우리의 교육은 영적 존재의 측면에서 우리가 가고자 하는 방향을 잊고 있다는 한계를 성찰했다. 나는 이와 함께 우주의 본질에 대한 우리의 이해와 의식이 부족한데서 연유한다고 이해한다.

우주는 변화 그 자체다. 시작이 있음과 동시에 끝이 있다. 오직 이 순간만이 영원하다. 그럼에도 불구하고 자신들의 기득권에 사로잡혀 아이들을 품안에 가두어 두려는 환상에 젖어있다. 그 욕망과 집착을 내려놓지 못하는 것이다.

신은 그 대표적인 사례를 적시한다. 소위 미국의 서부 개척이라는 미명아래 백인 침략의 만행은 가려지고, 인디언들의 정당한 항쟁은 원시적 만행으로 단죄되고 있지 않은가. 또한 일본의 침략 만행을 끝장내려 미국이 사용한 원자폭탄 투하로 인해 몇 십만 명이 죽거나 부상당한 그 결정과 관련한 사실을 아이들에게 있는 그대로 가르치지 않는다.

우주의 법칙은 변화에 있다. 아이들이 뭘 배워야 할지는 자신들이 더 잘 아는 법이다. 아이들 모두가 완벽한 신의 계획 속에 인간 체험을 하고 있는 영적 존재임을 자각한다면 우리의 교육방향은 변화해야 함을 나는 성찰한다.

우리의 학교 교육이 지식보다 지혜가 중심이 되려면 무엇보다 우리 자신이 영적 존재임을 자각하고, 영적 관점에서 교육과정을 새롭게 다시 구성해야 할 것이라 나는 이해한다.

나는 아직도 우리의 학교 교육이 지나치게 지식 위주의 교육에서 벗어나고 있지 못함을 안다. 우리 사회를 지배하고 있는 학벌주의, 입시경쟁교육에 숨 막혀 질식하고 있는 교육현장을 본다.

나는 우리의 교육제도와 교육과정을 독점하고 있는 국가 통제 체제가 완강히 버티고 있음을 안다. 학생과 학부모, 교사의 이해와 요구에 근거한 자율적인 교육체제와 교육과정은 소외되고 있음을 관찰한다. 나는 우리 사회의 기득권을 수호하려는 잘못된 사회 원리를 해체하고 새로운 원리를 정립해야 함을 안다.

나는 그간의 교육이 아이들을 주체적·자율적인 관점에서 바라보지 못했음에 동의한다. 역사를 비롯해 인간의 기본적인 삶에서 조차 아이들을 미성숙한 존재로, 적절한 지도를 받아야 할 존재로 보아왔음에도 동의한다.

나는 학교 교육의 방향이 아이들을 미성숙한 존재에서 민주적인 존재로, 나아가 영적인 존재라는 관점으로 바라보고 아이들 스스로 문제를 해결할 수 있도록 나아가야함을 안다.

살아가는 재능을 가르치는 지혜의 교육

그렇다면 신이 말씀한 단순히 사실을 가르치는 지식이 아닌 살아가는 재능을 가르치는 지혜의 교육은 어떤 방식일까?

나는 앞서 우리가 성찰한 바대로 아이들을 영적 존재로 받아들이고, 그들 스스로 변화의 주체임을 자각하며, 그냥 내버려둘 수 있을 때, 살아가는 재능은 자연스럽게 싹트고 꽃피울 수 있다고 믿는다.

앞의 역사적 사건들의 경우, 그 사건에 대한 객관적 기록과 전문가들의 연구 내용을 아이들에게 제공하고, 이 지식에서 어떤 지혜를 얻을 수 있는지, 어떤 더 좋은 방법을 생각해낼 수 있는지 자유롭게 탐구할 권한을 넘겨주면 된다. 그러면 아이들은 진지하게 그를 관찰하고 즐겁게 역사적 사실의 교훈을 재창조해낼 것이다.

하지만 어른들은 불안해할 것이다. 아이들을 방임하고 그냥 내버려두면 거기서 무슨 배움이 일어날 것이냐며 항의할 것이다. 교실을 난장판과 해방공간으로 만들 것이라며 그들을 파괴적으로 볼 것이다.

그러나 지금 세상을 이렇듯 엉망진창으로 만든 게 아이들인가. 자연을 훼손하고, 극심한 양극화를 만들어내고, 끊임없이 폭력과 전쟁으로 세상을 불안하고 파괴적으로 만든 것은 어른들임을 신은 말씀한다.

이에 어른들의 영적 자각이야말로 교육의 방식을 변화시킬 수 있는 열쇠다. 아이들은 부모로부터 배우지 않는가.

앞서 우리는 누군가에게 자유를 줄 때 오히려 위험을 제거하며, 자신에게도 자유를 주게 됨을 성찰했다. 따라서 우리의 사랑하는 아이들과 교사들에게 자유를 줄 때 오히려 학부모들의 기쁨과 자유도 늘어날 것이라 믿는다.

나는 퇴임 전 덴마크와 영국의 대안교육을 탐방할 기회를 갖게 되었다. 덴마크의 교육제도에서 교육 주체인 학생과 교사 그리고 학부모가 누리는 자유의 성과를 견학하며 관찰할 수 있었다.

덴마크에서는 학생 14명 이상 뜻이 모이면 학부모들이 대안학교를 세우고 교육과정을 자율적으로 운영할 수 있었다. 물론 국가는 학력을 인정하며 교사 인건비와 학교 운영비를 지원한다. 당연히 교육주체들의 만족도는 높을 수밖에 없다.

나 역시 지난 날 어른의 말씀에 순종하고 기성세대의 모습을 모방하는 것이 나의 성장이라 생각해왔다. 나 자신이 어른이 되면서 똑같이 그런 방식으로 아이들을 가르치고 있었다.

나는 교사로 살아가면서 앞서간 많은 선각자들의 지혜로 점차 나역시 참된 교사로 성장해 나갈 수 있었다. 80년 대 말 교육민주화 선언은 나의 잠든 의식을 깨웠고, 이후 동료교사들과 함께 교육운동에 참여했다. 교단교사로서 참교육을 실현하기 위한 대안교육 탐구와 공동실천에 전념했다. 퇴임 후, 그 자전적 교사 성장기를 엮어 『나는 어떻게 교사로 성장했는가』라는 제목으로 책을 낼 수 있었다.

나는 젊은이들의 외침과 탄원을 존중하고 수용해야 함을 안다. 젊은이들이 그들의 관점으로 우리의 생활 방식을 파괴할 수 있도록 북돋는다. 그렇게 고인 물처럼 썩어갈 수 있는 기득권에 균열을 낼 때, 나는 그것이 우리 사회를 보다 진보된 사회로 진화시킬 수 있음을 안다.

나는 덴마크의 대안교육 지원 정책이 거두고 있는 효율성은 영적 관점에서 대단히 높은 성과를 내고 있음을 관찰하며, 우리의 교육제도 개선에 큰 도움을 줄 수 있는 사례임을 안다.

2) 참된 교육에 필요한 핵심개념과 교육과정이란?

아이들을 영혼으로 대하는 교육

앞서 우리는 아이들이 영적 존재임을 자각하고, 그 점에서부터 교육을 바라보고 교육제도와 교육과정을 변화시켜야 한다고 성찰했다.

이에 신은 우리의 교육 방향과 관련해 아이들의 직관과 내면 깊은 곳의 앎으로 배울 수 있게 놔두라고 권고한다. 우리는 이를 어떻게 이해해야 할까?

앞서 나는 영적 존재인 우리 모두는 내면에 부서지지 않는 빛을 지닌 그리스도임을 깨달았다. 그 빛은 앎이요, 직관적이다. 아이들은 그냥 놔두면 자연스럽게 배움을 이끌어낼 수 있는 존재다.

우리는 영혼의 내면에서 자연스럽게 빛나는 아이들의 숨결에 귀기울이면 된다. 느낌은 영혼의 언어이다. 그 숨결과 느낌을 믿고 존중하며 격려하는 일이 어른들이 해야 할 일이요, 교육이라고 나는 이해한다.

신은 좀 더 효율성 있는 교육과정을 위해 자각, 정직, 책임을 핵심 개념으로 권고했다. 왜 그럴까?

나는 앞서 여러 차례 우리의 삶의 목적은 자신이 누구인지, 어떤 존재가 되고자 하는지를 체험을 통해 재창조하며, 신과 하나 되는 데 있다고 성찰했다. 이를 통해 자신이 영적 존재임을 자각하는 것이 왜 교육의 핵심 개념이 되어야 하는지 이해할 수 있었다.

또한 우리는 우주의 본질적 법칙은 변화 그 자체라 성찰했다. 변화가 자연의 법칙이다. 시작과 함께 끝이 존재한다. 그럼에도 어른들은 그를 감춘다. 자신의 권력과 안위를 위해 있는 그대로의 모습을 보여주지 못한다. 이는 숱한 갈등과 사회적 혼란의 원인이 된다. 정직이 왜 교육의 핵심 개념이 되어야 하는지 이해할 수 있다.

우리가 영적 존재임은 우리 모두는 신의 완벽한 계획 속에서 기쁘게 나름대로의 진화 과정을 걷고 있는 영적 순례자임을 말해준다. 그 과정에 뒤따르는 모든 체험은 의미 있다. 내가 원하는 것은 신이 원하는 것이다.

이에 아이들에게 길러줄 가장 중요한 교육은 그 체험의 과정을 스스로 헤쳐 나갈 수 있는 자립심을 길러주는 일이다. 자신의 삶을 스스로 책임질 수 있도록 기회를 주는 것이다. 책임이 왜 교육의 핵심 개념이 되어야 하는지 이해할 수 있다.

나는 우리 모두가 인간 체험을 하고 있는 영적 존재임을 깨달을 때, 교육을 비롯한 우리 삶의 방향과 내용이 근본적으로 변화하고 진화될 수 있음을 자각한다.

나는 오늘날에도 여전히 아이가 태어날 때부터 성장하는 과정에서 아이들에게 가하는 어른들의 규칙과 제도와 방식들은 대단히 폭력적임을 새삼 깨닫는다. 끊임없이 경쟁을 조장하고, 순위에 따라 등급이 매겨진다. 아이들을 그냥 놔두는 경우를 찾아보기 어렵다.

물론 나는 수많은 선각자들에 의해 이런 경쟁적이고 폭력적인 교육 방식에서 벗어나 아이들 하나하나를 빛나는 존재로 보고, 그들의 숨결에 귀 기울이는 대안교육을 모색하고 실천해온 역사가 있음을 안다.

이제 나는 우리 모두가 학교라는 제도와 역할 그 자체에 대한 근본적인 성찰과 변혁이 필요함을 안다. 나는 그 변화의 방향이 그들을 영혼으로 다루며, 아이들의 숨결에 귀 기울이며, 아이들이 그들 나름의 직관과 그들 내면 깊은 곳의 앎이라는 도구들을 써서 논리와 비판적 사고와 문제 해결력과 창작 능력을 배우도록 놔두는 일임을 안다.

나는 자각, 정직, 책임을 핵심 개념으로 하는 새로운 교육과정을 만들어 아이들과 함께 교육해야 함을 안다.

물고기와 함께 공존하는 법을 배우는 학교

우리는 앞서 현재의 교육제도와 교육과정으로 운영되는 교육방식을 부정하고, 자각과 정직과 책임을 핵심개념으로 하는 새로운 교육을 제안했다. 이에 아이들의 자유롭고 비판적이며 주체적인 배움을 장려하는 교육방식을 도입할 때 필연적으로 대두될 부모들의 항의를 우려하고 성찰했다.

학벌주의와 성공지상주의의 환상에 매몰되어 있는 부모들의 왜곡된 교육열은 여전히 세계 곳곳에서 사회적 문제를 야기하고 있는 현실이다.

그럼에도 불구하고 신은 우리가 문명화된 사회의 가장 기본 되는 개념들조차 분별하지 못하고 있음을 보며, 이 궁지에서 벗어날 방법이 우리의 학교 교육에 있음을 강조한다. 왜 그럴까?

학교는 비교적 가정에 비해 부모의 편견과 선입견에서 벗어나 있는 곳이다. 그렇기에 영적 자각과 하나 됨을 가르치기에 적합한 곳이기 때문이다.

나는 교사와 성직자는 영적 자각과 사랑 그 자체인 참된 자신이 되고자 헌신하기에 아이들의 미래를 이끌 스승으로 사회적 존경을 받는 자라 믿는다. 학교와 종교가 영적 배움터로 의식의 전환과 상승을 선도하고 새로운 교육방식을 이끌어내야 한다고 믿는다.

신은 왜 발도르프 학교를 좋은 예로 소개했을까?

발도르프 학교는 1920년 경 독일의 슈타이너에 의해 설립된 학교로 성장하는 아이들이 지닌 고유한 개인성을 함양하고 촉진하는 교육방법을 도입했다. 이러한 새로운 대안 교육방식은 전 세계로 퍼져나갔다.

나는 발도르프 학교 교육 관점이 아이들을 영적 존재로 보고, 그들의 내재된 잠재력을 깨어나게 하는 예술로 보려 했고, 그를 위해 교사가 먼저 깨어나야 함을 중요하게 생각했다는 점이 공교육의 대안이 된 이유가 아닐까 이해했다.

나는 1921년 영국의 진보적 교육자인 닐이 설립한 서머힐 학교, 1950년대 우리나라 이찬갑, 주옥로 선생이 설립한 풀무학교 등도 대표적인 예라고 생각한다. 이 학교들은 인간을 우주적 생명의 근원과 연관된 존재로 보고, 아이들의 주체적 참여와 자유로운 활동에 기초해 교육과정을 운영함으로써 기존 교육의 한계를 극복해보려 했다는 점에서 동일한 사례로 인식한다.

입시위주의 경쟁교육, 주입식 암기식 5지 선다형 교육은 물고기를 잡아주는 교육이다. 아니 어른들이 잡은 물고기들 중에서 아이들이 고르는 교육이다. 질문하고 비판하고 대안을 스스로 모색하는 협력교육은 물고기를 잡는 법, 나아가 물고기와 함께 공존하는 법을 배우는 교육이다.

나는 교사로 살아오며 뜻을 같이 하는 동료교사와 학부모들과 함께 입시경쟁교육의 대안을 모색하고 실천하기 위해 노력했다. 기존의 경직된 국가교육과정을 넘어 아이들 하나하나의 잠재력이 제 나름대로의 빛남으로 성장할 수 있는 교육과정을 모색하고 실천했다.

탁월성, 민주주의, 협력성에 기초한 프로젝트 교육과정을 마련하고, 계절학교 형식의 대안학교를 운영했다. 주제탐구 교육과정을 마련하여 아이들의 자기주도적 학습 능력을 신장하려 했다.

이제 다시 주제를 넘어 개념을 중심으로 하는 교육과정의 중요성을 깨닫는다. 자각과 정직과 책임이라는 개념, 몸과 마음과 영혼이 조화와 균형을 이루게 하는 교육을 꿈꾼다. 나는 그 구체적인 교육과정의 필요성을 안다.

삶은 학교가 아닌 체험의 과정

월쉬는 삶이란 일종의 학교와 같은 것이고, 여기서 우리는 특정한 교훈들을 배우게 되어 있으며, 일단 졸업하고 나면 더 이상 육체에 얽매이지 않고 더 큰 것들을 추구해갈 수 있다고 말하는 사람들이 있는데, 맞는 말이냐고 물었다.

이에 신은 삶은 학교가 아니며, 너희는 교훈을 배우기 위해 여기에 있는 게 아니라고 단언한다. 그걸 하기 위해 배울 필요는 전혀 없다는 말씀은 무슨 뜻일까?

앞서 여러 차례 우리는 영적존재이며, 개별 영혼은 존재 전체와 하나임을 성찰했다. 영혼은 이미 모든 것을 알고 있다. 따라서 무언가를 배우기 위해서 가는 곳이 학교라면 그는 불필요하다는 것이다.

영혼이 인간체험을 하는 이유는 개념으로만 알고 있는 신성의 모든 부분을 상대성이 존재하는 물질계에서 체험을 통해 재창조하기 위해서다. 따라서 우리는 영혼 자신이 이미 알고 있는 신성의 부분을 기억해 내 그것을 체험을 통해 재창조하면 된다는 뜻으로 나는 이해한다.

이미 알고 있는 것을 어떻게 기억해낼 수 있을까?

느낌은 영혼의 언어다. 내면에서 들려오는 소리에 귀 기울이면 된다. 자신의 내면에서 원하고 보여주는 것을 마음은 선택하고 창조하며 몸은 이를 체험으로 실현한다. 어른들은 장을 펼쳐주고, 아이들이 하고 싶은 대로 그냥 내버려둘 수 있으면 된다고 나는 이해한다.

또한 이 지구라는 물질계는 영혼이 신성을 체험하기 위한 가상의 세계, 환상의 세계다. 우리는 인간 체험을 위해 잘 짜인 시나리오로 연출된 연극이라는 무대의 배우다. 우리는 나에게 주어진 역할에 충실하며 연기하는 배우다. 이번 생에 자신에게 기억되고 부여된 그 체험을 즐기며 삶을 재창조하고 신과 하나 되는 과정이 영혼이 하는 일이라는 뜻으로 나는 이해한다.

사랑과 사랑함은 어떻게 다를까?

나는 사랑은 개념으로 아는 것이나 사랑함은 개념으로 알고 있는 사랑을 체험을 통해 재창조하며 깨닫고 되어가는 존재 상태를 말함이라 이해한다. 영혼은 절대계에서 사랑을 개념으로 안다. 그리고 물질계에서 사랑함이란 모든 인간 체험을 통해 신과 하나 되어 가는 것이라 이해한다.

이 사랑함이라는 체험의 과정을 통해 사랑을 알고 재창조해 나가는 것이 바로 영혼이 하는 일이라 나는 이해한다.

지난 날 나는 한 인간으로서 운명처럼 당연히 내게 주어진 삶을 최선을 다해 열심히 살아가야 한다고 생각했다. 따라서 우리 사회를 지배하는 적자생존이나 약육강식의 논리도 수용했다. 또한 그 속에서 살아남기 위해서는 배워야 했고, 학교는 가장 좋은 배움터라 믿었다.

이제 나는 인간체험을 하고 있는 영적존재임을 안다. 이 깨달음을 알기에 학교는 배우는 곳이 아니라 체험의 기회가 되어야 함도 알게 되었다. 나는 사랑이나 친절을 알 수 있지만, 누군가를 사랑하거나 친절을 베풀지 않는다면, 그를 체험하며 재창조해내지 않는다면, 사랑함이나 친절함으로서가 아닌 그를 개념으로만 알고 있을 뿐임을 안다.

그렇다면 학교는 특정한 공간이 아닌 세상의 모든 열린 공간이어야 함도 안다. 나는 지금의 독점적인 학교 체제와 교육과정은 개념과 앎만이 강조될 뿐, 그를 체험하고 재창조하는 기회를 가로막고 있는 닫힌 공간이 되어 있음을 관찰한다.

따라서 나는 이제 영적 존재의 관점에서 우리 아이들이 지닌 신성을 기억하고 그를 마음껏 체험하고 자신의 삶을 새롭게 창조해 나갈 수 있도록 그냥 내버려둘 수 있어야 함을 안다.

11. 세계관, 지정학적 문제

1) 오늘날 지구상의 문제점과 해결책은 무엇일까?

국가와 정부 역할의 문제점과 해결책

우리는 오늘날 지구상에 존재하는 국가와 정부가 제 역할을 못하고 있음을 관찰한다. 국가와 정부의 존재 이유와 목적은 국민의 안전과 행복한 삶을 보장하는 데 있다. 그러나 일반적인 현실은 소수 권력자들의 이익에 대다수 국민들의 이익이 희생되고 있다.

정치권력이 국민을 위해 봉사하기보다 자신들의 정권과 기득권 유지를 우선하고 있는 실정이다. 더욱이 그를 거짓 위장하기 위해 권력기관과 언론의 유착이 공공연하게 이루어지고 있다. 많은 나라들이 정권에 비판적인 인사와 언론을 탄압하고, 시민들의 자유로운 의사 표현과 정치 참여의 길을 제한하고 있음을 본다.

신은 이의 해결책으로 필요한 것은 집단의식의 변화라고 말씀한다. 이는 무슨 뜻일까?

나는 앞서 우리가 여러 차례 성찰한대로 우리 모두가 하나요, 영적 존재임을 자각하는 것이라고 이해한다. 또한 우리는 세상의 모든 상황과 사건들은 우리의 집단의식이 만들어낸 결과물이라 성찰했다. 우리의 존재와 삶을 규정하는 것은 자신이 누구인지에 대한 참된 반영임을 이해했다.

우리의 존재와 삶을 규정하는 것은 정부도 국가도 법률도 아니다. 우리가 끊임없이 그에 의존하는 한 우리는 성장하고 위대해질 수 없다. 우리는 영적 존재로서 스스로 자유롭고 주체적인 삶을 판단하고 책임지는 존재다.

이에 우리의 깨어난 집단의식으로 정부와 법률의 기구와 역할을 최소화하고, 최소한의 공동체 단위에서 스스로를 다스리게 놔두는 것이 문제 해결의 올바른 해법이라고 나는 이해한다.

나는 오늘날 지구상 모든 국가와 정부가 소수의 권력자들에게 지배되면서 우리가 바라는 방향으로 그 역할을 다하지 못하고 있음을 관찰한다.

나는 정부가 모든 것을 해결해 주기를 바라고, 법이 만인의 평등을 지켜 주리라 믿지만, 그 정치적 권력과 법 때문에 국민 대다수가 질식당하는 일이 없도록 주의해야 함을 안다. 나는 법은 도덕의 최소한이며, 도덕을 법률로 정할 수 없고, 평등을 명령할 수 없음을 안다.

나는 필요한 것은 집단의식의 강요가 아니라, 집단의식의 변화임을 안다. 모든 법률과 정부 정책이라는 행위는 우리 모두는 하나라는 영적 존재 상태에서 나와야 하고, 참된 자신을 반영하고 있어야 함을 자각한다.

새로운 세계를 건설하는 세계관

그렇다면 우리 사이의 분리를 없애는 새로운 세계상은 어떻게 건

설할 수 있을까?

앞서 성찰한 집단의식의 변화는 영적 존재에 기초한 하나 됨의 자각에서 출발한다. 지구상에서 매일같이 벌어지는 갈등과 혼란이 지구 전체를 위기에 빠뜨리고 있는 것은 민족과 국가를 분리된 개체로 보고 있기 때문이다.

민족과 국가 간, 민족 내 벌어지는 이해관계의 충돌이나 어려움도 그들 내부의 문제로 인식하고 무관심하다. 우리 모두가 하나라는 영적 관점에 기초한다면 인류 전체에 대한 관심과 사랑은 당연한 일이다.

지구상에서 일어나는 고통과 괴로움을 줄이려면 벌어지는 모든 상황과 사건들을 해결할 책임이 내게 있다는 새로운 사고틀이 필요하다. 신은 인류 전체에 사랑과 관심을 갖는 가장 빠른 길은 인류 전체를 한 가족으로 보는 것임을 강조한다.

이에 분리 의식을 넘어 새로운 세계상을 건설하는 사고틀이란 지금 우리 세계를 이루고 있는 민족국가들 모두가 하나로 합쳐져야 한다는 영적 사고임을 나는 이해한다.

나는 그동안 사랑과 정의를 기초로 한 도덕적 종교적 세계관을 소원했지만, 힘의 논리로 지배되는 세계관에 순응했다. 각기 독립된 민족국가의 주권을 인정하고 그들의 문제는 내부의 문제일 뿐이라 생각했다. 전 세계 단일국가에 대한 이해와 신념이 부족했다.

이제 나는 인류 전체에 사랑과 관심을 갖는 가장 빠른 길은 인류 전체를 자신의 가족으로 보는 것임을 안다. 이는 합일에 기초한 영적 세계관이다.

나는 영적 세계관을 기초로 한 새로운 세계관에 능동적으로 함께한다. 분리가 아닌 우리 모두는 하나라는 관점에 기초해 이루어지는 세계를 꿈꾼다.

당면한 지정학적 문제 해결을 위한 제안

신이 말씀한 지구의 당면한 문제를 없앨 방법인 영적 해결책 첫 번째인 세계의 부와 자원 모두를 어떻게 세상 모든 사람과 함께할까? 이를 뒷받침할 현실적 힘을 지닌 새로운 세계정치공동체는 어떻게 이뤄낼 수 있을까? 기득권을 누리고 있는 강대국과 부자들을 어떻게 설득해낼 수 있을까?

신은 그렇게 하는 것이 그 나라와 부자들에게 가장 이롭기 때문이라 강조한다. 왜 그럴까?

이는 영적 이해와 합일에 기초한 해결 방식으로 모든 사람을 이롭게 하는 것이 자신에게 더 없는 영적 은혜와 충만감을 주기 때문이라 이해한다. 신은 우리가 베풀면 일곱 배로 돌아온다 했다.

호주를 교육 탐방했을 때 한국계 가이드가 전한 사례다. 자신이 아이를 갖게 되자, 가정의가 배치되어 정기적인 진료로 산모와 태아를 살펴주고, 병원에서 출산하자 부부는 일주일간의 부모교육을 이수한 후에 아기를 데리고 퇴원할 수 있었단다.

이러한 국가의 예방적 의료복지 지원책이 가능했던 이유는 그렇지 않을 경우 예상되는 감당할 수 없는 국가 부담을 미연에 적은 비용으로 예방하는 것이 모두를 이롭게 한다는 높은 집단의식 덕분이었던 것이다.

그렇다면 배고픈 사람을 먹이고 입히고 재우는 기본 복지제도 비용은 이를 방치했을 때 추후 예상되는 막대한 손실 비용을 줄이고, 범죄 피해를 사전 예방할 수 있을 것이다. 이는 경제적 비용뿐만 아니라 영적 은혜로움까지 얻을 수 있음에 일곱 배가 아닌 그 이상이 될 것이라 나는 이해한다.

해결책 두 번째, 이견을 조정할 체제를 창조하는 것은 어떻게 가능할까?

신은 새로운 세계정치공동체와 이를 뒷받침할 군사기구를 만들기를 제안했다. 특히 영적 이해를 공유하는 것과 함께 새로운 체제를 구성하고 운영하기 위한 막대한 비용을 충당할 수 있는 현실적 방안도 제안했다.

그 기초가 될 비용은 전 세계 국가들이 사용하고 있는 불필요한 군사비만 줄여도 된다는 것이다. 1994년 세계 군사비는 1조 달러가 넘었다. 내가 조사한 바로는 2020년 세계 군사비는 2조 달러가 넘었다. 한화로 2,600조원이 넘는 군사비가 그야말로 낭비되고 있는 실정이다.

따라서 우리 모두가 신과 하나 됨에 기초한 영적 해결의 믿음을 공유한다면, 세상의 모든 불안과 두려움을 낳는 현실을 극복할 대안을 마련하고 실천할 수 있을 것이다.

이와 같이 신은 우리에게 자신이 관찰한 바를 아낌없이 제안하고 있음을 나는 이해한다.

나는 교사로 한민족의 우수성과 자긍심을 강조했다. 하지만 한민족의 개념이 아닌 세계민족의 개념으로 나아가지 못했다. 개인적 소유를 넘는 공유재산의 개념에 취약했다. 분리에 기초한 힘의 논리를 넘어 하나 됨에 기초한 사랑과 합일의 논리로 나아가지 못했다. 그 구체적인 실행 방안을 모색하지 못했다.

나는 우리가 사는 지구의 지정학적 문제를 해결하기 위한 세계의 부와 재산을 공유하고, 전쟁을 막을 이견을 조정할 체제를 만드는 일이 중요함을 안다. 이를 위한 모든 비용으로 불필요한 군사비만 절약해도 충분히 가능함을 믿는다. 나는 이에 대한 의심과 불안을 없애는 유일한 방법이 영적 해결임을 안다.

이제 나는 분리에 기초한 민족국가를 넘어 통합의 세계정치공동체를 만들기 위한 노력에 동참한다. 지난 삶의 과오를 반성하고 모든 세계가 하나 되는 영적 세계관을 수용해야 함을 안다. 이를 통해 가난과 전쟁과 같은 지정학적 문제를 해결할 수 있음을 믿는다.

지구 멸망 위기를 해결하기 위한 방안

우리는 앞서 우주의 자연 법칙을 거스르는 기술 남용으로 우리의 문명을 끝장낸 역사적 사실들이 있었음을 성찰했다.

그런 교훈에도 불구하고 우리는 또 다시 지구 멸망을 심각하게 걱정해야 하는 위기의 순간에 봉착해 있음을 관찰하고 있다. 핵전쟁, 기후위기와 환경오염, 각종 자연재해, 유전자 변형, 바이러스 감염, AI 오남용에 이르기까지 인간의 불순한 탐욕이 가져올 재앙들이 눈앞에 다가오고 있음을 실감한다.

이에 신은 이의 해결을 위해 모든 욕망의 근원인 돈을 제거하고, 투명성에 기초한 새로운 국제통화제도와 세계공용보수체계를 세워보라고 권한다. 이를 어떻게 할 수 있을까?

국제통화제도는 단일 화폐로 완전히 투명하고 금방 추적되도록 운용한다. 세계공용보수체계는 남들에게 봉사한 서비스와 생산한 생산물에 대해서는 '채권'을, 사용한 서비스와 소비한 생산물에 대해서는 '채무'를 받는 체계다. 소득의 10%를 공제해 공공선에 사용하라 신은 제안한다.

문제는 지금과 같은 극단으로 치닫는 분리 의식과 돈의 욕망을 쫓는 세태 속에서 이런 투명성에 기초한 체계에 모든 민족과 국가가 합의하려면 어떻게 해야 할 것인 가다.

나는 이 역시 영적 존재임을 자각하는 우리의 집단의식 혁명이 관건이라 이해한다. 우리 모두가 하나요, 참된 자신이 된다면 굳이 감출 필요가 어디 있겠는가. 우리는 사랑하는 사람 앞에서 발가벗을 수 있음을 신은 말씀한다.

이에 지구 멸망 위기를 절감하는 전 세계인들이 정치 혁명으로 새로운 세계상을 건설해 낼 수 있도록 힘을 모아야 할 것이다.

지난해 처음 작은 텃밭을 경작하며 친환경농약을 사용했다. 덕분에 생산물은 일부를 제외하고는 거의 대부분 사라지고 모기에 수없이 물렸지만 지구와 가족의 건강을 살리는 데 작은 기여를 했다고 자족했다.

나는 투명성만 제고할 수 있다면 세상의 모든 갈등의 반이 사라질 것임을 체험으로 안다. 나는 부부 간 재정의 투명성으로 돈에서 비롯되는 대부분의 갈등이 사라졌다. 나는 나의 소득에 따른 법적 세금 이외에 소득의 20% 이상을 내 형제와 세상의 이웃들, 환경과 평화를 보존하고, 갈등을 해결하는 일에 기부하고 있다.

나는 지구 행성의 불평등을 해소하고 환경 위기를 극복하기 위한 돈의 투명성을 밝히기 위한 새로운 국제통화제도와 '세계공용보수체계'를 하루빨리 실현할 수 있도록 하는 노력에 적극 동참할 것이다.

국가 간 불화 해소와 전쟁 방지 방안

우리는 앞서 여러 차례 영적 존재인 우리가 인간 체험을 통해 신성의 모든 부분을 체험하고자 상대성과 대립물이 존재하는 물질계를 창조했음을 성찰했다. 따라서 국가들 사이에 불화와 갈등이 생기는 것은 당연하다. 다만 그 불화와 갈등을 어떻게 해결할 것인가는 우리의 존재를 규정하는 관점에 따라 크게 달라질 것이다.

현실 세계에서는 자신을 남용 당하게 둔다면 자신의 인간적 존엄을 해치게 된다. 나아가 상대방 자신도 남용되게 하는 일이 된다. 이에 우리는 그 남용을 그치게 하기 위해 폭력을 사용할 수 있음도 성찰했다. 전쟁은 더 큰 전쟁으로 막을 수 있음이 용인되는 것이다. 이는 우리가 앞서 신성한 이분법으로 성찰한 부분이다.

하지만 신은 우리의 의지만 있다면 국가 간 폭력을 피할 방법이 있음을 관찰하며 단기간 해결책까지 제안한 것이다. 우리 모두가 하나임을 깨닫는다면 굳이 폭력과 같은 원시적 방법을 쓸 필요가 없지 않은가. 나아가 물질계의 환상 속에 서로에게 요청되고 맡겨진 역할임을 안다면 말이다.

이에 신은 세계단일정부를 수립해 세계 평화유지군과 국제재판소를 두고 분쟁을 막는 방법을 제안한다. 그러면서 세계단일정부의 투명성과 공평성, 실질적 힘을 부여하기 위해 각 국에서 파견된 두 명씩의 대표자들로 구성된 국가의회와, 각국의 인구 비례에 따라 선출된 대표자들로 구성되는 국민대표자회의도 포함되는 현실적 방안까지 제안한다.

나는 이 도저히 불가능할 것 같은 세계단일정부 수립과 실질적 운영을 위해서는 우리 모두의 영적 의식 혁명이 전제되어야 함을 성찰한다. 이는 작금의 지구 멸망 위기 앞에 놓인 우리의 운명을 건 선택이라 나는 이해한다.

나는 때로 현실 세계에서는 '자신 아닌 존재'로 자신을 체험하는 것이 종종 자신을 '자신'으로 아는 유일한 방법일 수 있음을 깨닫게 되었다. 나는 신성한 이분법에 따라 부당한 폭력은 정당한 폭력으로 해결할 수 있음을 이해한다.

그러나 나는 전쟁을 전쟁으로, 폭력을 폭력으로 해결하는 것은 바람직한 방향이 아니라 믿는다. 나는 우리 모두가 영적 차원의 의식 변화로 지구적 차원에서도 전쟁과 폭력을 근본적으로 해결할 수 있는 방법이 있을 수 있음을 안다.

나는 오늘날 강대국들의 이해관계에 휘둘려 제 역할을 상실한 국제연합 대신 강한 세계단일정부 수립으로 실질적인 분쟁 예방과 평화적 해결이 가능할 수 있음을 안다.

나는 이를 위해서는 우리 모두의 영적 의식 혁명이 전제되어야 함을 깨닫는다.

2) 우리는 불행한 사람들을 어떻게 대해야 할까?

공평하지 못한 세상에 담긴 신의 뜻

나는 눈앞의 현실로 나타나고 있는 우리의 세상은 매우 불공평함을 관찰한다. 지금 이 순간에도 지구상 곳곳에서는 전쟁으로 인한 살상, 훼손되고 있는 자연환경, 산업화에 따른 기후위기, 극심한 양극화에 따른 생존위기 등으로 어려운 삶을 살고 있는 개인과 집단들이 존재한다.

그럼에도 신은 형이상학적 차원에서는 누구도 불리하지 않다고 단언한다. 왜 그럴까?

나는 앞서 영적 존재인 우리가 환생을 위한 다음 생을 계획할 때 중요한 도구들을 선택함을 성찰했다. 우리의 영적 진화 과정에 가장 필요하고 올바르며 완벽한 기회들을 끌어오게 하기 위해 자신의 부모와 국적과 중요한 환경을 스스로 선택한다는 뜻으로 나는 이해한다.

또한 인간 체험을 하고 있는 영적 존재인 우리는 지상의 모든 상황과 사건들이 실제가 아닌 환상의 체험임을 알고 있다. 우리의 삶은 신성의 모든 부분을 체험을 통해 재창조하며 사랑 그 자체인 참된 자신으로 신과 하나 되고자 하는 목적이 있음을 안다.

이 물질계가 상대적 대립물이 존재하는 연극의 무대임을 알기에, 자신의 불리한 조건과 환경도 스스로 선택하고 요청한 일임을 안다.

그 불리함 속에는 신의 완벽한 뜻과 의미가 깃들어 있으며, 그 환상은 극히 짧은 잠깐의 순간이며, 불리함을 원하지 않는다면 다른 원함을 선택하면 된다는 것을 믿는다. 그렇기에 형이상학적 차원에서는 불리함이란 존재하지 않는다는 것으로 나는 이해한다.

따라서 이러한 신의 뜻을 안다면, 불리한 사람을 대하는 우리의 태도는 그 상황에서 자신이 누구인지, 어떤 존재가 되고자 하는지와 관련된 것임을 아는 것이 중요하다는 것이다. 달리 말해 그 상황에서 우리는 어떤 의미를 깨닫고자 했는지, 그 체험에서 어떤 존재가 되기로 자신을 규정할 것인지에 따라 자신의 태도를 결정한다는 것으로 나는 이해한다.

지난 날 나는 세상의 불공평함이 운명이라 보았다. 그 운명에 맞서 싸우는 투쟁의 과정이 역사라 보았다. 모든 사람들이 갖는 생존권의 차이도 능력에 따른 공평함으로 보았다.

또한 나는 우연이라는 개연성을 어느 정도 인정했다. 각자가 처한 상황과 사건들은 운명적으로 또는 우연히 그리된 것이라는 현실 체념의 생각이 있었다. 타고난 복이라는 어른들의 푸념 섞인 자조를 거부하지 못했다.

그러나 이제 나는 세상에 우연이란 없다는 것을 확신한다. 세상의 모든 유 불리함 속에도 그 모든 것이 자신의 숭고하고 완벽한 계획과 선택일 수 있다는 영적 진리가 담겨 있음을 믿는다.

나는 다시 한 번 내가 누구인지, 내가 되고자 하는 자신이 어떤 존재인지에 관한 신의 위대한 계획을 안다. 나는 우리의 이 세상이 왜 이런지, 우리가 사는 삶의 목적이 무엇인지를 안다.

따라서 불운함이라는 규정 자체도 성급할 수 있다. 그 불운함 속에 있다고 생각되는 이들의 상황도 자신의 영적 진화 과정에 꼭 필요한 계획에 따른 자신의 선택과 요청일 수 있기 때문이다.

이에 불리한 사람을 대하는 우리의 태도는 그 상황에서 자신이 누구인지, 어떤 존재가 되고자 하는지와 관련된 것임을 아는 것이 중요함을 나는 인식한다.

나는 신과 하나다. 나의 모든 체험은 신이 자신이 되려는 신의 행위임을 안다.

불공평하고 불운한 사람들을 대하는 태도

우리는 앞선 질문에서 이미 이 응답을 받았다. 불리한 사람을 대하는 우리의 태도는 그 상황에서 자신이 누구인지, 어떤 존재로 자신을 규정할 것인지를 결정하는 것이다. 그렇다면 우리는 왜 그렇게 해야 할까?

나는 이는 우리의 현실 세계에서 갖게 되는 인간의 관점과 영적 존재로서의 관점이 크게 달라질 수 있기 때문이라 이해한다.

현실 세계 속 인간의 관점이라면 우리는 무관심하거나 아니면 돕고자 하는 관심을 보일 것이다. 이에 신은 그 상황에서 자신이 그 사람을 돕는 사랑의 방식을 선택한다면 최선을 다해 도우려는 것이다. 앞서 우리는 자신에게 넉넉함과 사랑을 줄 때, 남들에게도 넉넉함과 사랑을 가져다 줄 수 있음을 성찰했다. 나아가 우리가 남을 돕는다면 남들이 우리에게 넉넉함과 사랑을 주지 않겠는가.

그렇지 않고 만약 영적 존재로서의 관점에서 그 불리한 사람에 깃든 존재의 완벽함을 보고 있다면, 오히려 우리의 도움과 자비가 불필요할 수도 있다. 오히려 그가 가고 있는 길을 축복하고, 스스로 자립할 수 있도록 격려하는 것이 올바른 길일 수 있는 것이다.

이렇듯 어떤 사람에게 줄 수 있는 가장 큰 도움은 우리의 사랑으로 불리한 상황에 놓인 사람들이 스스로 깨어나게 만드는 것, 그들 자신이 누구인지 기억하게 만드는 것임을 나는 이해한다.

우리의 생각과 말과 행동은 에너지가 되어 주위에 영향을 미친다. 따라서 그들에게서 불운함을 볼 때 불운함을 끌어당기게 되고, 그들에게서 완벽을 볼 때 완벽을 끌어당기게 됨은 우주의 법칙이다. 우리 모두는 신과 하나다.

지난 날 나는 불운함을 겪고 있는 사람들에 대해 깊은 연민을 갖고 대했다. 그들의 불행을 운명적으로 생각하기도 했다. 그러면서도 그 불행을 이겨내도록 지원하기 위한 사회와 국가의 제도적 지원이 필요함을 인식했다.

이제 나는 모든 불공평함과 불운을 겪고 있는 사람들을 대하는 나의 태도가 달라졌음을 안다. 그 모든 불운한 이들의 선택들 뒤에 담겨져 있는 신의 고귀한 계획과 진화 과정을 알게 되었기 때문이다. 나는 영적 차원에서 이 세상의 삶에서 불운함이란 없다는 것을 안다.

이에 나는 내 자신이 그들을 돕는 길은 그들과의 관계에서 '자신이 누구이고, 어떤 존재가 되고자 하는지' 판단하고, 만일 자신을 도움과 사랑으로 체험하고 싶다면 어떻게 해야 그런 것들이 가장 잘 될 수 있을지 자세히 살펴볼 것이다.

나아가 나는 어떤 사람에게 줄 수 있는 가장 큰 도움은 그를 깨어나게 만드는 것, 그에게 '자신이 참으로 누구인지' 기억하게 만드는 일임을 안다. 나는 그들을 혼자 내버려두거나, 그들 스스로 그 계획과 선택 뒤에 자리한 자신의 참된 모습을 기억해낼 수 있도록, 자립할 수 있도록 하는 일이 그 일임을 안다.

개인의 생존을 보장해야 하는 영적 이유

이는 인류의 역사와 함께하는 근본적인 문제라 관찰한다. 권력과 지위, 경제적 부를 독점해온 봉건적 기득권 세력들은 인간의 존엄성과 기본적 권리를 증진하기 위한 투쟁과 민주적 제도의 발전을 가로막기 위해 온갖 기만과 거짓을 일삼아왔다.

대표적인 사례가 국가의 사회보장제도 확충을 통한 인간의 기본적 삶인 의식주와 의료, 교육 등에 대한 무상지원 정책이다. 일하지 않는 자는 먹을 자격이 없다거나, 무상지원은 인간을 나태하게 해 자립할 수 있는 힘을 무력하게 한다거나, 부자를 더 지원해 기업과 나라 경제가 발전해야 가난한 자들을 도울 수 있다는 등의 반대 논리가 그것이다.

이는 우리에게 영적 의식의 전환, 의식 혁명이 필요함을 상징적으로 보여주는 사례라 나는 관찰한다. 왜 그럴까?

우리가 앞서 성찰한 바에 따르면, 영적 존재인 우리가 절대계를 떠나 인간 체험을 선택해 이 물질계로 태어나는 일은 그 무엇보다 고귀한 일이지만 대단히 어려운 일임을 나는 깨닫는다.

따라서 영적 존재인 우리 모두는 하나임을 깨닫는다면, 우리 모두는 신의 완벽한 계획 속에 각자 주어진 역할을 수행하며 자신의 영적 진화의 길을 가고 있음을 알 수 있다. 그를 판단하고 평가할 수 있는 주체는 자신뿐이다.

인간의 기본 생존권은 타고난 권리인 것이다. 더욱이 신은 우리 모두가 먹고도 남을 만큼 충분한 것을 주었다. 우리는 탐욕에서 벗어나 그를 잘 나눌 수 있기만 하면 되지 않는가. 영적 존재인 우리 모두가 먹고 사는 문제에서 벗어나 자신의 진화의 길을 가는 데 필요한 기회를 선택할 수 있도록 보장해주는 일이 우리 인류가 직면한 중심 화두임을 신은 관찰한다.

이제 나는 기본소득 정책이 영적 진리에 기초하고 있음을 안다. 이는 분리의식을 넘어 모두가 하나라는 새로운 의식의 발단이요, 영감(靈感)임을 안다.

나는 이 지구에는 우리 모두가 충분히 먹고 쓰고도 남을 만큼 충분한 자원이 있음을 안다. 그 신의 선물을 모두와 함께 나누는 일조차 해결하지 못하고 있다는 자체가 우리 의식이 아직도 미개한 심리 상태에 머무르고 있음을 안다.

나는 우리 모두가 영적 존재임을 깨닫기에, 먹고 사는 기본적인 삶을 보장할 때 우리는 더욱 고귀한 삶을 체험하기 위한 도전에 나설 용기를 얻게 됨을 안다.

나는 개인의 생존을 보장해야 하는 이 문제의 해결이 당면한 인류의 화두임을 안다.

3) 세계의식은 우리에게 어떤 기회를 주게 될까요?

'세계의식'이라는 '새로운 의식'의 발단

앞서 살펴본 것처럼 우리에게 필요한 세계의식이라는 새로운 의식의 발단과 관련해 신은 "나는 너희에게 오직 천사만을 보내주었다."라는 가장 위대한 진리를 깨달아야 함을 말씀했다. 이를 어떻게 이해해야 할까?

우리는 삶 속에서 수많은 사람들과 관계를 맺고 다양한 상황과 사건에 부딪힌다. 수시로 맞닥뜨리는 참으로 이해할 수 없는 말과 행동으로 자신을 당황스럽게 하고 화를 돋우는 사람들이 있다. 저 사람은 왜 공정과 상식에 위배되는 처신으로 나를 힘들게 하느냐고 말이다.

그런데 이를 우리 모두는 하나라는 영적의식에 기초한 세계의식의 관점으로 다시 성찰해보길 신은 제안하고 있음을 알 수 있다.

신은 자신에게 오는 모든 사람들이 하는 모든 행위, 특히 나에게 상처 주는 행위까지를 자신이 요청한 것이라는 관점으로 보라는 것이다. 내 자신이 그들에게 큰 은혜를 주었기에, 이번 생에서 그들이 내게 다가와 어렵고 힘든 역할을 수행해 내 자신이 좀 더 영적인 성장을 이룰 수 있도록 자신에게 은혜를 베풀고 있음으로 말이다.

영적 관점에서는 그 악역을 기꺼이 맡아 행하는 이들 모두가 천사다. 신의 완벽한 사랑과 계획 속에 나와 그들의 선택과 요청이 있없음을 깨닫는 것이 자신의 내면에 존재하는 고귀한 진실임을 나는 성찰한다.

나아가 지구상에서 일어나고 있는 대규모 재난과 위기와 같은 문제들을 해결하기 위한 세계의식, 새로운 의식의 발단도 마찬가지다. 그들을 우리와 분리된 존재가 아닌 신과 자신에게서 은혜 입은 이들로 바라본다면, 우리는 하나 됨의 관점으로 그 문제들을 새롭게 인식하게 되고 새로운 해결책을 찾을 수 있을 것이다.

이런 세계의식에 기초할 때 세계단일정부나 세계단일화폐, 기본소득 등과 같은 실질적인 해결 방안들이 실현될 수 있는 길이 열릴 것으로 나는 이해한다.

나는 세상의 모든 사람들이 영적 존재로 신성한 계획에 따라 그 신성의 모든 부분을 체험하고 재창조하기 위해 서로에게 은혜를 주고 있는 천사요, 한 몸임을 안다.

인생이라는 이 연극의 무대에서 나를 격려하는 주연과 조연을 맡은 주인공들만이 아니라, 누구도 꺼려하는 악역을 기꺼이 맡아 그 역할을 충실히 하면서 나를 힘들게 하고 지치게 하는 모든 배우가 내게 은혜 입은 천사임을 안다.

나는 그 천사들이 보내는 빛으로 평화로 은혜로 산다. 나 역시 천사로서 세상을 비추는 빛이 되고자 한다. 나는 이것이 새로운 세계의식으로 나아가는 의식의 발단임을 안다.

나아가 나는 그런 세계의식에 기초할 때, 세계단일정부나 세계단일화폐, 기본소득 등과 같은 실질적인 해결 방안들이 실현될 수 있는 길이 열릴 것임을 안다.

더 나은 삶, 더 열심히 일하려는 동기

앞서 우리는 인간의 생존을 위한 기본적 조건을 보장받는 것은 당연한 권리일 수 있음을 성찰했다. 이럴 경우 많은 사람들이 인간의 나태와 방종과 같은 부정적 현상이 일어날 수 있음을 우려할 것이라는 것도 이해했다.

이에 더 나은 삶, 더 열심히 일하려는 동기를 어떻게 갖게 될 것인가 하는 근본 문제에 부딪힐 수 있음도 이해한다.

이에 신은 무엇이 더 나은 삶을 만들어 주는 가를 중요하게 성찰할 필요가 있음을 강조한다. 이는 무슨 뜻일까?

적자생존과 약육강식이 지배하는 지금의 현실세계에서는 돈과 권력으로 상징되는 물질적 가치가 우선된다. 하지만 물질적 가치의 한계는 그 가치 실현이 가져다주는 만족감의 범위와 지속시간이 좁고 짧다는 데 있다. 개인적 욕망이 지나치면 다른 사람에게 피해를 주게 된다.

그러나 정신적 가치 실현은 그에 따른 만족감의 범위와 지속시간이 넓고 무한하다. 진리를 추구하고, 선함을 실천할 때 그 긍정적 영향은 많은 이들에게 도움을 주게 된다. 나아가 영적 가치를 더 나은 삶으로 규정할 때, 우리의 존재 상태는 더욱 고귀해지고 위대해질 것이다.

이런 영적 관점의 방향에 설 때, 우리는 모든 국민과 국가들에 대한 동등한 기회 보장을 제공하게 될 것이며, 그들이 어떤 선택을 하고 어떤 길을 가던 그의 삶을 영혼의 여행으로 보고, 그들의 동기를 존중하게 될 것이라고 신은 말씀한다.

따라서 우리 모두가 영적 의식으로 삶을 바라본다면, 모든 사람들은 각자 자신의 고귀한 계획과 선택에 따른 길을 가고 있음을 알 수 있다고 나는 이해한다.

나는 사람들의 일하려는 동기를 단순히 누구는 열심히 일하려 하고, 누구는 그러지 않는가의 문제로 논쟁을 제기하는 것은 가장 유치한 방식임을 안다. 나는 그것은 의지의 문제라기보다는 기회의 문제이기에 사회 발전을 위해 개개 국민과 국가들에 대한 동등한 기회 보장을 첫 번째 일거리로 삼아야 함을 안다.

이를 통해 나는 모든 사람들이 기본적 삶을 보장받는 상태에서 더 나은 삶, 더 나은 존재가 되고자 하는 동기와 열정을 갖게 될 수 있음을 안다. 나아가 이런 단기적 해결책을 넘어 성공의 의미가 물질적인 것을 넘어 영적 진실과 체험에 있음을 자각하는 장기적 해결책이 되어야 함을 안다.

나는 성공의 이유가 몸의 욕구에서 마음의 욕구로, 다시 영적인 진화로 나아감을 축복한다. 따라서 나는 몸과 마음과 영혼의 조화와 균형이 영적 존재인 나의 목표임을 안다.

나는 의식주의 공유, 교육과 의료의 공유, 기본소득 등을 통해 인간의 최소 생존과 성장의 기회가 안정적으로 보장될 때 우리는 더 큰 모험에 도전할 수 있음을 안다.

나는 기본적 삶의 보장이 게으름뱅이 삶을 확대할 뿐이라는 우려는 인간 영혼에 대한 무지에서 나온다는 것을 안다. 나는 인간은 먹고 사는 물질적 생존만을 위한 존재가 아닌 영적존재임을 안다.

우리 동네에는 1년 365일 허름한 차림에 씻지 않은 얼굴 모습으로 사람을 보면 잠시 멈추고 눈길을 피하는 정신 이상자요, 걸인처럼 걷는 사람이 있다. 나는 이 사람을 볼 때마다 '걸어 다니는 성자'라 생각한다.

새로운 세계의식으로 신에게 돌아가 길

우리는 앞서 분리의 개념을 버리고 투명성을 받아들일 때 우리 모두를 가장 이롭게 하는 것임을 성찰했다. 이런 세계의식에 기초할 때, 세상의 모든 문제와 갈등은 사라질 것이라 나는 이해했다.

그렇다면 이런 불필요한 갈등과 혼란으로 가득한 현실 속 투쟁에서 벗어나 진정 영적 존재로서의 인간 체험을 통해 신과 하나 되는 길은 어떤 길일까? 그 길은 무한함과 영원함을 추구하고자 하는 인간의 바람이 만들어낸 종교로 돌아가야 하는 길일까?

이 물음에 신은 신에게로 돌아가려면 영성으로 돌아가라 단언한다. 무슨 뜻일까? 왜 종교에 대해서는 잊어버리라고 말씀하는 것일까?

나는 앞서 우리가 성찰한 조직화, 권력화, 세속화 된 종교가 지닌 한계 때문이라 이해한다. 우리 자신을 부서지지 않는 내면의 빛을 지닌 영적 존재로 본다면, 우리 모두는 신과 하나이기에 신과의 직접적인 교류를 통해 신을 만나고 신에게 돌아갈 수 있다.

하지만 지금의 종교는 우리의 이러한 참된 영성에 기초한 믿음 대신 자신만이 신에 이를 수 있는 길을 대신할 수 있다고 믿게 하기에, 신과의 직접적 교류를 제한하고 있다는 것으로 나는 이해한다.

참된 영성은 무한한 사랑 그 존재 자체인 신을 믿고, 그 신과 우리 모두가 하나임을 믿는 데서 나오는 특성이라 나는 이해한다. 우리 모두가 그리스도요, 신임을 믿고, 그 사랑 자체인 존재로 삶을 표현하는 길이 신에게로 돌아가는 길이라 나는 믿는다.

이제 나는 분리를 넘어 투명성을 받아들여 하나 되는 세상으로 나아가고자 하는 '신사상운동', 한 원숭이의 변화된 행동을 다른 원숭이들이 따라 한다면 집단의 문화를 변화시킨다는 '100번째 원숭이 이론'에 함께한다.

나는 다시 한 번 자신이 영적 존재임을 자각한다. 그러기에 나는 나의 자유의지와 자유선택권을 갖고 내 삶을 창조해 나갈 권리가 있음을 안다. 나아가 신은 완벽한 계획 속에 그 기회를 주고 있으며, 우리가 원하는 것을 체험할 수 있도록 하는 자의식을 심어주었음을 믿는다.

나는 조직화되고 권력화 된 종교를 넘어 참된 영성으로 돌아가 온전한 자신을 깨닫는 영적존재로서의 삶을 추구한다. 나는 이 책에 공감하는 이들과 함께 진리를 탐구하고, 확장하며, 변화를 실천한다.

나는 사색과 명상에 힘쓰고, 글을 쓰며, 진리를 알리고, 조용히 봉사한다.

12. 시간과 공간

1) 시간은 무엇일까?

시간의 의미와 비밀

시간은 무엇일까? 신은 시간이란 없으며, 우리는 시간을 완전하게 이해할 수 없다고 말씀한다. 이는 무슨 뜻일까?

우리는 시간이 존재하며, 그는 우주 창조의 시점부터 지금까지 그리고 영원한 순간까지 이어지는 흐름이요, 과정이라 받아들였다. 우리가 과거와 현재 그리고 미래를 인식하게 하는 추상적 개념이라 생각했다.

하지만 신은 시간이란 존재하지 않는다고 말씀한다. 존재하는 것은 지금 이 순간뿐이라는 것이다. 왜냐하면 신은 기다릴 필요가 없기 때문이다. 전지전능한 신이 자신이 원하는 것을 한꺼번에 창조하지 무엇 때문에 시간을 두고 하나하나 창조하겠느냐는 것이다.

신은 시간은 우리의 상상이 만들어 낸 허구로 규정한다. 시간은 우리가 생각하듯 어느 한 곳에서 다른 곳으로 달려가는 시간 줄이 아니라는 것이다. 굳이 비유하자면 모든 날짜가 한 곳에 쌓여 있는 탁상용 종이꽂이처럼 모든 종이는 한꺼번에 존재한다. 모든 창조물, 모든 상황과 사건은 이미 존재하고 있다는 것이다.

세상에 일어날 모든 일은 한꺼번에 창조되었기에 모든 일이 지금 이 순간에 벌어지고 있다. 다만 영적 존재인 우리가 이 물질계에서 인간 체험을 하기 위해 그 사실을 잠시 잊고 있을 뿐이라는 것이다.

그 체험을 생생하게 느끼기 위해 시간을 만들어냈지만 그는 환상이지 존재하지 않는다는 것이라고 나는 이해한다.

따라서 우리가 이러한 시간의 비밀을 알게 된다면, 우리는 모든 날짜가 담긴 종이꽃이 속 어느 날짜든 바로 옮겨갈 수 있다. 영적 존재로서의 자각이 있다면, 우리가 원하는 어떤 시간, 어떤 장소로도 의식적으로 옮겨갈 수 있다는 것으로 나는 이해한다.

물론 우리가 원하는 상황과 사건 속으로도 옮겨갈 수 있기에, 우리는 과거와 미래 어느 순간의 체험이라는 기억 속으로도 옮겨갈 수 있다는 것으로 나는 이해한다.

지난 날 나는 시간을 삶과 체험의 흐름, 과정이라 생각했다. 그 과정이 쌓여 개인과 사회의 역사가 된다고 생각했다. 따라서 그 시간의 흐름 속에서 과거와 현재 그리고 미래가 존재한다고 이해했다.

그런데 신은 한 번에 모든 것을 창조했고, 그 모든 것은 지금 이 순간에 존재하며, 지금 이 순간만 존재하기에 삶의 흐름이라는 시간은 없다는 말씀을 이해하기가 어려웠다.

다만 탁상용 종이꽃이의 비유는 시간을 이해하는 데 도움을 주었다. 나는 이미 한 묶음으로 만들어져 존재하는 탁상용 종이꽃이 내 원하는 어느 곳이든 펼쳐낼 수 있음을 안다.

따라서 나는 모든 것이 그냥 존재하기에, 또한 모든 것을 알고 있는 영적 존재이기에, 우리는 기억을 통해 또는 완전 자각을 통해 그 있음 안에서 우리가 선택하는 어떤 시간, 어떤 장소로도 의식적으로 옮겨갈 수 있음을 이해한다.

시간여행

이에 신은 우리가 시간여행을 할 수 있고, 많은 이들이 그렇게 해왔음을 말씀한다. 우리가 자각하지 못할 뿐이지 꿈이나 유체이탈을 통해 시간을 초월해 원하는 장소로 가고 올 수 있다는 것이다.

우리가 기억해내고 있지 못할 뿐이지, 영적 존재로서 신과 하나라면 그 종이꽃이의 모든 곳에 자신의 흔적이 남아 있을 것이다. 이 에너지에 민감한 영매라면 이 영감을 잡아내어 우리의 과거나 미래를 집어낼 수 있다는 것이다.

또한 우리가 어떤 사람을 예상하지 못한 상황에 만났을 때, 왠지 언젠가 만난 듯하고 안면이 있는 것 같은 느낌을 갖게 되는 경우도 있다. 기시감이라는 특별하고도 경이로운 이런 느낌은 영적인 관점에서 바라본다면 진짜일 수 있다는 것이다.

존재 전체인 신의 창조력에 대해 우리가 알지 못하는 것들이 얼마나 많을까?

전능한 신은 한 순간에 우주 만물을 창조했기에 우리가 개념으로 알고 있는 시간이 없다면, 영적 존재인 우리는 우리가 원하는 곳에 즉시 옮겨가는 시간 여행을 할 수 있을 것이다.

그리고 우리가 시간여행을 할 수 있다면, 우리가 원하는 것을 즉시 실현할 수 있다는 그 우주의 비밀을 자각하는 순간 우리는 신이 되는 것임을 나는 이해한다.

지난 날 나는 어떤 사람을 이미 예전에 본 듯한 강렬한 느낌을 받았던 적이 있었다. 어떤 일도 이미 예전에 경험했던 적이 있는 것 같은 느낌, 어떤 일이 일어날 것 같은 예감을 경험했던 적도 있었다.

그렇다면 신은 존재 전체이고, 나는 신과 하나이므로 종이꽃이의 모든 종이장마다 내 일부가 있기 때문에 그런 느낌과 예감을 경험했던 것이 아닐까.

이제 나는 개별 영혼도 수백 개의 방을 가진 대저택을 감싸 안고 있다면, 내가 만난 그 특별한 멋진 감정을 느끼게 한 그 사람이 내 영혼의 또 다른 분신이거나 전생을 함께 한 또 다른 가까운 영혼일 수 있음을 안다.

나는 꿈을 통해서나 내 내면을 통한 영혼의 기억으로 종이꽃이에 꽂힌 내 종잇장을 올려다보거나 내려다보면서 과거와 미래를 오가는 시간여행을 할 수 있음을 안다.

나는 소설이나 영화 속에서나 등장했던 시간여행을 가능하게 해준다는 타임머신이나 차원 이동의 장면이 상상 속의 일만은 아님을 안다.

시간이 우리 생활에 미치는 영향

시간은 없고, 모든 것은 동시에 존재하며, 모든 사건은 동시에 일어난다는 것을 이해할 때, 왜 우리는 상대계의 현실 속에서 훨씬 마음 편하게 살 수 있을까?

아마도 그는 우리가 원하는 현실을 만들어 가기 위해 또는 그것이 되기 위해 '노력해야 하는 삶'이 아니라, 모든 것은 이미 존재하기에 "내가 원하는 그것에 가 있으면 된다."는 단순한 진리를 말하는 것이 아닐까 생각된다.

우리는 앞서 존재가 존재를 부름을 성찰했다. 존재-행위-소유의 관계를 이해했다. 돈이 있어야 뭔가를 할 수 있고 행복한 존재가 되는 것이 아니라, 행복한 존재로 있으면 행복하게 일할 수 있고 그러면 원하는 돈도 갖게 될 것이라는 해석이다.

시간을 정지된 순간으로 깨닫는다면 우리는 그 순간에 존재하면 된다. 자신이 원하는 순간, 그 상황과 사건에 내 존재가 가 있을 수 있다면 우리는 놀라운 체험을 하게 되고, 그 체험을 한 후에는 우리의 삶이 크게 달라질 것임을 나는 이해한다.

장엄하고 의미 있는 일이 일어날 때, 우리는 왜 "시간이 정지한 것 같다."고 말할까?

아마도 그 순간 자신의 영혼과 마주하고, 신과 하나 되는 완전 자각의 순간을 체험하고 있기 때문이라 생각된다. 나는 자신이 자판을 두드리며 글쓰기에 집중하거나 숲 속을 거닐거나 멋진 광경을 목도하는 등 그 순간에 몰입할 때 시간이 정지된 느낌을 경험하곤 했다.

그 순간 아마도 자신이 누구인지, 어떤 존재가 되려 하는지를 깨닫게 되는 참된 영적 존재의 위치에 서 있기 때문이라 나는 이해한다.

또한 움직이는 것은 시간이 아니라 공간을 이동하는 너라고 신은 말씀한다. 이는 무슨 뜻일까?

이미 아인슈타인은 그의 일반상대성이론을 통해 공간을 이동하는 시간을 단축할 수 있다면 우리는 시간을 앞당길 수 있음을 물리적으로 밝혀냈다. 나는 시간이 정지된 공간이라면, 이미 모든 것이 창조되어 존재한다면 가능할 것임을 이해한다.

나는 시간을 이해할 때, 시간이 정지된 그 순간임을 이해할 때, 우리의 생활이 크게 달라질 수 있음을 성찰한다. 내 존재의 위치와 바라보는 관점이 달라졌기 때문이다. 나는 이제 시간과 공간, 일반상대성이론의 일부를 이해할 수 있다.

다만 지금 현실에서 시간의 흐름이 존재하는 것처럼 보이는 것은 영혼이 신성의 각 부분을 물질로 체험하는 과정을 보다 잘 이해하기 위해 만든 장치이며, 나의 관념일 뿐인 것이라 이해한다.

나는 만일 우리가 신의 위치에 있다면 모든 일을 바라보고 관찰할 수 있을 것임을 안다. 그렇다면 나는 우리도 명상을 통해 영적 자각의 상태에 이르면 그렇게 할 수 있을 것임을 안다.

모든 것이 이미 일어난 일이라면

만약 모든 것이 한 순간에 만들어졌다면 우리가 할 수 있는 일은 없는 것 아닐까? 나는 당연히 가질 수 있는 의문이라 생각한다. 그렇다면 영적 존재로서 우리가 새롭게 창조해 갈 삶은 무엇일까?

이에 신은 미래를 들여다볼 수 있는 것은 원하는 삶을 살아가게 해주는 우리의 능력을 제한하기는커녕, 오히려 높여준다고 말씀한다. 우리는 아직 그 모든 것을 체험하지 않았다는 것이다. 우리가 새롭게 창조하고 싶은 것을 선택하면 된다는 것이다. 이는 무슨 뜻일까?

나는 신의 무한한 창조 영역 중에 우리가 체험한 부분은 극히 일부분일 것으로 이해한다. 모든 것을 알고 있는 영적 존재이지만 우리는 물질계의 인간 체험을 위해 망각의 상태로 존재한다. 따라서 아직 우리가 기억해내지 못한 많은 부분이 있을 것으로 나는 이해한다.

만약 우리가 꿈이나 명상을 통해 신이 창조한 무한의 공간을 자유롭게 오갈 수 있다면 우리는 그 기억해내지 못한 부분을 알아차릴 수 있을 것이다. 그 기억이 불러온 체험이 내가 원하는 체험이 아니라면 우리는 다른 기억의 부분을 선택할 수 있다는 것으로 이해한다.

이런 식으로 자신의 미래를 흘낏 알게 되는 축복을 받았다면, 우리는 자신의 체험을 바꿀 수 있고, 내가 원하는 삶으로 새롭게 창조할 수 있을 것이다.

나는 한 때 모든 것이 이미 존재하고 있다면 지금 내가 경험하고 있는 것은 창조가 아닌 발견일 뿐이라고 생각했다. 이제 나는 영혼은 자신의 모든 신성을 하나하나 기억해내 다시 체험하고 재창조해 나간다는 사실을 안다.

나는 내 영혼의 느낌으로 또는 미래를 들여다볼 수 있는 능력을 지닌 다른 사람의 느낌으로 알게 되는 자신의 미래가 마음에 들지 않는다면 그것을 선택하지 않으면 되고, 내가 원하는 체험으로 바꿔 선택하면 된다는 것을 안다.

나는 모든 일은 그것이 체험될 때만 일어나고, 모든 일은 그것을 알 때만 체험된다는 삶의 비밀, 물질계에서의 망각이란 시간의 비밀을 안다. 나는 이 모든 우주의 신비, 우주의 게임이 우리에게 구원의 한숨이 되고, 우리의 삶을 축복하는 놀라운 체험임을 깨닫는다.

하나 이상의 곳에 내가 있다면

우리는 앞서 여러 차례 성찰한 바대로 영적 존재로서 이미 모든 체험을 했으며, 모든 것을 알고 있음을 깨달았다. 다만 망각의 상태에서 지금 이 곳 물질계에서 인간 체험을 하고 있을 뿐이다.

따라서 우리는 영적 존재이기에 신이 한 순간에 창조한 모든 곳에 동시에 존재하며, 지금의 삶을 창조하기 위해 그 모든 삶을 오가며 자유롭게 선택할 수 있는 것으로 나는 이해한다.

시간은 없으며 모든 것은 지금 이 순간만이 존재함을 우리가 깨닫는다면, 우리는 지금 순간을 가장 고귀한 목적인 참된 자신을 창조하고 표현하는 데 사용해야 할 것이다. 어떻게 해야 할까?

우리는 앞서 같은 시간에 하나 이상의 체험을 할 수 있고, 우리 자신을 원하는 만큼 많은 여러 가지 자신들로 나눌 수 있는 신성한 존재임을 성찰했다. 만약 시간이 없다면 우리는 모든 삶을 한꺼번에 가지려 하지 않겠는가. 우리는 영적 존재로 신과 하나이기에 가능한 일이다.

따라서 우리는 꿈이든 명상을 통한 자각이든 우리가 느끼는 예감, 전조, 기시감, 각성 등을 통해 미래를 가져올 수 있음을 앞서 성찰했다. 우리는 언제나 자유선택의 권리가 있기에 자신이 원하는 체험을 선택해 그를 새롭게 창조해 나갈 수 있다.

그렇다면 당연히 나는 자신이 누구인지, 어떤 존재가 되고자 하는지를 결정하고, 그것이 가장 잘 이뤄질 수 있도록 자신이 할 수 있는 모든 것을 하면 된다. 이것이 축복이요, 은총이 아니면 무엇인가.

지난 날 나는 어떤 사건에서 돌아서게 만든 강력한 예감을 느껴본 적이 있고, 어떤 사건에서는 그 일에서 돌아서게 하려는 강력한 느낌을 받았음에도 이를 무시해 불필요한 체험을 했던 적이 있다. 이제 나는 그것이 미래의 내가 보낸 어떤 신호요, 자각임을 안다.

나는 한 때 모든 것이 이미 존재하고 있다면 지금 내가 경험하고 있는 것이 무슨 의미가 있는 것인가 라는 의문을 가졌다. 이제 나는 영혼은 자신의 모든 신성을 하나하나 기억해내 다시 체험하고 재창조해 나감이 이번 생애의 목표임을 안다.

그동안 나의 사고(思考)는 한 번의 삶만을 생각하는 개별화된 인간 존재에 머무르고 있었다. 이제 나는 영적 존재이기에 수많은 부분들로 나뉘어져 신성의 각 부분들을 체험하고 있음을 안다. 참된 자신을 실현하기 위해 삶 전체, 여러 삶 전체를 사용하고 있음을 안다. 시간이란 없기 때문이다. 모든 삶을 한꺼번에 가질 수 있는 것이다.

이제 나는 위대한 신성의 무한한 부분을 끝없이 체험해 재창조하는 일이 참된 존재로 내가 해야 할 일임을 안다. 그것이 가장 큰 축복임을 안다. 나는 우리 중에 오직 하나만이 존재함을 안다.

2) 공간이란 무엇일까요?

공간은 드러난 시간

우리는 시간과 함께 공간의 개념도 이해하기 어렵다. 또한 흔히 공간은 비어 있는 부분으로 인식한다. 그런데 앞서 우리는 단단한 물체도 그 대부분은 빈 공간임을 성찰했다. 단단하며 움직이지 않아 보이는 바위도 자세히 들여다보면 대부분 빈 공간이고 그 안에 무수히 빠르게 움직이는 물질에너지를 발견하게 되었다.

이에 신은 공간은 드러난 시간이며, 보이지 않는 에너지는 물질을 함께 묶는 공간이라 말씀한다. 이를 어떻게 이해해야 할까?

우리는 앞서 신은 우주 만물을 한 순간에 창조했음을 성찰했다. 존재 전체요, 순수에너지 그 자체인 신이 창조한 세계는 시간이란 없다. 하나의 공간만 있을 것이다. 그 공간을 채우는 에너지는 진동과 파동으로 움직인다. 이 보이지 않고 빠르게 움직이는 에너지가 진동하는 속도를 늦추면 물질이 형성된다는 것으로 나는 이해한다.

그렇다면 우주 만물을 창조하기 이전에는 어떤 상태였을까?

아마도 세상의 모든 것은 하나의 미세한 알갱이로 응축되어 있었을 것이다. 이는 모든 물질이 자신에게서 공간을 제거한 상태다. 공간이 드러난 시간이라면, 이는 시간 이전의 시간이다. 그렇다면 이때는 아무 물질도 없으니, 어떤 문제matter(물질)도 없는 낙원 즉 천국이다. 신은 이 우주의 생성 원리를 설명한 것이라 나는 이해한다.

그러면 아무 문제도 없는 천국은 다시 자신을 한 순간에 나누어 천국의 모든 것을 체험하고자 할 것이다. 신은 이런 식으로 우주 공간의 팽창과 수축 운동을 영원히 계속할 것이다. 그렇다면 신과 하나인 우리도 그렇게 우리의 삶을 창조할 것이다.

영적 존재인 우리가 인간 체험을 통해 신성의 모든 부분을 다 기억해낸다면 우리는 다시 신과 하나 될 것이다. 그 다음에는 또 다시 부분으로 나뉘어져 이 성스러운 순환을 영원히 계속하리라 나는 이해한다.

지난 날 나는 공간은 비어 있는 것이고, 물질은 단단해 빈 공간이 없으리라 생각했다. 우주는 내가 알지 못하는 신비의 대상일 뿐이었다.

이제 나는 딱딱해 보이는 물질도 자세히 그 속을 들여다보면 대부분 빈 공간으로 이루어져 있고, 끊임없이 움직이고 있음을 이해한다. 오늘날 양자역학은 과학적으로 그 공간 속의 미세한 에너지의 움직임을 증명해주고 있다. 나는 물질이라고 하는 것은 대부분이 공간이며, 모든 고체는 2퍼센트의 딱딱한 물질과 98퍼센트의 공기로 되어 있음을 이해한다.

나는 시간과 함께 공간이 지닌 팽창과 수축의 순환을 이해하기에 어려움을 느낀다. 하지만 공간 또한 만일 우리가 신의 위치에 있다면 모든 일을 한꺼번에 바라보고 관찰할 수 있을 것임을 안다.

우리도 명상을 통해 완전 자각에 이르면, 모든 것을 보고 이해할 수 있으리라 믿는다. 이에 내가 누구이고, 어떤 존재로 있을 것이며,

어떤 존재가 되고자 하는가만 있음 뿐임을 안다.

공간이 우리의 삶에 주는 의미

모든 것은 순환한다는 우주의 삶을 이해하게 되면 우리는 그것을 더 많이 즐길 수 있게 될 것이라고 신은 말씀한다. 이는 무슨 뜻일까?

우리는 앞서 공간이 주는 개념을 성찰했다. 우주 공간은 끝없이 응축하고 팽창하는 과정을 이어간다. 신은 그 곳에 리듬이 있고, 때가 있음을 말씀했다. 우리 선각자들은 이 자연의 섭리를 잘 깨달았다. 모든 것에는 시작과 끝이 있고, 작용이 있으면 반작용이 있음을 우주의 법칙으로 알고 있었다.

이에 우리는 우리의 삶도 그렇다는 것을 성찰한다. 농사에도, 삶에도, 우리의 모든 상황과 사건에도 철이 있고 때가 있음을 안다. 그를 모르고 자신의 욕망에 사로잡혀 말하고 행동하면 철이 없다고 혀를 차기도 한다. 그 리듬을 존중하지 못하고 무리하게 질주하면 일을 그르치게 된다는 것을 경험으로 안다.

남녀 사이도 그렇고, 권력과 지위도 그렇다. 소유에 대한 끝없는 욕망에 사로잡혀 그를 제때 내려놓지 못하고 불안과 두려움에 이끌린다. 현실에서는 아직도 많은 사람들이 이 공간의 순환과 리듬이 주는 의미를 제대로 깨닫지 못하고 있음을 나는 관찰한다.

모든 것은 지나가게 되어 있으며, 꽃은 피면 지게 되어 있음을 깨닫는다면, 지금 여기 이 순간만이 존재함이 주는 은혜와 축복을 온전히 누릴 수 있을 것이다.

우주의 순환과 인간의 삶이 지닌 순환을 이해하고 깨달을 수 있다면 우리가 누구인지, 우리가 되고자 하는 존재가 어떤 것인지를 알 수 있을 것이다.

이에 시간과 공간이 갖는 우주의 진리를 안다면 우리는 자신이 원하는 것, 자신이 체험하고자 하는 것을 선택하고 체험할 수 있다. 그렇게 할 수 있다면, 우리는 자신의 삶을 더욱 즐길 수 있게 될 것이라 나는 이해한다.

나는 공간의 압축과 팽창처럼 우주가 순환하듯 나의 삶도 순환함을 안다. 나의 삶에 리듬을 준다는 의미를 안다. 모든 순간에 담긴 시작과 끝을 아는 것이 삶의 지혜임을 안다.

나는 몸과 마음과 영혼의 조화와 균형이 내 삶의 목표임을 안다. 나는 우리 조상들이 전한 철이 있고, 때가 있음을, 솔로몬에게 전했다는 랍비의 지혜인 "이 또한 지나가리라."라는 말에 담긴 의미를 이해한다.

나는 우리의 삶에서 남자로서 또는 여자로서 갖게 되는 삶의 체험이 지닌 의미와 목적을 이해하게 되었다. 물론 그 모든 체험이 소중하고, 필요한 체험임을 안다.

그럼에도 나는 우주 공간의 순환과 리듬이 주는 깨달음과 나 자신이 누구인지, 어떤 존재가 되고자 하는지와 관련해 보다 올바른 선택이 무엇인지 안다.

나는 이 책 속의 시공간에 대한 작은 이해가 우주의 본질을 이해하는 계기가 되었다. 나아가 우주의 끝없는 순환처럼 내 삶의 본질을 파악하고 그를 체험하는데 많은 도움이 되었음을 안다.

13. 우주 철학, 우주 수레바퀴

영혼이 몸으로 오는 까닭

신은 우리 영혼의 목적, 즉 영혼이 몸으로 오는 까닭은 참된 자신이 되고 그를 표현하는 것이라고 말씀한다. 우리는 이를 어떻게 이해해야 할까?

우리는 앞서 여러 차례 다양한 방식으로 이를 성찰했다. 궁극의 실체요, 존재 전체인 신은 개념으로만 자신을 알기에 존재 아님을 창조해 자신을 체험으로도 알기를 원했던 것이다. 있음은 없음이 없다면 자신의 존재를 알 수가 없다.

이에 신은 존재 전체인 자신을 무한한 개별 영혼으로 나누어 상대성과 망각이 존재하는 물질계에 몸으로 온 것이다. 이 물질계는 절대계인 신의 세계와는 달리 대립물이 존재하는 환상의 세계다.

영혼은 신성의 무한한 부분을 체험을 통해 재창조하며 사랑 그 자체인 참된 자신을 표현하며 진화한다. 그 영원한 진화 과정을 통해 영혼은 자신이 자신임을 자각할 수 있게 된다. 즉 신과 하나 되는 것이라고 나는 이해한다.

그러나 존재 전체인 신이 자신을 체험으로도 알기 위해 선택한 형상은 인간의 몸을 감싼 개별 영혼들만은 아니다. 우주 만물의 모든 창조물들 마다 신은 존재한다. 바람의 속삭임, 햇볕의 따스함, 눈송이 하나하나에 깃든 독창적이고 놀라운 완벽함이 그를 증명하고 있다고 신은 말씀한다.

따라서 우리 모두는 영적 존재로 체험을 통해 궁극의 실체인 신성을 재창조하는 신이며, 신이 되기를 선택하는 신임을 나는 성찰한다.

나는 남자로 살아왔지만 부권제사회는 실패했다고 인정한다. 부권제사회가 가져온 분리의 권력은 두려움에 근거하고, 그는 심판하고 벌하는 신이라는 잘못된 신화를 만들었다. 나는 우리 사회의 이런 잘못된 신화가 궁극의 실체인 신이 영혼을 창조하고 몸으로 온 목적을 우리가 제대로 이해하지 못하도록 만들었음을 안다.

나는 궁극의 실체인 신은 자신의 창조물인 개별 영혼들의 물질계 체험을 통해 자신을 표현하고 체험하고 창조하는 도구로 삼는다는 것을 안다. 나는 우리 영혼이 환상 세계 속 몸의 즐거움에 빠져 참된 자신을 체험하는 영적 목적을 잠시 잊고 있음을 안다. 나는 그 영적 목적을 추구하는 즐거움이야말로 더 큰 즐거움이라는 것을 안다.

이제 나는 만물에 깃든 신의 경이로운 창조력과 생명의 신비를 안다. 특별히 나는 나 자신을 나로서 인식할 수 있는 자의식이라는 신의 선물을 받은 존재임을 안다. 나는 이 선물이 주는 영적 즐거움을 추구한다. 그를 통해 다시 궁극의 실체인 신과 하나 되는 것임을 안다.

참된 우주철학과 우주 수레바퀴

나는 앞서 성찰한대로 궁극의 실체인 신과 그의 모든 창조물, 특히 신과 인간 영혼의 관계와 목적 등과 관련된 근본적인 물음을 탐구하는 것이 우주철학이라 해석한다. 그리고 생명에너지 그 자체인 우주 만물의 팽창과 수축으로 진행되는 생명의 순환, 그 과정을 우주 수레바퀴라 부르는 것이다.

특히 앞서 영혼이 몸으로 온 까닭에서 성찰했듯이, 신성의 모든 것을 체험으로도 재창조하며 신이 자신을 알아가는 이 영원한 과정이 물질계의 삶이다. 이 물질 삶의 비밀스런 이치며 작동원리는 자신이 참으로 누구인지를 잊게끔 만드는 즐거움, 즉 쾌감의 원칙임을 신은 말씀한다. 이는 무슨 뜻일까?

우리는 영적 존재이기에 모든 것을 알고 기억하는 존재다. 따라서 물질계의 체험을 위해 우리는 상대성과 망각이란 창조물인 장치를 통해 자신이 누구인지를 아는 기억을 잊을 수 있도록 설계되었다. 그래야 또 다시 신성의 모든 부분을 기억해내고 체험을 통해 재창조해가며 신과 하나 될 수 있는 것이다.

모든 것을 다 알고 있는 영혼이 어떻게 완벽한 최면 상태에 빠질 수가 있을까?

신은 이를 물질 삶의 비밀스런 이치라 표현했다. 사실 고귀한 존재인 영혼이 자신이 누구인지를 잊는다는 것은 가장 저급한 체험이다. 그런데 그 저급함이 없다면 고귀함을 알 수 없다. 이에 신은 이 체험의 저급함을 잊게 만들 정도의 즐거움, 쾌감을 깃들게 해주었다.

이 육신의 즐거움이 점차 의식의 상승을 통해 마침내 자신이 누구인지를 깨닫게 하고, 신과 하나 될 수 있는 통로가 되도록 한 것이다.

고대 인도의 요가에서는 이것을 차크라의 원리로 체계화했다. 이른바 성 에너지라는 생명의 기본 에너지를 몸을 통해 끌어올림으로써 열반의 단계까지 이르게 된다. 에너지를 끌어올릴 때, 그것은 내면 오르가슴과 비슷한 쾌감을 느끼게 되며, 이는 우리가 가장 바라는 체험이 된다는 것이다.

우리는 이렇게 높은 체험에 이르고 나면, 다시 낮은 체험으로 돌아가지 않을 수 없다. 이것은 모든 생명의 순환이요, 성스러운 리듬임을 신은 말씀한다. 신의 몸 안에서 이루어지는 이 영원한 순환의 과정이 우주 수레바퀴요, 우주철학이며, 우주의 작동원리임을 나는 이해한다.

지난 날 나는 내가 누구인지, 이 세상은 어떻게 만들어졌고, 어떻게 돌아가고 있는 것인지, 내가 사는 이유와 목적은 무엇인지 등 삶과 세상의 가장 근원적인 질문에 대한 설득력 있는 답을 얻지 못한 채 지내왔다.

이 책 『신과 나눈 이야기』에 담긴 월쉬의 물음은 내 물음이었다. 그 물음에 대한 신의 응답은 지난 내 삶 속에 던져진 근본적 물음에 대한 기쁨이 담긴, 진리에 대한 가장 큰 설득력을 지닌 응답으로 다가왔다.

나는 내 몸 속에 심어진 내면체계에 의해 낮은 차원의 체험을 거처 일단 높은 체험에 이르고 나면, 나는 높은 것으로 옮겨가는 즐거움을 다시 한 번 체험하기 위해 낮은 체험으로 되돌아가지 않을 수 없음을 안다. 나는 이 과정이 모든 생명의 성스러운 리듬임을 안다.

이제 나는 영적 존재인 내가 이 지구의 물질계에서 인간 체험을 하고 있는 이유와 목적, 그를 가능하게 해주는 '쾌감 원칙'과 '우주 수레바퀴'의 비밀스런 이치를 안다. 이것이 우주철학이요, 우주의 작동원리임을 안다.

내 자신이 신성의 그 무한한 부분을 모두 다 체험을 통해 재창조하고, 신과 하나 된 후 또 다시 낮은 차원으로 돌아가 자신이 원하는 인간 체험을 다시 선택할 수 있음을 안다.

우주의 순환과 업보의 수레바퀴

앞서 우리는 신의 몸 안에서 이루어지는 모든 생명의 영원한 순환은 성스러운 리듬인 우주 수레바퀴임을 신의 말씀을 통해 성찰했다.

하지만 인간의 역사 속 신화와 종교들은 그 생명의 순환을 통해 신에 이르는 길은 너무도 성스럽기에 엄청난 고난과 역경을 헤쳐 나가야만 도달 할 수 있는 길로 여겼다. 따라서 이 과정을 업보의 수레바퀴라 규정했다.

인간은 태어날 때부터 원죄를 지녔으며, 악한 마음이 본성이라 가르쳤다. 인간의 삶을 생로병사로 고난의 연속인 과정으로 규정했다.

수레바퀴의 표현에서 수레보다는 바퀴에 중점을 두고 바라봤다. 그 바퀴도 자신의 두 발로 밟아 돌려야 하는 바퀴이다. 내가 안고 있는 죄인 업보와 원죄에서 벗어나기 위해 영웅적인 노력을 기울여야 하는 것이다.

그러나 신은 우주 수레바퀴에는 처벌이나 정화 따위는 존재하지 않는다고 말씀한다. 이는 무슨 뜻일까?

나는 앞서 여러 차례 존재 전체요, 완벽함과 사랑 그 자체인 신이 자신을 체험으로 알기 위해 무수한 영혼을 창조했음을 성찰했다. 우리가 신과 하나인데, 신이 왜 자신을 죄인으로 만들어 처벌하고 정화시키고자 하겠는가.

이에 신은 진화의 목적은 성장에 있고 체험에 있으며, 이를 모르는 것이 지옥이고 이를 완벽하게 이해하는 것이 구원임을 말씀한다. 이는 신의 그 무한한 사랑으로부터 자신이 분리된 존재로서 체험하는 것이 지옥이요, 그 사랑을 기억하고 체험하며 하나 되는 것이 구원인 것으로 나는 이해한다.

월쉬는 바퀴는 사다리가 아니기에 높고 낮은 곳이 있을 수 없다고 비유했다. 나는 수레는 진화 과정으로, 바퀴는 영원한 순환으로 이해한다. 영혼이 우주 만물이요, 존재 전체인 신성의 모든 부분을 체험하며 신과 하나 되는 이 과정은 성스럽고 황홀함만이 깃든 축복과 은총의 길이라 믿는다.

지난 날 나는 한 때 끝없는 환생과 윤회의 삶을 부정하는 사람들의 논리에 공감했다. "삶은 고난의 연속이다."라는 정의에도 공감했다. 그 힘든 삶을 끝없이 되풀이해야 한다면 누구도 그를 원하지 않을 것이라 생각했다.

이제 나는 우주의 생명 에너지를 돌리는 그 영원한 우주 수레바퀴는 그저 아무 의미도 없이 끝없이 되풀이 되는 지옥 같은 일이 아님을 안다. 그리스 신화에 나오는 시시포스와 같은 업보의 수레바퀴가 아니라 우주의 가장 높은 차원에서 느끼는 즐거운 여정임을 안다.

나는 환생과 윤회라는 우주의 순환, 그 과정은 영웅적인 노력으로 밟아 돌리는 바퀴가 아니고, 높고 낮음이 있는 사다리가 아닌, 끝없이 이어지는 창조의 즐거움이요, 황홀한 여정임을 안다.

나는 이 여정이 모든 에너지의 종합 교환임을 깨달을 때, 섹스를 비롯한 모든 것, 심지어 죽음까지도 더 높은 차원에서 즐기게 될 것임을 안다.

나는 다시 한 번 우리 모두는 신과 하나이며 존재 전체이기에 '우주 수레바퀴', '윤회하는 삶' 속에 담긴 신성한 목적과 계획을 깨닫고, 그 즐거운 여정에 기꺼이 동참한다.

14. 죽음

1) 죽음은 무엇일까?

우리가 죽으면 일어나는 일

우리는 신의 존재를 부정하는 많은 사람들이 죽음을 생명과 삶의 끝, 육체와 정신의 소멸로 규정함을 안다.

하지만 신의 존재를 받아들이고, 인간을 몸과 마음과 영혼으로 이루어진 3중의 존재로 본다면, 우리가 죽고 난 뒤에도 영혼은 죽지 않는다고 믿는다. 죽음은 끝이 아니라 새로운 시작인 것이다.

이에 신은 죽더라도 우리는 창조를 멈추지 않는다고 말씀한다. 이는 무슨 뜻일까?

우리는 앞서 신은 존재 전체요, 생명 에너지 그 자체로 보았다. 우리는 신의 창조물로 영적 존재이기에 우리 역시 생명 그 자체이다. 그 생명은 영원하다. 죽음은 없는 것이라 나는 이해한다.

따라서 몸을 벗고 영체가 되면 우리는 여전히 살아 있음을 알고 크게 놀랄 것이며, 자신의 생각이 곧바로 현실에 드러나는 것에 경이로움을 깨닫게 될 것이라고 신은 말씀한다. 영계에 생각과 체험 간에 지연이 없는 것은 시간 간격이 없기 때문이다.

우리가 살아 있는 동안에는 우리의 생각이 현실로 드러나기 위해서는 상당한 시간 간격이 필요하다. 앞서 우리는 이 시간이라는 창조물이 우리의 체험을 좀 더 생생하게 느끼기 위해 만든 환상임을 성찰했다.

우리가 몸을 벗고 영체가 되면 드러냄을 가져오는 건 자신의 의지요, 이는 시간이라는 물질성이 사라졌기 때문이라는 것을 즉각적으로 알게 된다고 신은 말씀한다.

또한 신은 우리가 살아 있을 때도 생각을 조절하면 빠르게 현실을 창조할 수 있다고 말씀한다. 우리는 이를 어떻게 이해해야 할까?

나는 생각을 조절한다는 것은 자신이 모든 것을 기억하고 있는 영적 존재임을 자각하고, 참된 자신으로 존재하는 것이라 이해한다. 나아가 지금 말고는 어떤 시간도 없고, 여기 말고는 어떤 공간도 없으며, 우리 모두는 하나라는 깨달음만이 필요하다는 것이다. 그러면 살아있을 때도 내가 생각한대로 현실을 창조할 수 있음을 말씀한 것으로 나는 이해한다.

지난 날 나는 죽음과 죽음 이후의 삶에 대해 깊은 의심과 막연한 두려움이 있었다. 어렸을 때는 죽음이 숨 막히는 공포요 엄청난 고통을 안겨주는 환상 속 괴물로 다가왔다. 그 상상은 수해로 숨진 익사체, 공동묘지나 도살장 등의 실체에 부풀려진 소문으로 죽음의 진실을 가렸다.

이는 성장하며 우리 사회가 지닌 일회적 삶의 관점에서 죽음을 슬프고 안타깝게 바라보는 시각과 종교적 신화인 원죄와 지옥의 관념이 덧붙여지며 죽음과 죽음 이후까지 부정적 인식은 더욱 굳혀졌다.

이제 나는 영적존재로 생명 그 자체인 영혼 불멸하는 존재이기에 죽음이란 없으며, 죽음 이후에도 창조를 멈추지 않는다는 사실을 안다.

나는 몸을 벗고 영체가 되면 내가 여전히 살아있고 내 생각대로 현실이 창조되는 경험에 경이로움을 깨닫게 됨을 안다. 또한 온갖 결과를 창조하는 건 자신의 생각이고, 드러남을 가져오는 것은 자신의 의지임을 저승에서 기억하듯 이승에서도 기억해낼 수 있음을 안다.

나는 죽기 전에도 생각의 조절인 기도를 통해 생각과 창조의 지연을 가져오는 시간이라는 환상에서 벗어나 모든 상황을 벌어지게 하는 게 자신이 원인임을 자각할 수 있음을 안다.

이로서 나는 죽음의 환상이 가져오는 두려움에서 벗어나 죽음의 진실을 이해하고 모든 순간에 오직 완벽만을 보고 오직 감사만을 표현해야 함을 안다.

바위 속에 담긴 우주철학과 죽음

신이 말씀한 바위의 우화는 바위를 구성하는 무수한 미립자들과 신과의 대화다.

떨어져서 바라보면 단단하고 움직임이 없어 보이는 바위지만, 자세히 들여다보면 특정한 패턴에 따라 믿을 수 없을 만큼 빠르게 움직이는 미립자들로 가득 차 있음을 알 수 있다. 그렇다면 물질계의 환상 속에 존재하는 바위는 일체성과 부동성, 부분들의 분리와 운동을 모두 포함한다.

신이 말씀한 이 바위의 우화 속에 담긴 우주철학은 무엇을 뜻하는 것일까?

우리의 삶을 바위에 비유해보자. 삶 역시 믿을 수 없을 만큼 빠르게 움직이는 일련의 미세한 운동이다. 하지만 떨어져 보면 존재 전체는 아무런 움직임이 없어 보인다. 영적 존재인 우리의 인간 체험은 분리된 운동으로 보이지만, 신의 부동성과 존재성이라는 거시현실에는 아무런 영향도 미치지 않는다.

그렇다면 바위의 우화 속에 담긴 우주철학의 관점에서 죽음을 어떻게 해석해야 할까?

죽음은 미시현실의 작은 운동의 한 부분이다. 죽은 후 영혼이 사후세계에서 깨닫는 것은 거시현실의 영원함이다. 즉 우리의 관점이 바뀌는 것이다.

우리는 미시현실의 관점에서 죽음을 분리된 운동으로 보고, 삶이 끝나는 것으로 본다. 하지만 거시현실의 관점에서 죽음은 새로운 형상으로 바뀐 영적 삶의 시작인 것이다.

이에 우리는 죽고 나면 바위도 보고, 바위 안도 보게 된다. 앞서 성찰한 바대로 시간이라는 간격이 사라지면서 생각과 창조, 발상과 체험 간의 직접적인 연결 관계를 깨닫게 되는 것이다.

또한 이와 함께 벌어지는 모든 상황의 원인이 자신임을 몸을 떠난 다음이 아니라 떠나기 전에 기억해낼 수 있다면, 우리의 삶 전체가 바뀔 수 있음을 이해했다. 이에 신은 그 관점을 바꾸고 생각을 조절할 수 있는 비전의 도구를 준다. 상시 기도다.

나는 상시 기도란 지금 여기 이 순간만이 존재함을 깨닫고 매 순간 사랑 그 자체인 참된 자신으로 존재하고자 하는 마음가짐이요, 영적 인식이라 이해한다.

벌어지는 모든 일이 자신이 누구고, 어떤 존재가 되려 하는가와 관련된 우리의 생각과 선택의 결과다. 그것이 마음에 들지 않는다면 비난하지 말고 그것을 만든 조건들을 바꾸면 된다.

우리는 어떤 상황 속에서도 이 영원한 진리를 굳게 믿고, 상시적인 기도와 명상을 통해 내면에서 우러나오는 소리와 빛으로 은혜 받을 수 있다. 우리는 그 빛으로 자신과 세상을 바꿀 수 있는 것이다.

나는 바위는 움직임이 없는 단단한 물체라 생각했다. 이제 나는 바위의 그 부동성 안에 수많은 미세한 움직임이 있음을 알게 되었다. 이 미시세계의 움직임인 삶을 떠나게 되면 나는 거시세계의 놀라운 과정을 맞이하게 될 것임을 안다.

"신은 우리가 원하는 것을 원한다.", "하나님은 우리에게 천사들만 보내주셨다."를 우리 삶 속에서 얼마나 많이 경험할 수 있는가. 이는 상시기도, 생각의 조절이 만들어 내는 체험이다. '저마다의 빛깔로 성장하는 아이들'은 내 대안교육의 목표다.

이제 나는 기도의 최고 형태가 생각의 조절임을 안다. 따라서 상시 기도는 오직 좋은 것, 바른 것, 완벽만을 보고 감사만을 표현하는 것임을 안다. 나는 모든 상황의 원인은 나 자신임을 안다.

나는 자신의 관점이 생각을 창조하고 생각이 만사를 창조한다는 이 진리를 기억해낼 수 있다면, 몸을 떠난 다음이 아닌 지금 여기의 삶 전체가 바뀔 수 있음을 안다. 나는 관점의 변화란 삶과 세상을 미시세계의 부분으로 보는 것만이 아니라 거시세계의 전체로도 보게 되는 것으로 이해한다.

이로서 나는 죽음을 이해하고 두려움을 극복할 수 있다. 나는 그 속에 담긴 완벽을 보고 어둠을 비추는 빛이 되어 세상을 치유하는 목자가 될 수 있음을 안다.

2) 죽음을 대하는 올바른 자세는 무엇일까?

죽어가는 사람들에게 우리가 줄 수 있는 것

우리 사회는 죽음을 부정하고 두려워한다. 그러기에 죽음을 앞둔 사랑하는 사람이 자신들을 떠나지 않도록 온갖 수단과 방법을 가리지 않는다.

의사들은 치료가 무의미한 순간까지도 최선을 다해 생명을 살리려 애쓴다. 죽음을 의료 실패로 보는 것이다. 이러니 이미 몸을 벗기로 마음먹은 죽어가는 사람들은 참으로 혼란스럽다.

이에 현대 죽음학 선구자로 일컬어지는 엘리자베스 퀴블러 로스는 수많은 임종 환자를 돌보면서 깨달은 바를 책으로 내며, 다음과 같이 말했다.

"인간이 평화로운 죽음을 맞이하지 못하게 된 데에는 여러 가지 이유가 있을 것이다. 그중에서 가장 중요한 요인은 현대 사회에서 죽음이라는 것이 여러 면에서 좀 더 외롭고 기계적이며 비인간적인 것이 되었다는 점을 들 수 있다."[13]

나는 국민건강보험공단의 연구 결과로 임종 전 1년 간 지출하는 의료비 밀집도가 크게 증가한다는 것을 알고 있다. 생명 연장을 위한 지나친 현대의학 기술의 과도한 믿음이 환자의 인간적인 죽음을

---

13) 『죽음과 죽어감』, 엘리자베스 퀴블러 로스 지음, 이진 옮김, 청미, 2021, 40쪽

오히려 가로막고 있음을 관찰한다.

하지만 앞서 우리는 영혼은 영원불멸하는 존재이고 생명 그 자체이기에 영혼에게 죽음이란 없음을 성찰했다. 영혼은 물질계의 삶이라는 환상과 연극의 무대에서 신성의 부분을 기억해 내 그를 체험하고 재창조하는 것이 이번 생의 목표임을 안다.

영적 관점에서는 영혼이 어렵고 힘든 인간 체험의 과정을 끝내고, 자신의 본향인 영적 세계로 간다는 것은 참으로 기쁘고 황홀한 순간이다. 인간 체험의 길고 짧음은 영혼의 진화를 위한 완벽한 계획 속에 이루어지기에 아무 문제가 없다.

신은 우리가 몸을 벗는 죽음을 다르게 본다는 것도 성찰했다. 죽음은 끝이 아니라 시작이다. 영적 존재인 우리가 인간 체험을 통해 이번 생에 목표로 했던 신성의 모든 부분을 성취하며 진화를 다하게 되면, 영혼은 죽음을 통해 몸의 형상을 바꾸고 새로운 영적 삶을 시작한다는 것이다.

따라서 죽음은 또 다른 기회를 맞는 선물이요, 과정이라는 것이다. 이에 우리가 죽음을 앞둔 사람에게 해줄 수 있는 최대 선물은 그들이 평온하게 죽을 수 있도록 해주는 것이다. 이는 영혼의 선택이기 때문이라고 나는 해석한다.

『티베트의 지혜』를 쓴 선각자 소걀 린포체는 우리가 평화롭게 죽음을 맞이하기 위해서는 죽어가는 당사자가 사랑하는 사람으로부터 분명히 들어야 하는 다음과 같은 두 가지의 언질이 있음을 전하고 있다.

"하나는 죽어도 된다는 허락의 언질이고, 다른 하나는 그가 죽은 후 남아 있는 사람들이 잘 지낼 수 있으며, 아무것도 걱정할 필요가 없다는 안도의 언질이다."14)

나는 죽음과 죽어감의 과정을 불안과 두려움으로 바라보았다. 우리가 영적 존재임을 알지 못했기 때문이다. 죽음을 대하는 마음은 슬픔과 안타까움이 가득했다. 삶의 연장을 간청했다.

나는 죽음과 죽어감에 대한 많은 선각자들의 성찰, 특히 의사로서 임상 체험을 통한 깊은 이해와 배움을 안겨준 퀴블러 로스의 저작들을 만날 수 있었음은 축복임을 안다.

특히 앞서 소개한 그녀의 책에 담긴 죽음과 죽어감에 대한 5단계 성찰, 즉 부정과 고립, 분노, 타협, 절망, 수용의 과정은 죽음을 좀 더 객관적으로 이해할 수 있는 귀한 자각의 계기가 되었다.15)

이제 나는 내 자신과 우리 모두가 영적 존재임을 안다. 삶의 목적도 안다. 각각의 영혼이 선택하고 결정한 진화 과정으로서의 죽음도 이해한다. 이제 나는 죽음의 과정도 삶의 가장 큰 선물이요, 축복일 수 있음을 안다.

따라서 나는 죽어가는 당사자가 사랑하는 사람으로부터 분명히 들어야 하는 두 가지 언질이 있음을 안다. 나는 호스피스 병동의 수많은 말기 암 환우들을 돌보며 늘 이를 마음에 담아 전하곤 한다.

---

14) 『우리는 왜 죽음을 두려워할 필요 없는가』, 정현채 지음, 비아북, 2018, 248쪽
15) 『죽음과 죽어감』, 엘리자베스 퀴블러 로스 지음, 이진 옮김, 청미, 2021

우연한 사고로 죽은 사람들

이 우주에서는 어떤 일도 우연히 일어나지 않는다는 신의 말씀은 어떤 의미를 담고 있을까?

나는 이를 전능한 신이 한꺼번에 우주를 창조했으며, 세상의 모든 상황과 사건은 신의 완벽한 계획 속에 이루어졌음을 뜻하는 것이라 이해한다. 눈송이 하나하나도 같은 모양으로 창조된 것이 없음을 안다면, 신의 가장 놀라운 창조물인 인간 체험의 모든 것 또한 우연이 아닌 신의 완벽한 계획 속에 있음을 나는 믿는다.

그러기에 우연히 죽는 사람들은 있을 수 없다. 그 죽음과 죽어감 속에 담긴 개별 영혼의 신성하고 고귀한 계획과 선택이 있음을 알고, 그 체험의 의미를 깨달아 영적 진화와 성장의 계기로 삼아 축복할 일이다. 개인의 죽음만이 아니라 뜻하지 않은 대형 사고나 전쟁 등으로 인한 죽음까지도 마찬가지이다.

미국의 유명한 전면퇴행최면요법가인 마이클 뉴턴은 그의 책에서 영혼이 환생을 통해 재난을 경험하게 되는 데는 선택의 자유가 있는 것 같다며, 한 영혼의 사례를 들어 이렇게 설명했다.

"계단식으로 된 큰 강당에 모여 준비 클래스에 참석하고 있던 많은 영혼들의 집단 옆을 지나친 기억이 있습니다. 그들은 스피커를 통해 들려오는 이야기를 듣고 있었는데 그 내용은, 짧은 인생을 경험하게 되겠지만 그 모든 인생이 소중한 경험이 되리라는 것이었습니다. 그 영혼들은 어떤 재난을 당하여 함께 죽게 되는 인생을 경험하려고 지원한 영혼들이었습니다. 스피커에서는, 그들이 만약 다음

생에서 오래 살기를 바란다면 주어진 시간 동안 최선을 다할 것에 대해 정신적 각오를 해야 한다고 강조하고 있었습니다."[16]

"죽음을 앞둔 그들은 네가 자신들을 위해 애도해주길 조금도 원하지 않는다."는 신의 말씀은 무슨 뜻일까?

나는 먼저 그들이 몸을 벗는 것은 영혼의 신성한 계획과 선택에 의한 것이기 때문이라 이해한다. 나아가 그들이 몸을 벗고 가는 곳은 소위 천국 아닌가. 사후 세계의 그 무한한 자유로움과 황홀경을 영혼은 알기에 그들에게는 우리의 애도가 필요 없다는 것으로 나는 이해한다.

이제 나는 나의 삶을 포함해 우주의 모든 일에 우연이란 있을 수 없음을 안다. 이는 세상의 모든 일에 의미 없는 일은 없다는 뜻으로 이해한다.

나는 현실세계에서 우리가 애통해 하는 개별 사고와 대규모 재난에 분노하고 재발 방지를 위한 진상규명과 책임자 처벌, 예방 노력에 함께해야 한다는 데 공감한다.

그럼에도 불구하고 이제 나는 모든 상황과 사건들, 나아가 죽음까지도 모든 영혼의 진화 과정에 맞는 자유롭고 고귀한 선택과 신의 완벽한 계획이 자리하고 있음을 안다.

이제 나는 모든 죽음을 축하하고 기쁘게 받아들여야 함을 안다. 나는 나의 가족과 가까운 지인들에게 나의 죽음을 슬퍼하지 말고 새

16) 『영혼들의 운명2』, 마이클 뉴턴 지음, 김지원 옮김, 나무생각, 2017, 283-284쪽

로운 출발을 축하하고 격려해주기를 유언으로 남긴다.

자살하는 것은 잘못이라는 관점

우리 사회는 스스로 목숨을 끊는 것, 즉 자살은 무의미하며 잘못
된 것으로 판단한다. 앞서 성찰한 바대로 우리의 삶을 일회적으로
보고, 지금의 삶을 오래 유지하는 것이 옳다는 관점을 지니고 있기
때문이다.

따라서 한 번밖에 주어지지 않는 소중한 삶을 이런 저런 이유로
포기한다는 것은 고난과 역경을 헤쳐 나가야 하는 삶의 태도와는 거
리가 먼 행위가 된다.

하지만 신은 자살이 잘못이라는 우리 사회의 생각에 두 가지 잘
못된 가정이 있음을 강조한다.

먼저 옳고 그름이 있다는 가정이다. 이는 무슨 뜻일까?

영적 관점에서 바라본다면 우주 삼라만상은 자연스러움 그 자체이
다. 우리의 삶은 거시현실 속의 미시현실이다. 상대성이 존재하는 물
질계에서는 모든 대립물이 필요하다. 자살도 하나의 대립되는 체험
으로서의 선택일 뿐이라는 점에서 옳고 그름으로 판단할 일이 아니
라는 뜻이라 나는 이해한다.

다음은 죽임이 가능하다는 가정이다. 이는 무슨 뜻일까?

앞서 우리가 성찰한 바대로 영적 존재인 우리는 생명 그 자체다.
그 에너지는 영원불멸한다. 죽음이란 영혼의 진화 과정에서 그냥 형

상을 바꾸는 것이다. 죽음은 끝이 아니라 또 다른 시작이다. 죽음은 없다는 뜻으로 나는 이해한다.

그리고 신은 자신을 서서히 죽이는 것도, 빨리 죽이는 것도 부도덕하지 않다고 말씀한다. 이는 무슨 뜻일까?

나는 영혼은 고통을 부정하지는 않지만 고통을 원하지도 않는다고 생각한다. 자신의 몸과 마음이 불필요한 고통으로 생명을 이어가는 것이 영혼의 진화에 더 이상 도움이 되지 않는다고 판단하면 언제든지 몸을 벗고 형상을 바꿀 수 있다고 보는 것이다.

신은 우리 사회가 죽음이 빠를수록 잘못된 것으로, 죽음이 느릴수록 좋은 것으로 판단한다며, 이는 우리 사회의 모순 중 하나라고 강조한다. 앞서 우리가 살펴 본대로 과로와 정신적 긴장이나 육식과 가공식품의 장기간 섭취로 인해 발생하는 치명적인 암과 같은 성인병에는 의료보험이 적용되지만, 자살행위에는 잘못이라는 낙인만 찍힐 뿐이다.

나는 우리 사회가 지니고 있는 죽음에 대한 편견을 극복하는 것이 중요하다고 생각한다. 우리가 영적 관점에서 죽음을 바라본다면, 자살에 대한 편견도 바꿔나갈 수 있으리라 본다.

그렇다고 자살을 옹호하고자 하는 것은 아니다. 신은 우리가 극복하지 못할 고통은 주지 않았으며, 우리는 고통과 같은 부정적 체험을 선택하지 않을 수 있다고 나는 믿는다.

지난 날 나는 스스로 목숨을 끊는 자살은 잘못된 행위로 인식했다. 스스로 문제를 해결해 나가지 못하는 나약한 행위이기에 부정적으로 생각했다.

성장하며 자살의 사회적 책임이 있음을 인식했다. 자살은 한 사람을 죽음으로까지 내모는 차별과 무관심, 탐욕과 폭력 등으로 일어나는 일종의 사회적 타살이기도 했다.

오랜 시간 자살률 세계 1위라는 우리나라의 현실에 가슴 아파했다. 자살자 본인의 말 못할 아픔과 상처만이 아니라 가족과 주변인들이 겪을 충격과 죄의식을 우려했다. 국가와 사회의 관심과 제도적 지원이 필요함을 인식했다.

이제 나는 죽음에 대한 관점의 변화와 함께 자살을 바라보는 시각도 달라졌음을 안다. 나는 자살에 담긴 모든 영혼이 걷는 완벽하고 고귀한 선택과 과정을 안다. 자살만이 아닌 모든 상황과 사건 뒤에 숨겨진 영적 의미를 깨닫는다. 우리 모두의 삶이 연극이라는 환상의 무대에서 치열하게 연기되는 즐거운 여행임을 안다.

나는 모든 즐거움이 중요함을 안다. 나아가 나는 우리 사회가 몸의 즐거움을 넘어 영혼의 즐거움을 추구하는 보다 승격된 존재로 성장하기를 소망한다.

3) 죽음에서 우리가 깨달아야 할 것은 무엇일까?

죽은 뒤에 우리가 깨닫게 되는 것들

신은 우리가 죽은 뒤에도 자신이 어떤 존재였는지를 훤히 볼 것이라 말씀했다. 이는 무슨 뜻일까?

이것은 영혼이 인간 체험 중 망각에 의해 기억하지 못하고 있던 모든 것을 몸을 벗게 되면서 자신이 영적 존재로 모든 것을 알게 되기 때문이라 나는 이해한다.

우리 사회는 과학적 관점에 기초해 죽으면 몸은 소멸한다고 믿는다. 하지만 우리는 몸과 마음과 영혼으로 이루어진 3중의 존재다. 몸은 죽지만 영혼은 죽지 않는다. 나아가 신은 우리는 죽고 난 뒤에도 우리의 몸의 일부는 마음과 영혼과 함께 내세로 간다고 말씀한다.

그리고 우리가 다시 물질계의 삶을 선택한다면, 영혼은 다시 한 번 자신을 소위 몸, 마음, 영혼으로 분리시킨다는 것이다.

몸의 세 가지 차원과 유체여행에 대해 신유가 다스칼로스는 그의 책에서 다음과 같이 말했다.

"인간은 상식적으로 생각하는 것과는 달리 단지 하나의 신체만 가지고 있는 것이 아니라 세 개의 신체 즉 육체(물질계, 3차원 세계) 이외에도 심령체(심령계, 4차원계)와 이지체(이지계, 5차원계)를 가지고 있다. 물질적인 신체가 죽은 후에도 우리는 '심령-이지체'를 지닌 채 심령계에서 산다. 숙련된 신비가들은 자신의 의지에 의해서 완전한 자아의식을 지닌 채 심령-이지체의 상태로 여행하여 유체이탈 중의 경험을 고스란히 의식한 채 육신으로 돌아올 수가 있다."[17]

한편 신은 내세에는 어떤 심판도 존재하지 않는다고 말씀한다. 이는 무슨 뜻일까?

앞서 우리가 성찰한 바대로 존재 전체요, 완벽 그 자체며, 전능한 존재인 신이 무엇이 두려워 계율을 만들어 우리를 벌주려 하겠는가. 사랑 그 자체인 신은 우리의 모든 선택을 존중하며 포용하지 않겠는가. 신성을 체험하기 위한 우리의 원함은 신의 원함이라 나는 이해한다.

다만 지난 삶의 모든 것을 다시 돌아보고, 우리가 말하는 '자신'과 '되고자 하는 자신'에 근거하여, 다시 선택할 기회는 있을 것이라 신은 말씀한다. 이는 무슨 뜻일까?

이 역시 앞서 성찰한 우주 수레바퀴의 영원한 순환, 영적 진화 과정을 말씀한 것으로 나는 이해한다. 내세에서 우리는 지난 자신의 모든 삶을 되돌아보고 반성하며, 다음번 되고자 하는 자신인 영적 진화를 위한 길을 준비하고 선택하게 된다는 것이다.

이를 깨닫는다면 우리는 죽고 나서가 아니라 살아있을 때에도 이렇게 할 수 있을 것이다. 우리가 누구인지 그리고 어떤 존재가 되고자 하는지와 관련한 선택 속에서 참된 영적 진화가 이루어지도록 해야 할 것이라 나는 이해한다.

---

17) 『지중해의 성자 다스칼로스) 1』, 키리아코스 C. 마르키데스 지음, 이균형 옮김, 정신세계사, 2021, 25-26쪽

지난 날 나는 죽으면 모든 생명이 끝나고 자연으로 돌아간다고 생각했다. 현재의 주어진 삶을 받아들이며 최선을 다해 살아갈 뿐이었다. 종교적 내세관은 우리의 희망이 만들어낸 환상이라 생각했다.

이제 나는 죽음으로 내 몸의 가장 밀도가 높은 부분을 뒤에 남겨둔 채 형태를 바꾸긴 하지만, 그 외피는 항상 유지함을 안다. 마음역시 영혼과 몸과 함께 사후 세계로 옮겨감을 안다.

나는 나의 생명의 정기인 에테르성 몸이 마음의 생각이 선택한 새로운 에너지를 포착해서 그 진동수를 낮추면 새로운 물질이 됨을 안다. 이런 식으로 몇 년 마다 내 몸의 모든 세포가 바뀜을 안다.

이로서 나는 나의 부정적이고 병적인 생각이 나의 질병이라는 물질 형태를 창조해낼 수 있음을 안다. 반대로 나의 긍정적이고 건강한 생각이 나의 질병을 치유하고 건강한 몸을 창조해낼 수 있음을 안다.

영혼을 공부하며 나는 영적 존재이고 그 영혼은 영원불멸하는 생명 그 자체임을 깨닫게 되었다. 따라서 죽음은 영적 진화 과정의 또 다른 시작임을 알게 되었다. 당연히 내세에서의 심판이란 있을 수 없으며, 지난 생의 모든 생각과 말과 행동을 다시 되돌아보고, 내가 말하는 자신과 되고자 하는 자신에 근거하여 또 다른 선택의 기회가 주어질 것임을 믿는다.

이제 나는 내 영혼이 나에게 상기시키고 다시 마음 쓰게 해, '자신이 누구인지' 기억해내고, '지금 되고자 하는 자신'을 선택할 수 있도록 해야 함을 안다. 나는 죽음과 죽어 감을 체험하며 앞으로 맞이할 그 순간을 고대하고 있음도 안다.

나는 이번 생에서 사자(使者)임을 안다. 나 역시 예고하고 소식을 전하고 진리를 추구하고 이야기하는 사람임을 안다. 그러기에 나는 남은 시간 원치 않는 일상의 관계와 일을 벗어나 진실로 내가 좋아하는 일에 전념해야 함을 안다.

죽음을 통해 우리의 삶에서 깨달아야 할 것

우리는 죽음을 통해 무엇을 깨달아야 할까? 삶은 영원하며, 우리의 몸과 죽음까지도 환상임을 알 때, 우리는 죽음도 즐길 수 있다는 것은 무슨 의미일까?

앞서 우리가 성찰한 바대로 죽음은 끝이 아니라 새로운 시작이라면, 죽음을 부정하고 두려워할 필요가 없다. 영혼의 본향인 사후 세계의 무한한 자유로움이 기다리고 있다면, 당연히 죽음도 즐길 수 있으리라 나는 이해한다. 그곳이야말로 궁극의 실체요, 존재 전체인 신과 하나 되는 곳이 아닌가.

그러기에 나아가 우리의 삶과 죽음까지도 진짜가 아닌 환상임을 깨닫는다면, 우리는 자신이 겪는 모든 상황과 사건들이 주는 고통에서 벗어날 수 있을 것이다. 그 모든 것들이 영원 속 한 순간에 불과할 것이고, 실체가 아닌 연극 속에서 선택되고 맡겨진 역할이기 때문이다.

이에 신은 각각의 순간은 그것이 시작되는 그 찰나에 끝난다며,

258

그 순간의 삶 속에 담긴 죽음과 상실을 함께 응시해야 한다고 강조한다. 그때 우리는 비로소 모든 순간과 삶 자체에 가득한 보물을 발견하게 된다는 것이다.

우리에게 다가온 순간, 삶과 사람들을 그렇게 대할 때 우리는 그의 참모습을 보게 되고, 그것을 진실로 즐길 수 있고, 그 속에 기쁨을 집어넣을 수 있다는 것으로 나는 이해한다.

따라서 우리가 죽음을 통해 깨달아야 하는 것은 모든 것은 지금 여기 이 순간만이 존재한다는 것이다. 죽음이 환상임은 이 순간 속에 영원함이 담겨 있기 때문이다. 죽음이 끝이 아님은 생명은 계속 이어지기 때문이다.

20세기 가장 존경받는 인물의 한 사람이었던 의사 퀴블러 로스는 그의 또 다른 책에서 인간의 불멸함에 대해 다음과 같이 말했다.

"저는 우리의 신체는 죽지만 우리의 정신이나 영혼은 죽지 않는다고 생각합니다."18)

또한 지중해의 성자로 불리는 신유가 다스칼로스는 죽음에 대해 자신의 체험으로 깨달은 바를 다음과 같이 말씀한다.

"보통 사람들은 죽음이란 두렵고 고통스러운 경험이라고 생각합니다. 그러나 실제로는 그와 정반대입니다. 죽음의 과정은 하루 일에 지쳐서 곤히 잠드는 것과 다를 것이 없습니다. 심한 병에 시달리던 사람이라도 죽는 순간에는 아무런 고통도 느끼지 못합니다. 어떤 위대한 신비가는 이렇게 말했습니다. '저승사자의 입맞춤보다 더 달콤

---

18) 『죽음과 죽어감에 답하다』, 엘리자베스 퀴블러 로스 지음, 안진희 옮김, 청미, 2020, 271쪽

함 키스를 인간은 맛본 적이 없으리라.' 나는 이것을 체험을 통해 알고 있습니다."19)

지난 날 나는 몸이 죽으면 모든 것이 끝일 것이라 생각했다. 천국의 영광은 인간의 죽음에 대한 두려움이 낳은 환상이라 생각했다. 이제 나는 죽음의 두려움이라는 환상 뒤에 가려졌던 삶의 영광스러운 순간, 사후세계의 멋진 체험을 기다린다.

또한 영혼은 몸으로 있는 것도, 그 몸에서 벗어나는 것도 모두 기뻐하리라 믿는다. 영혼은 자신이 몸을 선택한 목적을 알고, 그 목적을 다했을 때는 언제라도 몸의 형상을 바꿀 수 있음을 알기 때문임을 나는 안다.

지난 날 나는 과거와 미래에 사로잡혀 지금 이 순간의 삶 자체에 가득한 보물을 알아차리지 못했다. 이제 나는 순간의 삶 속 모든 체험과 관계 속에 담긴 죽음과 상실, 시작과 끝을 응시한다. 그 순간에 담긴 보물을 기도와 명상을 통한 완전 자각, 참된 자신이 됨으로서 깨닫고자 한다. 그 보물이란 가장 고귀한 사랑의 느낌이요, 신과 하나 됨이다.

지난 날 나는 죽음과 죽어감에 뒤따를 고통과 상실에 불안함과 두려움을 갖고 있었다. 이제 나는 죽음 역시 환상임을 이해하고, 죽음을 사랑할 수 있음을 안다.

나는 꽃도 열매도 아닌 나무다. 내가 생명 그 자체임을 안다.

19) 『지중해의 성자 다스칼로스 1』, 키리아코스 C. 마르키데스 지음, 이균형 옮김, 정신세계사, 2021, 154쪽

15. 환생과 업보

※ 환생과 업보란 무엇일까?

환생의 증거와 업보의 진실

신은 환생은 있다고 단언한다. 그리고 우리는 수많은 생을 산다며, 월쉬에게 너의 이번 생은 648번째 생이라 말씀했다. 이를 어떻게 받아들여야 할까?

우리의 현실에서 환생은 뜨거운 논란거리이다. 신의 존재를 부정하고, 일회적 삶을 주장하며, 죽음은 삶의 끝이라 믿는 많은 이들에게 환생은 있을 수 없는 허황된 꿈인 것이다. 일부 사람들은 환생이 존재한다 하더라도 지금의 이 힘든 삶을 영원히 계속해야 한다는 점에서 흔쾌히 받아들이기를 꺼려한다.

이와 관련해 신유가 다스칼로스는 환생의 증거에 대해 다음과 같이 말씀했다.

"먼저, 그 자체로서 증거가 되지는 못하지만 환생설을 지지해 주는 역사적, 종교적인 논거가 있습니다. 둘째, 환생이 공상이 아니라 실재라는 것을 확실히 보여 주는 사례들이 있지요. 그리고 세 번째로, 각자에게 환생의 실재성을 보여 주는 가장 좋은 증거는 자신의 전생에 관한 기억을 일깨워 내게끔 하는 것이지요."[20]

나는 두 번째 환생 증거로 제시한 확실한 사례란 전생을 기억하

---

20) 『지중해의 성자 다스칼로스 1』, 키리아코스 C. 마르키데스 지음, 이균형 옮김, 정신세계사, 2021, 175쪽

는 전 세계 2,500여 명의 아이들을 조사해 과학적으로 입증한 이안 스티븐슨 박사와 그의 제자인 짐 터커 박사의 저서에 담겨 있음을 확인한다.[21]

또한 나는 세 번째 환생 증거로 제시한 자신의 전생에 관한 기억을 일깨워 낸 대표적 사례를 담은 흥미로운 저서로 전면퇴행최면가인 마이클 뉴턴, 잠자는 예언자로 불리는 에드거 케이시, 전생 리딩 상담가 박진여 등의 사례를 참고했다.[22]

이에 신의 존재를 받아들이고, 우리가 영적 존재임을 믿는다면, 환생은 당연한 것이다. 왜냐하면 신성의 모든 부분을 체험을 통해 재창조하며 다시 신과 하나 되는 영적 진화의 과정은 무수한 삶을 필요로 하기 때문이다. 우리는 이 물질계의 삶 속에서 죽음이라는 형상을 바꾸는 체험을 거듭하며 성장을 계속한다. 신의 몸 안에서 영원히 우주 수레바퀴를 순환하는 작은 신들인 것이다.

신은 그 환생을 되풀이 하는 윤회의 과정에서 우리는 그 모든 것이었다고 말씀한다. 이는 무슨 뜻일까?

상대성과 망각과 대립물이 존재하는 이 물질계에서 신성의 모든 부분을 체험하려면 얼마나 많은 역할을 선택해야 하겠는가. 아마도 우리는 왕과 왕비였고, 노예와 천민이었으며, 완벽하거나 또는 장애가 있는 몸을 가졌으며, 세상의 곳곳에서 다양한 직업에 종사하는

---

21) 『어떤 아이들의 전생 기억에 관하여』, 짐 터커 지음, 박인수 옮김, 김영사, 2015
22) 『영혼들의 여행』, 마이클 뉴턴, 김도희·김지원 옮김, 나무생각, 2021 등 다수의 책이 있음
   『나는 잠자는 예언자』, 에드거 케이시 지음, 신선해 옮김, 사과나무, 2022
   『당신, 전생에서 읽어드립니다』, 박진여 지음, 김영사, 2015

무수한 삶들을 체험했을 것이다.

이에 환생을 믿는 사람들은 오래 전부터 자신의 수많은 삶 속 체험에서 필연적으로 저지르게 되는 잘못을 갚아야 하는 숙명을 안게 된다며 이를 업보라 믿었다. 하지만 신은 죄의 빚 같은 업보는 없으며, 성장과 성찰을 위한 업보는 있다고 말씀한다. 이는 무슨 뜻일까?

영적 존재로서의 인간 체험은 환상 속에서 서로의 요청에 의해 이루어지는 연극의 역할에 불과하다. 연극의 맡겨진 역할에 충실할 뿐인데 그 환상을 실재로 알고, 죄를 묻는다는 것은 있을 수 없다. 우리는 배우로서 그 역할에 따른 연기를 되돌아보고 성찰하며 성장할 뿐인 것이다.

다스칼로스는 그의 책에서 업보(카르마)에 대해 다음과 같이 말했다.

"이 생에서의 고통은 우리 자신의 카르마이거나, 사랑하는 사람의 고통스러운 카르마를 대신 지려는 각오의 결과이다. 당신의 행위를 돌이켜 보라. 그것이 어떤 결과로 되돌아오는지를. 오늘 그것을 깨닫지 못한다면 내일, 또는 모레에는 깨닫게 될 것이다. 이것이 인과응보의 우주적 법칙이다."[23]

종교학과 철학을 전공한 대표적 윤회론자인 크리스토퍼 베이치는 그의 책에서 업보에 대해 다음과 같이 말했다.

"초기 카르마(업보)는 예컨대 '눈에는 눈, 이에는 이'라는 인과응

---

23) 『지중해의 성자 다스칼로스 1』, 키리아코스 C. 마르키데스 지음, 이균형 옮김, 정신세계사, 2021, 107쪽

보식 정의로 묘사되곤 했다. 그러다가 '보상'이라는 개념이 포함되기 시작했다. 이윽고 카르마는 엄격한 기계적 균형보다는 좀더 '배움'에 초점이 맞춰진 개념으로 바뀌었고, 보상의 법칙도 더욱 폭넓게 이해 되었다. 당신은 원래 피해자에게 빚을 갚는 대신, 비슷한 일을 겪은 다른 피해자에게 빚을 갚을 수도 있다. 요점은 실수를 통해 '배우는' 것이다."24)

우리나라 죽음학 선구자로 불리며, 한국죽음학회를 창립한 최준식 교수는 그의 책에서 카르마에 대해 다음과 같이 말했다.

"카르마란 개개 영혼들로 하여금 궁극의 상태까지 갈 수 있게 도 와주는 법칙입니다. 카르마가 궁극적으로 지향하는 것은 개개 영혼 들로 하여금 지혜와 사랑을 닦아 이기적인 욕망을 초월하게 하는 것 입니다. 그럼으로써 우리는 우리가 원래 비롯된 우주의식과 하나가 될 수 있습니다."25)

우리가 무한한 자유선택권을 갖고 모든 영적 진화 과정을 체험하 려면 환생은 필연이다. 한 번의 삶에서 그 모든 것을 체험하기란 불 가능하기 때문이다.

이에 대해 크리스토퍼 베이치는 그의 책에서 윤회론에 대해 다음 과 같이 그 당위성을 설명하고 있다.

"우리가 윤회론의 시각으로써 삶의 리듬을 발견하기 시작할 때, 우리를 둘러싼 혼돈은 곧 정교하고 아름다운 교향곡으로 모습을 바 꾼다. 백 년 전에 심어진 삶의 주제가 오늘 싹을 틔우고 백 년 후에

---

24) 『윤회의 본질』, 크리스토퍼 베이치 지음, 김우종 옮김, 정신세계사, 2018, 117쪽
25) 『죽음의 미래』, 최준식 지음, 소나무, 2012, 315쪽

마무리된다. 한 생에서 내려진 선택의 결과가 다음 생으로 인계된다. 이 과정에서 버려지는 것은 없다. 실로 모든 것에 의미가 있다."26)

그 신성의 의미를 깨달아 가는 매 순간인 환생은 가장 고귀한 느낌인 사랑 그 자체라고 나는 이해한다.

나는 지난 삶에서 환생에 대한 기초적인 이해나 믿음은 부족했다. 막연히 관습적인 어른들의 말씀이나 종교적 가르침을 접하며 가볍게 흘려들었다.

그러나 이제는 삶과 죽음, 영혼과 윤회를 탐구하며 환생은 당위이며 필연이라 믿게 되었다. 나는 영적 존재로 신성의 모든 것을 체험하기 위해서는 많은 삶이 필요함을 안다. 그리고 그 환생의 체험은 영혼들의 즐거운 여행임도 안다.

업보와 관련해서는 내가 저지른 죄의 대가를 치러야 하는 것은 필연이며, 그에 따른 죄의식과 두려움이 있었다.

그러나 이제 나는 환생을 믿지만 죄의 대가로서의 업보는 믿지 않는다. 나는 나의 모든 삶이 신성한 계획에 따른 체험이며 역할임을 안다. 나는 그 모두가 서로가 서로에게 요청한 체험이요 역할이었기에 그 체험 속에 담긴 의미를 깨닫는 것이 중요함을 안다.

나는 그 역할의 과정과 결과는 옳고 그름을 판단할 수 없음을 안다. 그러면서도 내가 선택한 체험으로 남에게 해를 끼치는 역할을 했다면, 언젠가는 나도 그 체험을 하게 될 것이라는 의식을 갖고 있

---

26) 『윤회의 본질』, 크리스토퍼 베이치 지음, 김우종 옮김, 정신세계사, 2018, 34쪽

다.

그리고 나는 이 환생의 체험은 끝없는 고난의 과정이 아닌 환상 속에 펼쳐지는 즐거운 영적 진화의 과정임을 안다.

일부 종교가 환생을 부정하는 이유

일부 종교들은 왜 환생을 잘못된 교리라고 말할까?

앞서 우리는 많은 종교들이 두려움에 근거하고 있음을 성찰했다. 원죄와 십계명, 천국과 지옥이라는 교리는 대표적 사례다. 아마도 초기 종교적 조직과 교세 확장의 토대를 구축하기 위한 엄격한 규율이 필요했던 결과물은 아닐까 나는 이해한다.

이와 관련해 선각자 요가난다는 그의 자서전에서 스승 유크테스와르의 강론을 통해 다음과 같이 그 역사적 관점에 대해 말씀을 전했다.

"초기 기독교 교회는 그노시스파와 많은 교부들에 의해 해설된 영혼 재래설을 받아들였다. 그 교리가 최초로 이단으로 선언된 것은 A.D 533년 '제2차 콘스탄티노플 회의'에서였다. 그 당시 많은 기독교인들은 영혼 재래설이 인간에게 너무 많은 시간과 공간을 허락하여 직접 구원을 얻으려는 노력을 포기하게 한다고 생각했다. 그러나 왜곡된 진리는 좌충우돌하면서 많은 오류를 나타냈다. 수백만의 사람들이 단 한 번뿐인 자신의 삶을 하느님을 찾는 데 이용하지 않고, 세상을 즐기기 위해 사용했다. 유일하게 얻은 인생을 그렇게 간단하게 영원히 상실해 버리다니. 인간이 의식 차원에서 신의 아들의 지위를 회복할 때까지는 지상에서 윤회한다는 것은 진리이다."27)

신을 인격화된 유일신의 개념이 아닌 존재 전체요, 모든 생명과 사랑 그 자체인 개념으로 받아들인다면 원죄와 십계명은 의미가 없어진다. 모든 것을 받아들이는 무한한 사랑의 존재인 신이 무엇이 두려워 규칙을 만들어 심판하며 벌을 주려 하겠는가.

신은 판단하지 않는다. 우리가 원하는 것은 신이 원하는 것이기 때문이다. 환생이 영적 존재의 자유의지와 자유선택권을 기초로 할 때, 일부 종교들이 이를 받아들이기 어려울 것임을 나는 이해할 수 있다.

신은 환생이 없다면, 우리는 이 짧은 한 생애 속에서 모든 것을 이뤄야 하는데, 이는 불가능하다고 말씀한다. 이는 앞서 우리가 여러 차례 성찰한 바 있다.

이를 작가인 리처드 바크는 그의 책 『갈매기의 꿈』에서 다음과 같이 말했다.

"먹고, 다투고, 권력을 차지하는 일보다 더 가치 있는 삶이 있다는 것에 생각이 미치기까지 우리가 얼마나 많은 삶을 통과해야 하는지 아는가? 우리가 살아가는 목적은 완성을 발견하기 위함이라는 것을 깨닫고 그것을 추구하기까지 또다시 백 번의 생을 거쳐야 할 거야. 우리가 이 세계에서 배운 것을 통해서 우리의 다음 세계를 선택한다는 말일세."28)

---

27) 『요가난다, 영혼의 자서전』, 파라마한사 요가난다 지음, 김정우 옮김, 뜨란, 2020, 292쪽.
28) 『우리는 왜 죽음을 두려워할 필요 없는가』, 정현채 지음, 비아북, 2018,

나는 많은 기독교인들이 우리가 죽으면 천국과 지옥으로 가 영원히 산다는 믿음을 갖고 있음을 안다. 내 아내도 환생에 대한 나의 관점과 믿음을 기독교 교리의 근간을 해치는 것으로 받아들이며, 환생의 논리를 많이 불편해 한다.

한편 환생이라는 완벽한 우주 설계를 인정하면서도 그를 쉽게 받아들이지 못하는 이들도 있다. 현생의 고달픔을 끝없이 되풀이해야 한다는 것이 너무도 무거운 짐으로 생각되어 회피하고 싶은 마음이 들기 때문이다.

이제 나는 참다운 종교라면 환생에 대한 신의 섭리를 인정하고 받아들여야 한다고 믿는다. 그리고 환생은 삶의 끝없는 고역과 고통의 연속이 아니라 기쁨과 황홀함이 끝없이 이어지는 영혼의 여행임을 안다. 이는 신과 하나 되는 은혜와 축복의 삶이다.

영계에서 영혼의 선택과 체험

앞서 우리는 우리가 몸을 벗고 가게 되는 사후세계인 영계에서 지난 수많은 삶을 되돌아보고 점검하며, 영혼의 진화를 위한 다음 과정과 체험을 설계함을 이해했다.

여기서 신은 다른 신체로 되돌아가는 환생만이 그들에게 열린 유일한 선택은 아니라며, 영혼에게는 다양한 선택지가 주어짐을 말씀

185-186쪽

한다.

한편 앞서 소개했던 미국의 전면퇴행최면요법가인 마이클 뉴턴은 최면을 통해 수많은 내담자를 상담하며, 생과 생 사이인 영계에서 이루어지는 영혼들의 삶을 탐구하여 여러 권의 책을 출간했다.[29] 그는 책에서 영혼들은 영계에서 영혼의 진화 레벨에 따른 그룹에 속하게 되며, 영혼의 배움을 돕는 보다 진화된 안내자 영혼이나 원로 영혼의 지도를 받게 됨을 전하고 있다.

또한 영혼들은 영계에서 지난 삶을 되돌아보며 성찰의 시간을 갖기도 하고, 전생에서 얻게 된 상처를 치유하고 휴식을 취하거나 미지의 세계로 여행을 하기도 한다. 그렇게 충분한 휴식을 취한 후 영혼은 다시 지구로 환생하거나 안내자 영혼이 되거나 영계에 계속 남아 있기를 선택할 수 있다고 말한다.

한편 영혼이 짐승으로 돌아올 수 있느냐는 질문에는 신은 '아니다.' 라고 단언한다. 진화는 자기 창조이며, 그는 한 쪽 방향으로만 나아간다는 것이다. 영혼의 가장 큰 바람은 자신의 더 고귀한 측면을 체험하는 데 있음을 강조한 것으로 나는 이해한다.

그리고 동물에도 영혼이 있느냐는 질문에 신은 동물의 눈을 보면 알 수 있다고 말씀한다. 이는 무슨 뜻일까?

우주 만물은 신이 창조한 것이기에 모든 생명체에 영혼이 깃들어 있음을 말씀한 것으로 나는 이해한다. 영혼은 생명 에너지 그 자체가 아닌가.

---

29) 『영혼들의 여행』, 『영혼들의 운명 1,2』, 『영혼들의 시간』, 『영혼들의 기억』 등이 있다.

이제 나는 죽은 이후에도 영계에서 영혼이 하는 일이 많다는 것을 알게 되었다. 전생의 상처를 치유하고, 생각의 조절을 통해 거시 세계의 경이로운 체험을 즉석에서 할 수 있음을 안다. 또한 수백 번의 환생을 통해 경험한 수많은 삶을 되돌아보고 성찰하며, 지친 영혼을 위해 휴식을 취하기도 함을 안다.

또한 나는 영혼은 영적 성장을 위해 배움을 게을리 하지 않고, 영적 진화를 위한 다음 환생의 계획도 앞서가는 영혼인 안내자와 원로들의 도움을 받으며 세워야 함을 안다.

이제 나는 동물들도 영혼이 있음을 안다. 모든 삼라만상에도 영혼이 있음을 안다. 이에 나는 동식물 등 모든 만물을 사랑하며 함께 공존해야 할 존재임을 깨닫는다. 하지만 영혼의 진화는 위로 향하지, 아래로 향하지 않음도 성찰한다.

나는 그 무한한 영혼의 진화를 이루기 위해 환생은 당연한 사실이며, 환생은 신과 하나 됨을 위한 영광스럽고 황홀함이 함께하는 즐거운 여행임을 안다.

16. 사후세계

1) 죽은 후 어떤 일이 벌어질까?

영혼이 죽음과 환생을 선택하는 이유

앞서 우리는 영혼이란 신이 자신을 체험으로도 알기 위해 자신을 무수한 부분으로 나눠 창조한 작은 신임을 성찰했다. 영혼은 신의 창조물이기에 신과 하나다. 이에 영혼은 모든 걸 갖고 있고, 기억하고 있는 영원불멸하는 존재다. 또한 영혼은 인간 체험을 창조하는 주체다.

영혼은 진화의 과정에서 환생을 결정하고 다시 몸으로 돌아갈 때를 스스로 결정한다. 영혼은 자유선택권을 지니고 있기 때문이다. 이에 다시 몸이 죽고 싶을 때도 마찬가지로 영혼이 결정함을 신은 말씀한다.

그렇다면 영원불멸하는 존재인 영혼은 왜 죽음을 선택할까? 이에 신은 우리는 절대 죽지 않는 것이 영혼의 바람이지만, 그럼에도 영혼이 그 형상으로 남아 있는 데서 아무 의미를 찾지 못하는 순간, 영혼은 몸을 떠날 것이라고 신은 말씀한다. 무슨 뜻일까?

앞서 우리는 여러 차례 신의 창조성을 성찰했다. 신은 존재 전체요, 우주 만물이다. 창조의 기본 법칙은 변화다. 우주는 끊임없이 팽창과 수축을 반복한다. 따라서 영혼이 신성의 모든 부분을 체험하며 우주 수레바퀴를 순환하는 과정에서 한 몸의 형상만을 지닐 수는 없다. 영혼의 진화 과정에 맞게 몸의 형상도 끊임없이 변화할 것이라 나는 이해한다.

우리가 선택한 인간 체험을 통해 신성을 재창조해가며 이번 생의 목표를 달성하고 성장했다면, 영혼이 취한 이번 몸의 형상은 그 역할을 다한 것이라 나는 이해한다. 그러기에 다음 진화 목표를 위해 몸의 형상을 바꾸는 죽음을 영혼이 애석해하지 않으리라 이해한다.

앞서 우리가 성찰한 바대로 신은 그런 경우의 죽음은 영광스럽고 멋진 체험임을 말씀한다. 이른바 천국이라 불리는 사후세계 아닌가. 그 무한한 자유로움과 황홀한 사랑의 세계라는 신의 품으로 돌아가는 일이지 않은가.

한편 한국죽음학회 회장으로 있으면서 죽음학 연구에 선구자 역할을 해온 최준식 교수는 사후 세계를 탐구한 학자들의 자료를 기초로 사후 세계 가이드북을 펴냈다.[30] 그리고 그 책의 부록으로 <우리는 몸을 벗고 나서 어찌할 것인가?>라는 제목의 영계 입문 가이드라인을 요약해 실었다. 이 책은 우리가 사후 세계를 이해하고 준비하는 데 큰 도움이 될 것으로 믿는다.

지난 날 나는 영적 존재와 삶, 그에 따른 환생에 대한 기본 개념을 생각하지도 잘 알지도 못했다. 당연히 내 영혼이 새로운 몸을 선택해 삶을 시작하고, 그 목적을 다해 몸의 형상을 벗고자 할 때가 언제인지 어떤 식으로 이루어지는지 알지 못했다.

이제 나는 우리는 존재 자체, 생명 그 자체이기에 삶은 영원히 계속되며, 신성의 모든 것을 체험하기 위한 영혼의 바람으로 사후세계

---

30) 『죽음의 미래』, 최준식 지음, 소나무, 2012년

274

에서 다시 몸의 형상으로 돌아가는 환생을 선택할 수 있음을 안다.

나는 영혼이 죽기를 바라지 않는다는 것을 안다. 다만 이번 생의 목표를 지금 몸의 형상으로 체험하는 데서 더 이상의 영적 진화를 위한 의미를 찾을 수 없을 때는 기꺼이 형상을 바꾸는, 몸을 벗는 소위 죽음을 선택함을 안다.

또한 나는 영혼이 몸을 벗는 일을 애석해 하는 일은 있을 수 없음을 안다. 나는 그 일은 무한한 자유로움과 하나 됨의 자각이 있는 본향으로 가는 일이기에 영혼에게는 더없는 축복이요, 황홀한 순간임을 안다.

죽은 후 영혼이 갖게 되는 선택과 기회

신은 우리가 죽고 나면, 상상하지 못했던 다양한 선택과 기회를 가지게 될 것임을 말씀한다. 이는 무슨 뜻일까?

먼저 우리가 물질계의 인간 체험 속에서 자신이 그 해답을 구했던 온갖 물음들을 다시 제기할 수도 있다고 말씀한다. 이제 영계에서 모든 기억을 알게 된 영혼이기에 가능한 일이라고 나는 이해한다.

신은 다음으로 존재하리라 꿈도 꾸지 못했던 새로운 질문들에 자신을 열 수도 있다고 말씀한다. 아마도 미시세계인 이 물질계를 벗어나 거시세계인 사후세계의 즉각적인 인식이 놀라움으로 다가올 것이다. 그 거시세계는 또 다른 거시세계의 미시세계일 뿐이라고 신은 말씀하지 않았던가.

또한 신은 우리가 죽은 후, 다음번에 되고 싶고, 하고 싶고, 갖고 싶은 게 뭔지 정할 기회를 가질 것이라 말씀한다. 이 기회는 우리가 신의 무한성과 창조성을 알기에, 우리의 영적 진화 과정인 이 우주 수레바퀴라는 영원한 순환이 안겨줄 그 끝없는 영광과 황홀함이 함께 기다리고 있다. 그러기에 우리는 원하는 모든 것을 선택할 기회를 기쁨 속에 갖게 될 것이라 나는 이해한다.

이처럼 신은 우리가 원하는 것을 원한다. 우리는 몸을 벗고 난 후, 사후세계에서만이 아니라, 몸으로 있는 이 현실세계에서도 이 모든 것이 이루어질 수 있음을 깨닫는 것이 무엇보다 중요한 일임을 나는 이해한다.

이와 관련해 선각자 요가난다는 그의 자서전에서 죽은 스승 유크테스와르가 부활해 사후세계에 대한 놀라운 대화를 나눈 사실을 자세히 기록하고 있으니 참고해 보면 좋겠다. 영계의 거시세계 모습을 좀 더 이해할 수 있는 그 내용의 일부는 다음과 같다.

"너도 경전에서 읽었을 것이다. 신이 인간의 영혼을 차례대로 세 종류의 몸, 즉 상념적 혹은 근원적인 몸(causal body, 근원체), 정신적이고 정서적인 본성이 자리한 미묘한 몸(astral body, 영체), 거친 물리적인 몸(physical body, 육체) 속에 집어넣는다는 것을 말이다. 지구상의 인간은 육체적 감각을 갖추고 있으며, 영계의 인간은 의식과 감정과 생명자로 이루어진 몸을 사용한다. 근원체를 가진 존재들은 기쁨이 넘치는 상념의 세계에 머무르게 된다. 내가 하는 역할은 근원계로 들어가려고 준비하는 영계의 존재들과 관련된 것이다."31)

나는 영혼에 대한 공부 이후, 우리가 몸을 벗고 사후 세계로 가게 되면 무슨 일이 벌어지는지와 관련된 새로운 사실들을 많이 알게 되었다. 그 사실에 대한 명확한 설득력에서 기쁨과 사랑을 느끼게 되었다.

나는 영혼은 사후 세계에서도 휴식과 함께 많은 공부를 하며, 자신의 영적 진화 과정에 딱 들어맞는 또 다른 체험을 선택하리라는 것을 알게 되었다.

나는 무엇을 원할까? 나는 아마도 존재하리라 꿈도 꾸지 못했던 새로운 질문들에 자신을 여는 쪽을 선택하지 않을까 예상해본다. 나는 이런 질문과 선택은 내가 살아 있는 지금 이 순간 여기에서도 똑같이 이루어지고 있음을 안다.

죽은 후 영혼이 마주하는 세 가지 선택

신은 우리가 죽은 후 영계에서 선택하게 될 세 가지 유형에 대해 말씀한다.

그 중 하나는 조절되지 않은 자기 생각들이 그 순간을 창조하게 할 수 있다는 것이다. 이는 무슨 뜻일까?

신은 우리가 죽기 전 지니고 있던 가장 강렬했던 생각이 죽은 후

---

31) 『요가난다, 영혼의 자서전』, 파라마한사 요가난다 지음, 김정우 옮김, 뜨란, 2020, 658쪽

뚜렷하게 나타나게 된다고 강조한다. 따라서 죽기 전까지도 물질적 탐욕이나 원한과 분노와 같은 조절되지 않은 자기 생각을 지니고 있었다면, 죽은 후 그 생각이 즉시 현실에 창조되어 나타난다는 것이다.

또 하나는 창조력을 지닌 자기의식이 그 순간을 창조하게 할 수도 있다는 것이다. 이는 무슨 뜻일까?

만약 죽기 전, 사랑과 용서 그리고 기도와 명상으로 조절되는 자기의식을 지닐 수 있다면, 죽은 후 그 창조력을 지닌 자기의식이 현실에 창조되어 즉각적으로 나타나게 된다는 것이다.

세 번째는 집단의식이 그 순간을 창조하게 할 수도 있다는 것이다. 이는 무슨 뜻일까?

사후세계인 영계는 소위 천국이 아닌가. 그 곳에 들어서는 순간 우리는 크나큰 사랑에 둘러싸일 것이다. 순식간에 높은 존재들의 집단의식이 만들어 내는 현실을 마주하게 될 것이라 나는 이해한다.

그렇다면 우리가 몸을 벗기 전, 이 물질계의 삶 속에서도 창조력을 지니며, 조절할 수 있는 자기의식과 같은 높은 의식으로 현실을 창조할 수 있을 것이다. 이에 신은 우리의 삶 속에서 높은 의식을 가진 존재들을 찾는 게 현명하기에, 우리가 교제하는 동아리의 중요성은 아무리 강조해도 지나치지 않다고 말씀한다.

나는 생각이 지닌 놀라운 창조력을 믿는다. 가능한 조절될 수 있는 자기의식이나 높은 집단의식을 지닐 수 있도록 현실의 삶을 살고자 한다.

나는 내가 몸담고 있는 배움의공동체 동아리, 호스피스봉사자 동아리, 영사모 동아리가 창조력을 지닌 자기의식, 높은 집단의식으로 둘러싸인 곳임을 안다. 나는 이런 의식에 따라 살 때, 나의 현실 삶을 더 높게 창조하게 하고 영적의식을 상승시킬 수 있음을 안다.

　나는 이러한 동아리와 함께 한 의식이 지금 이 순간 그리고 죽어가는 상태에서 내가 지닐 의식이며, 이는 나의 가장 강력하고 열렬하며 우세해질 생각으로 사후에 뚜렷이 드러날 것임을 안다.

2) 죽은 후 어떻게 지옥 체험을 막을 수 있을까?

지옥을 믿는 사람에게도 주어지는 선택과 창조의 기회

앞서 우리는 이 주제를 다룬 적이 있다. 지옥은 없다. 신의 사랑
은 모든 것을 포용할 만큼 크기 때문이다. 그러나 지옥을 체험할 수
는 있다. 우리가 상상하고 경험할 수 있는 최악을 체험하는 것이 지
옥이다. 이는 자신이 신과 분리되어 있다는 환상 속에서 마주하게
되는 것임을 성찰했다.

앞서 우리가 살펴본 영화 『천국보다 아름다운』은 그 점을 놀라울
정도로 잘 그려내고 있다. 이 영화의 핵심은 우리가 체험하고 싶어
하는 꼭 그대로를 죽고 나서 체험하게 된다는 점이다. 주인공인 아
내는 두 자녀와 남편을 교통사고로 잃고, 그 모든 것이 자신의 잘못
때문이라 생각해 죄책감으로 고통스러워하다 자살한다. 아내는 죽은
후 고립된 상태에서 지옥을 체험한다.

나는 궁극의 현실이란 절대계인 신의 세계를 말하며, 존재 자체는
그 근원인 생명에너지이며, 소위 사랑 그 자체로 해석한다. 따라서
죽기 전 우리의 의식과 체험 상태에 따라 우리는 지옥을 체험할 수
는 있겠지만, 사랑만이 존재하는 궁극의 현실인 사후세계이기에 지
옥은 존재할 수 없다는 것으로 이를 해석한다.

위 영화에서는 남편의 사랑으로 아내는 그 지옥 같은 고립된 상
태에서 벗어나게 된다.

신은 우리가 설사 영계에서 지옥 같은 체험을 하더라도 그런 현실은 극히 짧은 순간밖에는 체험하지 않을 것임을 말씀한다. 신의 사랑을 깨닫거나 원하는 순간 우리는 그 고통에서 벗어나 사랑이 충만한 곳으로 옮겨갈 수 있기 때문이라 나는 이해한다.

나는 우리 모두가 죽기 전, 지금 여기 이 순간에도 그렇게 할 수 있음을 믿는다.

나는 우리가 현실의 삶에서 낮은 의식에서 비롯된 조절되지 못한 생각인 고통과 상처, 물질적 욕망, 원한과 분노 등에 사로잡혀 이를 벗어나지 못한 채 죽게 되면, 이런 잘못된 의식이 죽은 이후까지 이어지면서 소위 지옥을 체험하게 됨을 안다.

하지만 나는 이 지옥이라는 체험도 극히 짧은 순간밖에는 그것을 체험하지 않을 것임을 안다. 나는 언제나 자신이 체험하고 싶은 것을 선택할 수 있고, 신은 그 모든 것을 다 갖게 해줄 정도로 무한한 사랑의 존재라는 것을 알기 때문이다.

나는 우리의 삶과 죽음 직전의 주된 생각이 사후에도 연결됨을 믿고, 지금 이 순간 여기에서 언제나 신과 하나 되는 사랑을 선택할 수 있는 삶을 살며, 그런 존재로 되어 있어야 함을 안다.

죽은 후 지옥 체험을 막아 줄 수 있는 것

신이 말씀한 우리가 지옥 체험을 창조하는 자신을 막아 줄 수 있는 것은 자신의 앎과 이해라고 한 것은 무엇을 뜻하는 것일까?

우리는 앞서 지옥은 없으나 지옥을 체험할 수는 있음을 성찰했다. 무한한 사랑의 존재인 신이 그의 창조물인 우리를 영원한 천벌 속에 그대로 남아있도록 할 리가 만무하다. 지옥은 우리가 신과 하나임을 잊고 분리된 존재로 경험할 수 있는 최악의 체험이다.

따라서 우리는 언제나 어떤 상황에서도 자신이 영적 존재임을 자각하고, 신과 하나요, 신의 그 무한한 사랑 속에 있음을 믿는 깨달음이 바로 앎과 이해라고 나는 해석한다.

또한 우리가 원하는 모든 것을 신은 원한다. 우리는 신과 하나이기 때문이다. 신성의 모든 것을 체험을 통해서도 깨닫기 위해 우리는 인간 체험을 하고 있다. 따라서 언제나 어떤 상황에서도 나의 바람은 신의 바람이기에 우리가 원하는 것이 반드시 이루어질 것이라는 믿음을 갖는 것이 중요하다.

우리는 흔히 꿈속에서 자신을 해치려는 강도나 악마를 물리치려 소리치고 발버둥치는 경험을 한다. 깨어있는 상태에서도 뭔지 모르는 불안과 두려움에 소름이 돋는 경험도 한다.

그럴 때는 신의 무한한 사랑과 영적 존재로서의 영원불멸함을 믿고, 그 모든 것이 자신이 만들어낸 환상임을 자각하고, 조용히 '저리가', '나는 너를 원하지 않아'라고 말하면 된다. 사랑만을 생각하고 그 존재로 그냥 있으면 되는 것이다.

이와 관해 키리아코스는 그의 책에서 이렇게 전한다.

"한번은 꿈속에서 악마와 마주친 적이 있었다. 나는 겁에 질려 숨가쁘게 외쳤다. '신께서 구원하신다. 예수 그리스도께서 구원하신다.'

그러자 순간 악마가 사라졌다. 내가 이것을 다스칼로스에게 이야기하자 그는 웃으며, 사탄의 염체를 물리치기 위해서 내가 할 일은 단지 '물러가라'고 명령하기만 하면 되었을 거라고 했다."[32]

이제 나는 현실을 창조하는 건 자신의 생각이고 선택임을 안다. 그리고 나는 사후에는 이 점을 즉각적으로 이해하게 될 것임을 안다.

나는 영화 『천국보다 아름다운』이 자신의 부정적이고 잘못된 생각이 지옥을 창조하지만 우리가 새로운 생각이나 선택을 한다면 당장 그곳에서 벗어날 수 있음을 잘 표현해내고 있음을 안다.

나아가 나는 죽기 전 몸으로 있을 때 역시 우리의 올바른 앎과 이해가 우리의 지금 여기를 천국보다 아름다운 곳으로 창조할 수도 있음을 안다.

모든 순간에 우리가 바라는 그대로를 주는 신

우리는 계속해서 묻고 또 묻고, 확인하고 또 확인한다. 신의 놀라운 말씀을 믿지 못하고, 늘 미심쩍어 하며 주저하고 있는 것이다. 왜 그럴까?

신의 창조물로 신과 하나인 우리가 영적 존재임에도 이 물질계

---

32) 『지중해의 성자 다스칼로스 2』, 키리아코스 C. 마르키데스 지음, 이균형 옮김, 정신세계사, 2021, 327쪽

속 인간 체험을 위해 그 기억을 잊고 있기 때문이다. 만약 우리가 모든 것을 기억한다면 더 이상 인간 체험이 필요하지 않을 것이다.

신은 정말로 모든 순간에 우리가 바라는 꼭 그대로를 항상 주고 있을까?

나는 신의 존재 증명과 관련해 앞서 우리가 성찰한 바대로 이 역시 증명할 필요가 없다고 이해한다. 그것을 증명해야 한다고 생각하는 것이 신은 우리가 바라는 모든 것을 꼭 그대로 주고 있지 않다는 받침 생각이 되기 때문이다.

우리의 바람은 신의 바람이고, 우리가 원하는 것은 신이 원하는 것이다. 전능한 신이기에 우리가 바라는 모든 것을 신은 반드시 항상 줄 수 있다. 오직 그를 믿느냐, 믿지 않느냐의 문제일 뿐이다.

의심 많은 월쉬는 우리가 적어도 신과 같은 재질로 이루어졌다고 한다면, 신이 모든 곳에 동시에 존재하듯 우리도 어디나 항상 있을 수 있다는 것이냐고 되묻기까지 한다.

이에 신은 너희는 상상할 수 있는 모든 걸 체험할 수 있고, 너희가 한 때에 한 곳에서 한 영혼soul으로 존재하는 체험을 하고 싶거나, 더 큰 두 곳 이상에서 존재하는 자신의 영spirit을 체험하고 싶다면 너희는 그렇게도 할 수 있다는 놀라운 말씀으로 답한다.

나는 영혼이 사후 영적 진화 과정에 가장 적합한 여러 선택들을 정할 수 있음을 알게 되었다. 나는 이것이 우주 수레바퀴라는 진리와 법칙에 따라 주어지는 놀라운 기회임을 믿는다.

나는 자신이 원하고 주어지리라고 믿는다면 우리는 언제나 그 체

험을 받게 되리라는 것이 우주의 진리임을 안다. 심지어 주어진 순
간에 둘 이상의 장소에서 물질 형상으로 자신을 드러낼 수도 있음을
안다.

나는 지금 자신이 원하고 주어지리라 믿는 것이 무엇임을 안다.
나아가 현실을 넘어 사후까지 내 자신이 어떤 소망과 선택을 하게
될지가 참 궁금하고 기대된다.

완전한 앎과 전면 자각의 상태에 이르려면

우리는 앞서 우리가 원하는 것을 신은 언제나 이뤄주실 것이라는
믿음을 갖는 것이 중요함을 성찰했다. 그렇다면 우리는 어떻게 그런
믿음에 이를 수 있을까?

이에 대해 신이 말씀한 우리는 그런 수준의 믿음에 이를 수 없으
며, 단지 거기에 있을 수만 있다는 것은 무엇을 뜻하는 걸까?

이 역시 우리는 앞서 성찰했다. 우리는 굳이 신의 존재를 증명할
필요가 없음을 깨달았다. 신의 존재를 증명하려 애쓰는 일은 신이
존재하지 않는다는 것을 전제로 하기 때문이다.

우리가 무엇에 이르려고 또는 가지려고 애쓰는 것은 그것에 이를
수 없고 또는 가질 수 없다는 것을 받침생각으로 하는 것이다. 따라
서 우리는 거기에 있을 수만 있다. 우리가 이르고 가지려 원하는 그
것에 있거나, 그 곳에 존재해 있으면 되는 것이다.

신은 이러한 앎과 있음은 전면 자각의 상태에서 나온다고 말씀한

285

다. 이는 무슨 뜻일까?

우리가 신의 창조물이고, 신과 하나이며, 영적인 존재이기에, 우리의 내면에 존재하는 부서지지 않는 빛임을 알고, 그 존재로 있으면 된다는 것을 자각하는 것이 기본이라는 뜻으로 나는 이해한다.

신은 우리가 이런 믿음, 이런 자각 상태에 있고자 한다면 자신을 위해 원하는 것이 무엇이든 그것을 남에게 주라고 말씀한다. 이는 무슨 뜻일까?

나는 이를 자신이 무언가를 남에게 주려면 자신이 그 존재로 있어야 하며, 자신이 사랑과 행복의 존재로 있다면 우리는 그것을 남에게 아낌없이 줄 수 있게 된다는 뜻으로 해석한다. 주게 되면 자신의 빈 공간이 생기니, 더 많은 것을 채울 수 있다는 것으로 나는 이해한다.

또한 신은 우리가 스승을 존경할 때, 우리가 스승에게서 위대한 진실을 보게 되듯, 우리는 자신에게서도 그 진실을 보기 시작할 수 있다고 말씀한다. 이는 무슨 뜻일까?

신은 이를 우리의 내면 실체와 진실이 겉으로 드러난 증거물이라 강조한다. 우리는 수많은 선각자들과 진리의 전달자들을 마주하며, 자신이 지닌 내면의 진실과 참된 영성도 마주하게 된다는 것으로 나는 이해한다.

우리 모두는 진리의 전달자가 될 수 있다. 우리가 거기에 이를 수는 없지만, 거기에 있을 수는 있기 때문이라 나는 이해한다.

나는 내 영혼이 완전한 앎, 전면 자각의 상태에 이르고자 한다면 그 곳에 가 있으면 된다는 것을 안다. 이르고자 애쓰는 행위가 아닌 이르고자 한 그 곳에 있으면, 즉 존재하면 된다.

나는 완전한 앎, 전면 자각에 이르고자 하면, 자신이 원하는 것을 남에게 주라는 것은 우리 모두가 분리가 아닌 하나라는 인식에 근거함을 안다. 남에게 주는 것은 자신에게 주는 것이다. 남을 위해 베풀면 더 많은 것이 되어 자신에게 되돌아온다. 또한 남에게 주어야 자신을 채울 수 있는 빈 공간이 생기지 않겠는가.

나는 영적 스승을 존경하는 것은 힘을 내주는 것이 아니라, 힘을 얻는 것임을 안다. 나는 스승에게서 보는 것은 내 안을 보는 것이며, 나의 내면의 진실을 발견하는 일임을 안다.

나는 세상의 모든 사람들이 가치 있음을 안다. 나는 우리의 삶과 진리는 미래에 있지, 과거에 있지 않음을 안다. 나는 삶의 모든 것이 운동이요, 변화하지 않는 것은 없다는 것을 안다.

나는 내 안의 신성을 발견하고 다른 모든 사람들에게서 그것을 보기 시작한 게 이 책과의 대화를 통해서임을 안다.

3) 유체이탈, 신성한 딜레마에 담긴 영원한 과정이란?

죽기 전 몸 밖에서의 체험인 유체이탈

월쉬는 사후세계에서 경험하게 되는 것, 즉 불필요한 것에서 벗어나는 정화와 즉시 원하는 걸 가질 수 있는 천국, 그리고 하나 됨의 희열을 체험하는 열반의 단계를 이해했다. 그러면서 죽고 나서가 아니라 죽기 전에도 할 수 있다는 몸 밖에서의 체험인 유체이탈에 대해 물었다.

이에 신은 유체이탈은 영혼이 몸을 떠나는 것으로 꿈꾸거나 명상하는 동안에 흔히 일어나는 일이라 말씀한다. 이를 어떻게 이해해야 할까?

우리는 수많은 선각자들의 말씀이나 의학적으로도 유체이탈을 연구한 학자들을 통해 이를 체험한 무수한 사례를 접할 수 있다.

티벳 출신의 선각자 롭상 람파는 그의 책에서 유체이탈을 다음과 같이 설명하며, 그 체험을 할 수 있는 구체적인 방법까지 자세히 설명하고 있다.

"육체의 한계를 벗어남으로써, 마치 운전자가 잠시 자동차를 떠나듯이, 인간은 더 큰 영의 세계를 볼 수 있고, 육체에 싸여 있는 동안에 배운 교훈들을 평가할 수가 있다. 유체는 어느 때 어느 곳이든 눈 깜짝할 사이에 갈 수 있으며, 연습만 하면 어느 도서관이든 방문해서 무슨 책이든 그 책의 어느 페이지든 쉽게 찾아볼 수가 있다

미국의 정신과 의사 레이먼드 무디 주니어는 근사체험이란 용어를 처음 사용했다. 그는 임종에 가까웠을 때 혹은 일시적으로 뇌와 심장기능이 정지하여 생물학적으로 사망한 상태에서 사후세계를 경험한 150명의 근사체험자를 면담한 후 펴낸 책 『다시 산다는 것』을 출판해 많은 관심을 불러일으켰다.34)

신은 우리의 영혼은 꿈이든, 명상을 통한 각성의 순간이든 유체이탈을 통해 자신이 잊고 있던 기억 속으로 다시 빠져드는 것일 뿐이라며, 그런 장대한 체험 후에는 자신의 현실 생활이 다르게 될 것이라 말씀한다.

또한 신은 그 기억을 유지할 방도로 자신이 알게 된 바대로 행동할 것이며, 자신이 아는 것을 남에게 주라고 말씀한다. 우리가 그 기억을 남들에게 더 많이 보낼수록, 그것을 자신에게 보낼 필요는 더 줄어들 것이라 강조한다.

우리는 자신이 아는 것을 다른 사람에게 설명해 줄 때, 자신은 그를 더욱 완전하게 기억하고 배우게 됨을 경험한다. 자신의 지식이 남에게 전해지는 체험을 통해 지혜가 되며 배움의 즐거움을 깨닫게 되는 것으로 나는 이해한다.

롭상 람파는 그의 책에서 이 기억을 유지할 방법으로 아래와 같은 고대 선인들이 사용했던 '주문'을 소개했다. 일종의 기도인 만트

---

33) 『롭상 람파의 가르침』, 롭상 람파 지음, 이재원 옮김, 정신세계사, 2020, 85쪽.
34) 『우리는 왜 죽음을 두려워할 필요 없는가』, 정현채 지음, 비아북, 2018, 62쪽.

라(眞言)를 반복해서 욈으로써 잠재의식을 예속시키고자 했다.

"모월 모일, 나는 유체여행을 하려 한다. 나는 내가 하는 모든 일과 내가 보는 모든 것을 자각하고 다시 육체로 돌아올 때, 이 모든 일을 빠짐없이 기억할 것이다. 나는 틀림없이 이 일을 해낼 것이다."[35)

나는 현실에서 유체이탈을 체험하고 그 모든 것을 기억해낼 수 있음을 이해한다. 나는 현실에서 유체이탈을 통해 더 나은 앎으로 바뀐 장대한 현실을 경험하고, 더 많이 알게 된 기억들을 또다시 잊지 않도록 할 수 있음을 안다.

나는 내가 유체이탈을 통해 기억해 내는 일을 더 자주 더 많이 더 오래 할수록 그렇게 할 필요는 더 줄어들고, 그 기억해 낸 메시지를 남에게 더 많이 보낼수록 내가 자신에게 보낼 필요는 더 줄어들 것이며, 이 일은 점점 더 쉽고 즐거워질 것임을 안다.

나는 이 '기억해 냄'이란 우리 모두가 신과 하나요, 한 부분이기에 그 모든 영혼들이 체험을 통해 창조해 낸 모든 것을 기억해 낸다는 것으로 이해한다. 나는 개념으로만 알고 있는 신성의 모든 부분을 체험을 통해 깨닫는 지상에서의 인간의 삶은 실제가 아닌 환상임도 안다.

---

35) 『롭상 람파의 가르침』, 롭상 람파 지음, 이재원 옮김, 정신세계사, 2020, 109쪽

신성한 딜레마에 담긴 영혼의 영원한 과정

월쉬의 이 질문은 우리가 사후세계에서 열반이라 부르는 하나 됨의 상태에 이르게 되면, 즉 근원으로 돌아가고 나면, 또 다시 그 존재 전체와 분리 되어 처음부터 영적 진화 과정을 되풀이 하는 영원한 과정에 대한 물음이다.

이에 신은 존재는 비존재의 공간에서를 빼고는 존재할 수 없다고 말씀한다. 무슨 뜻일까?

앞서 우리는 여러 차례 이 문제를 성찰했다. 소위 천국이라는 절대계, 즉 궁극의 실체인 곳은 사랑 그 자체만 존재한다. 존재 전체를 상징하는 사랑을 개념으로서만 알 수 있을 뿐이다.

이에 신은 사랑을 체험으로도 알며, 그 체험을 통해 사랑을 재창조하려는 갈망으로 존재 전체인 자신을 존재 아닌 무수한 부분으로 나누었다. 상대성과 대립물로 이루어진 물질계를 창조해 자신의 무수한 부분인 영혼을 통해 인간 체험을 하도록 한 것이다.

신은 완전한 하나 됨의 희열을 체험하려면 희열보다 못한 체험이 존재해야 하는 이 모순과 참이 함께 하는 관계를 신성한 딜레마라 부른 것이다. 우리는 이를 어떻게 이해해야 할까?

이것이 딜레마인 이유는 만약 우리가 개별 영혼으로 존재하며 성장해 마침내 신과 하나 되면, 개별 영혼으로서 우리는 사라지게 되고, 우리는 어떤 체험도 선택할 수 없기 때문이다.

이에 신은 거듭 이것은 신이 항상 가졌고, 신이 신이 아닌 것의 창조로 해결했던 바로 그 딜레마이며, 이는 운명이고, 이것이 최대 진리라고 말씀한다. 우리는 이를 어떻게 이해해야 할까?

나의 부족한 이해에 근거한다면 존재 전체인 신은 우주 만물을 이루는 생명 에너지 그 자체다. 이 에너지인 신의 본질은 창조다. 또한 창조의 본질은 변화다. 따라서 우주 만물이 팽창하고 응축하는 그 영원한 순환과 과정은 법칙이요, 진리라 믿을 수밖에 없다고 생각한다.

신은 그 영원한 과정에서 영혼인 우리는 언제나 자유선택권을 가질 것이기에, 우리는 자신이 기뻐하며 되돌아갈 수 있는 곳이라면, 우주 수레바퀴 위의 어떤 지점으로도 되돌아갈 수 있다고 말씀한다.

이에 신은 이 신성한 딜레마에 담긴 영혼의 영원한 과정은 신과 삶 전체의 완벽한 장대함에 대한 기쁨과 황홀함만이 깃들 것임을 강조한다. 앞서 여러 차례 성찰한 바대로 우리는 지금 여기 이 순간 속에 담긴 그 기쁨과 황홀함을 알아차릴 때, 참된 자신을 발견할 수 있다는 것이 최대의 진리임을 강조한 것으로 나는 이해한다.

나는 존재는 비존재의 공간 체험을 빼고는 존재할 수 없음을 안다. 나는 존재 전체인 신은 신이 아닌 것을 창조함으로써 그 신성한 딜레마를 해결했음을 안다.

나는 하나 됨에서 분리로 갔다가 다시 하나 됨으로 이어지는 끝없는 삶의 순환인 우주 수레바퀴의 과정은 맥 빠지는 일이 아님을 안다. 나는 아무리 하나 됨의 황홀한 체험이라도 그 체험이 멈추고 분리되는 때를 경험하지 못한다면, 그 황홀함을 체험하기 어렵다는 것을 안다.

따라서 나는 지금 여기 이 순간의 모든 것이 황홀하다는 것을 안다.

나는 다시 한 번 신성한 딜레마에 담긴 영혼의 영원한 과정인 우주 수레바퀴와 윤회의 성스러움과 기쁨을 찬미한다.

17. 창조의 비밀, 심령력

1) 창조의 비밀이란 무엇일까?

신이 만물을 한 번에 창조한 뜻

우리는 궁금한 것이 참 많다. 자신이 누구인지, 어떤 존재가 되고자 하는지를 의식할 수 있는 존재이기 때문이라 이해한다. 많은 사람들은 우주 창조의 비밀에 대해 알고 싶어 한다. 우리가 사는 이 지구의 운명이 어떻게 될지에 대해 궁금해 한다.

그런데 신은 이미 그 모든 것이 일어났다고 말씀한다. 우리는 이를 어떻게 이해해야 할까?

앞서 우리가 여러 차례 성찰한 바대로 신은 전능하다. 존재 전체인 신이 자신의 앎을 체험을 통해 재창조하는 무수한 개별 영혼을 통해 우주 수레바퀴를 돌린다. 신은 이 영원한 과정에서 일어나는 모든 상황과 사건을 한꺼번에 창조했다. 그 체험의 황홀한 기쁨의 순간을 기다릴 필요가 없었을 것이다.

일부 종교에서는 신은 첫째 날부터 여섯째 날까지 세상을 창조하시고 일곱째 날은 쉬셨다고 말씀한다. 나는 종교는 믿음에 기초하기에 그 믿음을 존중하지만, 전능한 신이 굳이 그렇게 할 필요가 있을까 의문이 드는 것도 사실이다.

이에 신은 우리의 궁금증을 CD-ROM을 예로 들어 쉽게 이해할 수 있도록 했다. 이는 무슨 뜻일까?

예상할 수 없고, 흥미진진한 상황과 사건이 펼쳐지는 게임 프로그

램이 담긴 CD-ROM은 신이 왜 이 세상을 한꺼번에 창조하고, 그를 체험하며 즐기고자 했는지를 상징적으로 비유해 주는 좋은 사례이다.

신은 이 CD-ROM이란 디스크 안에는 아이가 원하는 어떤 명령에도 즉각적으로 답할 수 있는 모든 것이 이미 다 들어있다고 말씀한다. CD-ROM은 아이가 어느 쪽을 선택할지 그냥 기다리고만 있다. 어떤 선택을 하든 신경 쓰지 않는다. 게임의 승패에는 관심이 없다. 이미 모든 끝냄이 존재하고 있는 것이다.

이렇듯 신은 이미 모든 것을 창조했다. 우리는 그 안에서 자신이 체험하고자 하는 것을 선택하면 된다. 지구의 미래도 마찬가지 아닐까. 나는 그렇게 이해한다.

나는 전능한 존재인 신은 모든 것을 완벽한 계획으로 한 번에 창조했다는 것을 믿는다. 이는 세상의 모든 상황과 사건을 설명해 주는 완벽한 생각임을 안다. 나는 세상에 우연이란 없음을 안다.

신과 우리는 하나다. 신성의 모든 부분을 체험을 통해 재창조하는 우리는 영적 존재로 자유선택권을 갖고 있다. 그를 통해 영적 진화 과정을 진행하며 무수한 선택을 하는 우주 수레바퀴이다.

CD-ROM의 비유는 내 자신이 우주 속에서 벌어지는 모든 상황과 사건을 이해하는데 큰 도움을 주었다. 나는 신은 한 번에 모든 것을 창조하셨기에, 내가 어떤 끝냄을 선택하든 신경 쓰지 않음을 안다.

이에 지구 격변에 대한 문제도 나는 내가 원하는 끝냄을 선택할 수 있음을 안다. 나아가 다수가 원하는 집단의식이 선택하는 것이라면 지구의 진화는 계속될 것임을 안다.

모든 일이 이미 일어났다면 우리의 일은

이 질문은 당연하면서도 중요하다. 만약 신의 말씀대로 모든 것이 이미 일어났다면, 우리가 할 일은 없어지기 때문이다. 더욱이 우리는 창조자인 영적 존재가 아닌가.

이에 신은 CD-ROM에는 다양한 버전이 존재한다고 말씀한다. 이는 무슨 뜻일까?

존재 전체인 신성의 무한함은 진리이다. 끝없는 선택지가 존재한다는 뜻으로 이해한다. 우리가 무엇을 선택하느냐에 따라 우리가 향할 길은 달라질 것이다.

앞서 우리는 세상의 모든 상황과 사건은 개인과 집단의식이 만들어낸 결과임을 성찰했다. 우리가 지구 멸망의 길을 선택한다면 그렇게 되겠지만, 우리가 바람직한 지구 진화의 길을 선택한다면 당연히 지구의 대재난은 다가오지 않을 것이라 나는 이해한다.

이는 신이 우리를 통해 신성의 모든 것을 체험하고 있음을 알 수 있다. 신은 우리가 어떤 선택을 하든 그 모든 것을 받아들인다. 우리의 선택에 옳고 그름을 판단하지 않는다. 대립되는 그 모든 것을 체험하지 않는다면 참된 자신을 알 수 없기 때문이다.

우리가 지구의 대 격변을 원하지 않는다면 그를 선택하지 않으면 된다. CD-ROM에는 무수한 다른 버전이 있다. 사랑과 축복이 가득한 그 황홀함을 안겨줄 무수한 체험이 기다리고 있음을 나는 깨닫는다.

나는 이미 모든 것이 창조되었고, 우리는 끝없는 선택만 하면 된다는 것이 어떤 면에서 우리가 할 일이 아무 것도 없다는 뜻으로 전해질 수 있음을 안다.

나는 우주 수레바퀴라는 영적 진화 과정 속에 펼쳐지는 무수한 선택의 체험에는 우리가 경험하지 못한 수많은 버전이 있음을 안다. 나는 신이 한꺼번에 이 세상을 창조하셨다 해도 우리가 선택할 일은 너무도 많다는 것을 안다.

나아가 우리가 선택한 일을 체험을 통해 재창조해 가는 과정은 무한한 기쁨과 황홀함만이 깃든 우주 수레바퀴의 영원한 순환임을 안다.

나는 언젠가 다시 참된 자신, 사랑 그 자체인 신과 하나 되는 순간을 맞게 될 것임을 안다. 나는 그 끝없는 과정은 우리를 흥분하게 하는 더없이 매력적인 순간들일 것임을 안다.

모든 재난을 마주해서 우리가 해야 할 일은

앞서 우리는 이 지구의 모든 운명을 좌우하는 것이 우리의 선택에 달려있음을 성찰했다. 이에 월쉬는 우리가 어떻게 그렇게 할 수 있는지, 많은 선각자들이 예언하는 이 모든 재난을 마주해서 우리가 해야 할 일은 무엇이냐고 물었다.

이에 신은 어떻게 해야 할지를 알고 싶다면 내면으로 가라고 말씀한다. 이는 무슨 뜻일까?

앞서 우리는 모든 것을 기억하고 있는 영적 존재임을 성찰했다. 대립물이 존재하는 물질계에서의 인간 체험을 위해 잠시 망각 상태에 있을 뿐이다. 하지만 우리는 부서지지 않는 내면의 빛을 지닌 영적 존재다. 영혼의 언어인 내면의 느낌과 소리에 귀 기울인다면, 우리는 그 잊고 있던 모든 기억을 되살려낼 수 있다는 것으로 나는 이해한다.

또한 신은 우리는 죽지 않으니, 모든 것에서 완벽을 보라 말씀한다. 우리는 이를 어떻게 이해해야 할까?

우리는 영적 존재다. 영원불멸하는 존재이기에 죽음은 없다. 다만 형상을 바꿀 뿐임을 성찰했다. 따라서 우리는 어떤 상황에서도 두려움을 가질 필요가 없다. 신의 완벽함을 믿고 자신 있게 평화를 선택하면 될 것이다.

앞서 우리는 우주의 끌어당김 법칙에 대해 성찰했다. 저항은 저항을, 슬픔은 슬픔을 불러온다. 이에 사랑과 기쁨, 믿음과 완벽함으로 세상을 원하고 선택해야 함이야 말로 우리가 지녀야 할 자세임을 나는 이해한다.

나는 모든 것이 신의 완벽한 창조로 빚어진 환상임을 안다. 나는 이 지구의 대 격변도 우리의 집단의식으로 불러온 선택의 결과임을 안다.

나는 우리가 직면한 이 지구 멸망의 위기 요인들을 해소하려면 우리의 집단의식을 고양하고 자각하며 새로운 버전을 선택하면 된다는 것을 안다.

나는 신의 완벽을 보면서 두려움 없이 평온한 마음으로 그런 집단적 노력을 함께 하는 사자가 될 것임을 안다.

나는 개인적인 모든 상황과 사건의 올바른 해결 방식도 마찬가지임을 안다. 나의 내면으로가 그 곳에 있는 지혜의 소리를 귀 기울여 듣고 그에 따라 행동하는 것임을 안다.

2) 심령력은 무엇이며, 어떻게 사용해야 할까?

심령력과 그 법칙, 우리의 자세

앞서 신은 어떻게 해야 할지를 알고 싶다면 내면으로 가라고 말씀했다. 나는 이를 우리는 부서지지 않는 내면의 빛을 지닌 영적 존재이기에, 영혼의 언어인 내면의 느낌과 소리에 귀 기울인다면 그 해답을 찾을 수 있다는 것으로 이해했다.

이에 자연스럽게 심령력에 대한 물음이 요청된 것이다. 이에 대해 신은 심령력이란 우리의 한정된 체험을 뛰어 넘는 에너지를 느끼는 능력이라 말씀한다. 이를 어떻게 이해해야 할까?

나는 우리는 영적 존재이기에 당연히 심령력을 갖고 있으리라 이해한다. 흔히 현실에서 사람들이 말하는 육감이나 직감과 같은 느낌의 표현이 그에 해당할 것이다. 또한 누구나 어두운 밤길을 걷거나, 왠지 모를 갑갑한 상황에 놓였을 때, 머리가 쭈뼛하고 소름이 돋거나, 불안하고 두려운 감정이 증폭되어 식은땀을 흘린 경험들이 있을 것이다.

영국은 1954년 심령주의를 종교로 인정하는 법령이 통과되었다. 이에 따라 영매의 심령력으로 죽은 영과 대화를 나누는 교령회가 널리 퍼졌다. 영매 모리스 바바넬이 아메리카 인디언 영인 실버 버치와 진행한 교령회 기록을 책으로 펴냈는데, 이 책에서 실버 버치는 심령에너지에 대해 다음과 같이 말했다.

"심령 에너지를 마치 세속적인 물건을 소유하듯이 가질 수는 없어요. 심령 에너지가 작동하는 경로가 될 수는 있죠. 모든 사람은 심령 능력을 갖고 있답니다. 영이 물질적인 육체로부터 해방될 때 자신을 표현하기 위한 수단으로 심령 능력을 쓰게 되죠. 여러분은 태아 적부터 이 모든 능력을 지니고 있지만, 통상적으로는 발휘되지 않아요. 그러나 영매는 그렇게 합니다."[36)

한편 신은 직관은 영혼의 귀라고 말씀한다. 우리가 체험하는 그 예감을 심령력이라 부를 수 있을 것이다. 이에 신은 우리의 영적 삶을 고양하기 위한 심령 법칙 세 가지를 제시한다. '생각은 에너지다. 모든 것은 움직인다. 모든 시간이 지금이다.'가 그것이다. 우리는 이를 어떻게 이해해야 할까?

앞서 우리는 여러 차례 우주 만물은 생명 에너지 그 자체이며, 신은 창조함과 변화 그 자체이고, 시간은 존재하지 않기에 지금 이 순간만이 존재함을 성찰했다.

따라서 영적 존재인 우리는 날마다 우리가 지닌 심령력을 발달시키기 위해 이러한 심령 법칙을 자각하고, 내면의 느낌인 육감과 직감에 귀 기울여야 할 것이다. 매 순간마다 자신이 누구인지, 자신이 되고자 하는 존재가 무엇인지를 깨닫고, 사랑 그 자체인 참된 자신으로 있을 수 있어야 한다는 것임을 나는 이해한다.

지난 날 나는 어떤 예감에 몸이 쭈뼛했던 경험들이 있다. 이 예감

---

36) 『실버 버치의 가르침』, 실버 버치 지음, 김성진 옮김, 정신세계사, 2020, 109쪽

이 육감으로 이것이 심령력임을 깨닫는다. 나는 지금 이 순간 나의 내면에서 흘러나오는 생각에너지를 알아차리는 육감을 훈련을 통해 가꿀 수 있음을 안다.

나는 이 직관이 불러오는 에너지에 귀 기울이며 두려움에서 벗어나 사랑의 마음으로 행동할 때, 이 예감과 육감인 심령력을 훈련으로 가꿀 수 있음을 안다.

나는 우리 모두 자신의 내면으로 가 지혜와 모든 것의 완벽을 구하고 물어야 함을 안다. 우리의 참된 자신을 창조하기 위한 올바른 선택은 무엇인지. 우리 모두를 이 책으로 데려온 게 누구인지를 말이다.

심령력 사용 시 유의점과 물질계의 자연법칙

신은 우리가 영적 존재이기에 모두가 심령술사라고 말씀한다. 이에 월쉬는 특별히 민감한 능력으로 에너지를 잡아내고 읽어내는 영매와 같은 심령술사의 진위를 우리가 어떻게 구별할 수 있는지, 심령력을 사용할 경우 무엇을 주의해야 하는지를 물었다.

이에 신은 믿을 만한 직관자라면 자신의 심령력으로 어떤 결과를 만들어내겠다고 제안하거나 다른 사람의 자유의지나 생각을 절대 침해하지 않아야 함을 알 것이라 말씀한다. 물론 앞서 성찰한대로 여기서 사용한 절대라는 표현은 우리가 가고자 하는 방향에 비추어 그 효용성을 기준으로 하고 있음을 나는 이해한다.

신은 그럼에도 물질계 속에 설정된 자연법칙의 하나로 야기된 모든 결과는 결국에 가서 자신이 체험한다는 인과법칙에 대해 말씀한다. 이는 무슨 뜻일까?

이 역시 앞서 성찰한 바대로 우리가 행위 할 때에는 남에게 피해를 주거나 다른 사람의 동의 없이 행위 해서는 안 된다는 것이다. 나아가 우리가 남에게 체험하도록 한 것은 언젠가는 자신이 체험하게 된다는 것으로 나는 이해한다.

이에 신은 많은 사람들은 이를 '너희는 남들에게 대접받기 바라는 대로 남들을 대접하라.'는 예수의 훈계로 이 점을 알고 있다며, 예수는 인과법칙을 가르친 것이고, 그것은 '일급 법칙'이라 불릴 만한 것이라 말씀한다.

나는 나의 심령력을 자신의 이익을 취하거나, 특정 영혼의 미래를 예단하는데 사용함으로써 우주의 법칙을 거스르는 어리석음을 범하지 않을 것임을 안다.

나는 인과법칙이라는 기본적인 우주법칙이 존재함을 수용한다. 그것은 우리가 행위 할 때는 남에게 피해를 주어서는 안 되며, 상대방의 동의를 구해야한다는 것임을 안다. 나아가 내가 남에게 한 모든 체험은 언젠가는 내 자신이 체험할 것이라는 점을 안다.

나는 우리 사회에서 벌어지는 모든 상황과 사건들도 이 인과법칙의 적용이라는 점에서 한 치의 예외가 없을 것임을 안다.

그러나 아직도 우리 사회 현실에서는 이 인과법칙에 어긋나는 안타깝고 기이한 일들이 수없이 벌어지고 있음을 본다. 돈과 권력의 탐욕에 눈이 멀어 남을 해치고 있으면서도 양심의 가책을 느끼지 못하고 거짓과 위선에 빠져있는 것이다.

나는 이 모든 것을 주의 깊게 관찰하고 있다.

심령술사의 진위를 알 수 있으려면

신은 진짜 심령술사는 절대로 다른 사람이 걷는 길에 간섭하거나, 그들의 선택에 영향을 끼치지 않을 것이라 말씀한다. 우리는 이를 어떻게 이해해야 할까?

우리의 현실에서는 많은 이들이 자신이 처한 어려움을 해결하기 위해 뭔가 도움을 받고 싶은 마음에 영매와 같은 심령술사를 찾는다. 인간의 능력을 뛰어 넘는 특별한 예지력을 심령술사들은 갖고 있으리라는 믿음에 자신의 어려움을 해결할 수 있기를 기대하는 것이다.

하지만 자신이 영적 존재로서 그런 심령력을 갖고 있음은 관심 밖이다. 이는 참된 자신을 깨닫지 못하는 무지에서 오는 결과로 나는 이해한다.

이에 우리는 주위에 이런 심령술에 의지하려는 사람들의 심리를 이용해 개인의 이익을 추구하는 사이비 심령술사들을 흔히 접하고 있다. 이는 우주의 인과법칙에 어긋나는 행위이다. 모든 영혼이 우주의 완벽한 질서와 신성한 계획에 따라 가고 있는 그 길과 영혼의 자유선택권은 누구도 침해할 수 없기 때문이다.

이와 관련해 영적 구도자로 이미 모든 신성을 체험하고 깨달음을 성취한 상승대사인 세인트 저메인과 함께한 수행이야기를 자서전으로 펴낸 피터 마운트 샤스타는 그의 책에서 채널링과 관련한 스승 펄의 말씀을 통해 다음과 같이 전했다.

"대사의 현존 안에 머무를 수 있을 만큼의 큰 은총을 받은 이는 결코 똑같은 특권에 대해 돈을 요구하지 않을 것입니다. 이것이 어떤 이가 대사를 만났는지 아닌지를 판단할 수 있는 기준 중의 하나입니다. 자신이 은총으로 받은 것에 대해 금전을 요구하는 행위는 그들 자신을 그 은총과 멀어지게 하는 행위입니다. 영spirit에 값을 매긴다는 것은 곧 영의 부재를 나타낸다는 것을 아세요."[37]

또한 신은 진짜 심령술사라면 누구에 대해서든지 사사롭거나 은밀한 정보를 누설하지 않는다고 말씀한다. 앞서 우리는 지금 이 순간만이 존재하기에 과거에 미련을 갖거나 오지 않은 미래를 걱정할 필요가 없음을 성찰했다. 오직 이 순간 참된 자신으로 존재해 있으면 되는 것이다. 진짜 심령술사라면 이를 모를 리가 없을 것이라 나는 이해한다.

나는 진짜 심령술사라면 자신의 이익을 위해 인간의 약점을 이용하려 하거나, 한 영혼의 자유로운 선택과 미래를 예단하는 일 등은 하지 않을 것임을 안다. 나는 진짜 심령술사는 오로지 봉사하기 위해 거기에 있음을 안다.

---

37) 『마스터의 제자』, 피터 마운트 샤스타 지음, 이상범, 김성희, 배민경 옮김, 정신세계사, 2022, 62쪽

나는 우리 사회에서 불순한 의도로 순수한 심령력을 오용하려는 움직임이 있음을 알며, 이를 경계해야 함을 안다. 또한 그런 불순한 체험을 야기한 사람들은 언젠가는 반드시 자신이 그 체험을 돌려받을 것임을 안다.

나는 우리 모두가 심령력을 지니고 있음을 안다. 나는 자신의 모든 문제를 해결해 나감에 있어 남에게 의지하기 보다는 자신의 주체적인 해결 자세가 보다 중요함을 안다.

먼저 간 사랑했던 고인과의 교류 시 유의점

우리는 흔히 심령력과 관련해 먼저 죽은 사랑하는 사람을 못 잊어 다시 만날 수 있기를 바라는 간절한 마음에 영매를 찾아 도움을 청하는 사례를 접한다. 또한 죽은 영혼이 남아 있는 사랑하는 이들의 슬픔을 위로해 주고자 다양한 방법으로 그 신호를 보내는 사례도 듣는다. 이와 관련한 책과 영화들도 쉽게 만날 수 있다.

이에 신은 우리가 고인과의 교류를 간절히 원한다면 먼저 죽은 영혼이 그 방법을 찾아낼 테니 염려하지 말라고 말씀한다. 우리는 이를 어떻게 이해해야 할까?

앞서 우리는 우리의 생각과 말과 행동은 에너지가 되어 순식간에 우주로 향하며, 영원히 남아 있게 된다고 성찰했다. 이에 영적 존재인 영혼이 사랑하는 이의 바람을 모를 리가 없다고 믿는다.

한편 신은 앞서 가버린 모든 사랑하는 이들이 사후세계의 완벽한 신의 품안에서 기쁨과 은혜로움 가운데 자신의 영적 과정을 가고 있음을 강조한다. 이는 무슨 뜻일까?

앞서 우리는 몸을 벗고 영계로 간 영혼은 힘든 체험을 끝냈기에 휴식을 취하고, 그 동안의 거듭된 삶을 되돌아보며 성찰의 시간을 갖게 됨을 깨달았다. 나아가 자신의 완벽한 영적 진화를 위한 다음 과정을 위해 환생을 계획한다는 것도 알게 되었다.

우리가 영적 존재로서 죽음이 지닌 참 뜻을 이해한다면, 사후세계의 그 완벽한 자유로움과 황홀함을 조금이라도 깨닫는다면 먼저 떠난 이들을 걱정할 필요가 없음을 권고한 것이라 나는 이해한다.

남아 있는 이들이 슬픔과 상처 속에 묻혀 헤어나지 못한다면 영계로 떠난 영혼에게 까지 부정적 영향을 미치게 되리라 생각한다. 우리가 죽음을 축복하고 남아 있는 이들을 걱정할 필요 없음을 사랑으로 전할 때, 먼저 떠난 영혼도 진정 기뻐하리라 나는 이해한다.

신은 이런 교류의 가장 좋은 영매는 사랑임을 강조한다. 굳이 우리가 죽은 이를 그리워해 슬픔에 잠겨 있다면, 영혼은 이런저런 소지품들이나 꿈을 통해서 위로와 사랑을 보낸다는 것이다. 우리가 그 신호를 알아차리지 못할 리가 없음을 나는 깨닫는다.

나는 사랑하는 사람을 영영 떠나보내는 황당한 일을 겪은 수많은 사람들이 있음을 안다. 그들이 겪게 되는 슬픔과 그리움이 얼마나 깊을 것인지를 짐작할 수 있다.

나는 그들이 신성하고 완벽한 영적 세계에 우연이란 없으며, 모든 상황과 사건들 속에는 그들의 영적 진화 과정에 꼭 필요한 계획과 선택 그리고 배움이 존재함을 이해하기 어렵다는 것도 안다.

나는 사랑하는 사람을 잃은 후, 그들을 보고 싶어 하고 함께하고 싶어 하는 마음을 영혼이 알 수 있으며, 필요하다면 영혼이 다양한 방식으로 그 마음을 전하고 있음을 안다.

나는 심령력이 작용하는 방식이 존재함을 알며, 죽은 자와의 교류를 위한 심령력의 가장 좋은 영매가 사랑임을 믿는다. 나는 학생이 준비되면 선생은 나타나기 마련이며, 사랑하는 사람은 절대 멀리 떨어져 있지 않음을 안다. 죽은 사람이라도 마찬가지이다.

나는 어떤 심령술사가 진심으로 남을 위해 봉사하고 대가를 요구하지 않는다면, 그를 위해 자신이 할 수 있는 최대한의 도움을 제공하는 일이 옳은 일임을 안다.

18. 명상

※ 명상이란 무엇이며, 어떻게 해야 할까?

영혼이 몸을 떠나는 이유는

우리는 영혼은 죽을 때만 몸을 떠난다고 생각한다. 그런데 영혼은 죽을 때만이 아니라 더 큰 체험을 갈망할 때마다 기운을 되찾고 싶어서 몸을 떠난다. 이것이 우리가 잠을 발명한 이유라고 신은 말씀한다. 우리는 이를 어떻게 이해해야 할까?

앞서 우리는 영혼은 이번 생의 목표를 이루기 위해 몸을 갖고 할 수 있는 일을 다 하게 되면 기꺼이 몸을 떠난다고 이해했다. 영혼은 죽음도 다르게 본다는 것을 깨달았다.

그런데 신은 영혼은 기운을 회복하기 위해 우리를 잠들게 한다는 새로운 사실을 강조했다. 지금껏 우리가 믿어왔던 몸이 지치고 힘들어 기운을 회복하기 위해 잠을 잔다고 생각해온 것이 아니란다.

나는 영혼은 영원불멸하는 존재이기에 지치거나 휴식이 필요하리라 생각하지 못했다. 그러나 영혼은 무한한 자유로움만이 존재하는 절대계인 신의 품을 떠나, 인간 체험을 위해 상대성이 존재하는 물질계로 떠나는 선택 그 자체만으로도 영혼에게는 가장 힘든 일이라고 신은 말씀한다. 나는 다시 한 번 영적 선택과 인간 체험의 고귀함을 깨닫는다.

영혼이 극단적인 대립물이 존재하는 이 지상의 체험을 위해 몸과 마음을 이끌며, 매 순간 참된 자신을 체험을 통해 재창조해 가는 일

311

이 얼마나 어렵고 힘들겠는가. 물론 그 일이 기쁨과 사랑이 함께하는 영적 과정임을 자각하며 가겠지만, 더 큰 체험을 갈망할 때마다 기운을 회복하고자 영혼은 우리 몸을 잠에 빠지게 한다는 것으로 나는 이해한다.

그러면서 신은 마음이 각성을 얻고, 영혼이 평화와 기쁨으로 충만하면, 우리는 몸을 떠나지 않고도 이를 체험할 수 있다고 말씀한다. 영혼이 하나 됨을 자각할 수 있다는 것이다. 앞서 우리가 성찰한 바대로 이런 상태에 이르는 전면 자각을 할 수는 없다. 우리는 오직 전면 자각에 있을 수만 있음을 나는 이해한다.

나는 잠은 몸이 피곤해 휴식하는 것이라 생각했다. 이제 나는 영혼이 더 큰 체험을 갈망할 때마다, 기운을 회복하기 위해 몸을 떠나는 것이 잠이라는 것을 알게 되었다.

나는 더없이 자유로운 영혼이 신성의 모든 것을 체험하기 위해 이 지구라는 물질계로 돌아와 무거운 몸을 끌고 지내야 한다는 것이 매우 어려운 일임을 안다.

이제 나는 마음의 각성을 통해 몸을 가지고 하는 것과 하려는 것이 뭔지 더 많이 기억해낼수록, 영혼이 몸을 떠남이 없이 몸으로 있는 상태에서도 하나임을 아는 황홀경을 체험할 수 있는 전면 자각에 있을 수 있음을 안다.

명상은 전면자각을 체험할 수 있는 최상의 도구

신은 전면자각을 체험할 수 있는 최상의 도구들 중 하나가 명상이며, 명상을 통해 전면자각을 체험하기 위한 참된 각성의 상태로 만들 수 있다고 말씀한다. 우리는 이를 어떻게 이해해야 할까?

우리는 고요히 눈을 감고 깊이 생각에 잠기는 명상은 엄격한 가르침 속에 오랜 수련이 필요한 영적 행위로 인식했다. 수많은 종교와 영성 기관이 체계화한 다양한 명상 체계는 요가의 복잡하고 난해한 동작과 겹쳐 아무나 쉽게 접근하기 어려운 배움으로 받아들여졌다.

그러나 신은 이러한 우리의 일반적인 상식을 헤집어 놓는다. 명상의 일정한 형식과 제한된 유형에서 벗어날 것을 강조한다.

명상은 우리가 참된 각성 상태에서 잠시 멈출 때, 우리가 있는 그 자리에 그냥 잠시 멈출 때, 그 순간 속에 있을 때 제대로 된다는 것이다. 나는 이를 우리가 참된 자신인 사랑 그 자체가 될 때, 신과 하나 될 때, 우리가 진실로 한 순간에 몰입될 때로 이해한다.

이에 신은 전면자각을 체험하자고 굳이 앉아 있어야 하는 건 아니며, 우리의 일상 모두가 명상일 수 있음을 강조한다. 나는 지금 여기 이 순간만이 존재하는 영적 깨달음으로 맞이하는 일상의 모든 일이 명상임을 말씀한 것으로 이해한다.

티베트의 고승 환생자로 알려진 롭상 람파는 그의 책에서 "명상이란 마음을 특수한 상태로 단련시키기 위해 고안된 특별한 집중법 또는 제어된 사고법이다. 명상은 우리로 하여금 평범한 방법으로는 지각할 수 없는 잠재의식과 기타 영역을 인식하도록 해주는, 그런 일종의 '사고의 틀'이다. 명상은 마음을 일깨워 좀 더 높은 의식 차원을 알게 해준다. 명상을 훈련하는 것은 영적 능력을 높이는 데 필수적이다."라며 좀 더 체계적이고 구체적인 명상법을 소개하고 있다.[38]

인도의 요기인 삿구루는 간단하지만 강력한 명상법인 이샤 크리야를 소개하면서 "명상이란 어떤 행위가 아니라 성질입니다. 여러분이 몸과 마음, 감정 그리고 여러분의 에너지를 연마해서 일정 수준의 원숙함에 닿으면 명상은 자연스럽게 일어납니다. 이를테면, 여러분이 땅을 비옥하게 하고, 알맞은 씨앗을 심고, 필요한 퇴비와 물을 주면 이것은 자라서 꽃을 피우고 열매를 맺을 것입니다."라며 좀 더 간소하고 효율적인 명상법을 안내하고 있다.[39]

미국의 전면퇴행최면가인 마이클 뉴턴은 그의 책에서 "명상에는 옳은 방법이 따로 없다. 각자가 어떤 필요에 의해 자신의 지성과 감성에 맞는 프로그램을 찾아내야 한다. 깊은 명상은 우리들에게 신성한 의식을 불러일으키며 잠시나마 인간적인 성격에서 영혼을 풀어준다. 이렇게 해방된 영혼은 집중하는 마음속에 모든 것이 단 하나로 합치는 다른 현실로 뚫고 갈 수가 있다."라며 빛깔을 통한 여섯 단계로 이루어지는 영적 치유 명상 방법을 소개하고 있다.[40]

---

38) 『롭상 람파의 가르침』, 롭상 람파 지음, 이재원 옮김, 정신세계사, 2020, 433-434쪽

39) 출처 : 이샤 크리야, 삿구루Sadhguru의 가이딩 명상, 작성자 이샤 하타요가
'이샤'는 창조의 근원을 뜻하고, '크리야'는 내면으로 향하는 에너지 활동을 의미합니다. 이샤 크리야의 목적은 개개인이 스스로 존재의 근원에 닿는 것을 돕고, 개인의 바람과 이상대로 삶을 만들어 가는 것입니다.

40) 『영혼들의 운명 1』, 마이클 뉴턴 지음, 김도희 옮김, 나무생각, 2016,

지중해의 성자로 알려진 신유가 다스칼로스는 명상과 수행의 목적을 "직접적인 목적은 심령·이지계의 능력을 계발하여 이웃 사람들에게 봉사할 수 있게 하는 것이지요. 유체이탈을 하는 것은 치료의 한 방법으로서 일 뿐이지 그 자체가 목적은 아닙니다. 궁극적인 목표는 자신이 누구인가를 깨닫고 신과 합일하여 신이 되는 것입니다."라며 15분 명상 치유법을 소개하고 있다.[41]

베트남의 불교 스승인 틱낫한은 걷기 명상을 왜 하느냐라는 물음에 "제가 드릴 수 있는 최선의 대답은 '걷기가 좋아서요.'입니다. 걸음마다 저는 행복합니다. 한 걸음 한 걸음을 즐길 수 없다면 걷기 명상을 할 이유가 없습니다. 그러면 시간낭비일 뿐입니다. 앉아서 하는 정좌 명상도 마찬가지입니다. 앉기와 걷기는 평화와 기쁨을 가져옵니다."라고 답했다.[42]

미국의 영적 구도자인 피터 세인트 샤스타는 자신의 영적 수행기를 담은 자서전에서 스승 세인트 저메인이 언급한 명상법을 소개하고 있다. 이 명상법은 가슴에 있는 빛을 심상화하고, 자기 자신이 모든 지각 있는 존재들을 축복하는 태양이 될 때까지 그 빛을 온몸의 세포로 확장시키는 것이다. 명상을 마칠 때는 자신의 모든 활동 속에서 그 빛의 주권과 권능을 현현시키기 위한 내적 확언을 반복한다. 그리고 감사의 말로 맺는다. 보다 자세한 과정은 책을 참고하면 좋겠다.[43]

294-297

41) 『지중해의 성자 다스칼로스 1』, 키리아코스 C. 마르키데스 지음, 이균형 옮김, 2021, 104쪽

42) 『걷기 명상』, 틱낫한 지음, 진우기 옮김, 한빛비즈, 2020, 13쪽

43) 『마스터의 제자』, 피터 마운트 샤스타 지음, 이상범 외 2인 옮김, 정신세계

나는 그동안 명상을 하려면 일정한 형식과 체계를 갖춘 명상법에 따라 각고의 노력이 필요한 수행으로만 생각했다.

이제 나는 전면자각의 준비상태인 참된 각성으로 가기 위한 명상에는 특별한 형식과 방법이 있는 것이 아님을 성찰한다. 우리의 일상생활 모든 부분에서 지금 이 순간에 참된 사랑으로 집중할 수 있다면 모든 순간이 명상일 수 있음을 안다.

그냥 가던 길에서 멈출 때, 바로 그 자리에 그냥 있을 때는 언제인가. 무언가 경이롭고 사랑스러우며 하나 되는 순간, 시간이 정지된 듯한 그 순간의 느낌과 상태에 머물 때가 아닐까 나는 생각한다.

나는 아름다운 숲길을 걸을 때, 책을 읽거나 글을 쓰는 등 좋아하는 일에 몰입할 때, 사랑하는 이들의 순수하고 진실한 모습을 접할 때, 시간이 정지된 듯한 순간을 경험했음을 안다.

나는 그런 모든 일상의 삶 자체가 명상이 될 수 있음을 안다. 이제 나는 우리가 몸을 떠나지 않고도 참된 각성 상태에 이를 수 있음을 안다. 나는 이것이 얼마나 소중하고 아름답고 황홀한 일상의 체험인지를 안다.

나는 이를 위해 자신이 누구인지, 어떤 존재가 되려하는지 그것을 아는 것만이 전부임을 안다. 일상의 삶 모든 순간마다 사랑 그 자체인 참된 자신이 되는 것이다.

사, 2022, 259-260쪽

참된 각성 상태에 이르는 최상의 도구

우리가 명상을 통해 전면자각 할 수 있는 준비 상태인 참된 각성으로 가기 위한 최상의 도구가 숨쉬기라고 신은 말씀한다. 이는 무슨 의미가 담겨 있을까?

앞서 우리는 우주는 에테르로 가득 차 있으며, 에테르는 생명에너지이고, 생명에너지는 만물을 창조하는 근원임을 깨달았다. 이 생명에너지는 우리 몸을 이루고 있는 세포의 생성과 소멸을 가져온다. 우리는 몇 년마다 몸의 세포를 바꾼다고 성찰했다.

따라서 숨쉬기는 우주의 생명에너지인 신의 사랑을 연결하는 신성한 일이라 나는 이해한다. 그렇다면 깊고 부드럽게 숨 쉬려면 어떻게 해야 할까?

신의 완벽함과 사랑을 믿고, 몸과 마음과 영혼의 조화와 균형을 유지하는 일이 중요하다. 앞서 살펴본 바대로 일상의 삶속에서 참된 자신으로 서 있을 때, 그냥 그 순간에 있을 때, 자연과 하나 될 때, 우리는 깊고 부드럽게 숨 쉴 수 있으리라 나는 이해한다.

그렇게 깊고 부드럽게 숨 쉴 수 있게 되는 순간 우리는 참된 각성 상태에 들어가 전면자각에 있을 수 있음을 깨닫는다.

선각자 롭상 람파는 그의 책 부록에서 숨쉬기 즉 호흡의 중요성에 대해 아래와 같이 말하며, 그 만의 특별한 호흡법을 자세히 안내하고 있다.

"호흡, 즉 공기는 우리에게 필수적이다. 공기에는 프라나(氣)가 포함되어 있다. 프라나는 관찰할 수 있는 물질이 아니다. 그것은 전혀 다른 차원에 속해 있다. 프라나는 생명을 유지하는 데 절대적으로 필요한 우주의 보편적인 에너지이다. 우리가 생각할 수 있는 모든 것에 프라나가 작용하고 있다. 하지만 인간은 서투른 호흡으로 프라나를 지극히 조잡하게 사용한다."44)

크리야 요가는 인도의 가장 위대한 예언자인 주 크리슈나에 의해 『바가바드기타』에서 다음과 같이 언급된다.

"들숨을 날숨 속으로, 그리고 날숨을 들숨 속으로 각각 집어넣음으로써 이들을 중화시킨다. 그리하여 그는 심장으로부터 프라나를 해방시켜 생명력을 자신의 완전한 통제 아래 두게 된다."45)

잠시도 가만히 있지 못하는 원숭이는 1분에 32회의 비율로 호흡하지만, 사람의 평균값은 1분에 18회에 불과하다. 일반적으로 장수하는 생물로 알려진 코끼리나 거북이, 뱀 등은 인간보다 호흡률이 낮다. 예를 들면, 300살 정도까지 장수할 수 있는 거북이는 1분에 단 4회만 호흡한다.46)

나는 우주를 이루고 있는 생명 에너지를 호흡을 통해 받아 살아있게 됨을 안다. 나는 깊고 부드러운 숨쉬기, 생명과 사랑이 가득한 숨쉬기가 참된 각성의 상태로 이끄는 가장 좋은 명상 도구임을 안다.

나는 깊고 부드러운 숨쉬기를 위해 자신이 영적 존재임을 자각하

---

44) 『롭상 람파의 가르침』, 롭상 람파 지음, 이재원 옮김, 정신세계사, 2020, 612쪽
45) 『요가난다, 영혼의 자서전』, 파라마한사 요가난다 저, 김정우 옮김, 뜨란, 2020, 384쪽
46) 위의 책, 390쪽

고, 몸과 마음과 영혼의 조화와 균형으로 자신의 삶을 체험할 수 있어야 함을 안다.

나아가 나는 자신이 참된 자신으로 사랑 그 자체인 상태로 그냥 그 순간에 몰입되어 있을 때에는 숨을 쉬고 있다는 그 사실 자체도 잊을 수 있음을 경험한다.

명상은 참된 자신으로 있는 일상의 자각

신은 명상은 너희가 무엇을 해야 하는가의 문제가 아니라 무엇을 하고자 하는가의 문제라고 말씀한다. 우리는 이를 어떻게 이해해야 할까?

나는 '해야 하는가'는 의무감에 따른 수동적 행위 차원을, '하고자 하는가'는 자각하는 능동적 의식 차원을 말하고 있는 것으로 이해한다. 앞서 우리는 의식하고 자각하며 걷는 사람이 있는가 하면, 의식 없이 걷는 사람도 있다고 성찰했다.

또한 우리는 소유-행위-존재의 방식에서 존재-행위-소유의 방식으로 전환해야 함도 성찰했다. 돈이 있어야 일할 수 있고 그래야 행복한 존재가 될 수 있다가 아니라, 행복한 존재로 있을 때 우리는 행복하게 일하게 되고 원하는 돈도 벌 수 있다는 것이다.

우리가 참된 자신으로 자각하며 숨 쉬고 그냥 그 자리에 있을 때, 영적 존재로서의 의식하는 삶을 살 때, 우리가 신과 하나임을 자각하며 살 때, 우리는 온갖 기쁨과 사랑을 체험하게 됨을 말씀한 것으로 나는 이해한다.

그 일상의 삶이 명상임을 나는 깨닫는다.

이와 관련해 지중해의 성자라 불리는 신유가 다스칼로스의 삶과 치유력을 취재해 놀라운 영성이 담긴 세 권의 책을 낸 키리아코스는 스승의 제자인 코스타스와의 대화를 통해 우리가 깨달음의 길로 가는 지혜를 전하고 있다.

"얼음은 그것을 물로 녹여줄 임계온도가 될 때까지는 얼음으로 남아있습니다. 물은 또 증기의 형태로 변화시켜 줄 임계온도에 다다를 때까지는 액체 상태로 남아 있습니다. 이것은 수행에 있어서도 마찬가지입니다. 당신은 어떤 심령-이지계의 능력을 얻으려고 몇 년 동안을 애쓰다가 진전이 없어서 실망에 빠지게 될지도 모릅니다. 하지만 당신은 자신도 모르는 사이에 임계점을 향해 나아가고 있는 것입니다. 언젠가는 예기치 않게 잠에서 깨어나 심령-이지계에서 의식을 가지고 살기 시작하게 될 것입니다. 하지만 꺾이지 않으면서 견디지 않는 한 당신은 성공하지 못할 것입니다."[47]

나는 학생이 준비되면 스승은 나타나게 마련임을 다시 한 번 깨닫는다. 아직 받아들일 준비가 되어 있지 않은데, 진리의 빛을 맞이할 수는 없을 것이라는 뜻으로 나는 이해한다.

이제 나는 일상의 모든 행위 속에서 사랑의 순간, 하나 됨의 순간으로 멈추는 명상으로 전면 자각을 위한 준비 상태인 참된 각성을

---

47) 『지중해의 성자 다스칼로스 1』, 키리아코스 C. 마르키데스 지음, 이균형 옮김, 정신세계사, 2021, 230쪽

체험할 수 있음을 안다.

나는 삶의 모든 것이 명상임을 안다. 세상에 벌어지는 모든 상황과 사건들 속에 담겨 있는 사랑의 의미, 신의 계획을 꿰뚫어 보고 관찰하며, 신과 하나 됨의 순간으로 옮겨갈 수 있음을 안다.

나는 나의 삶 속의 모든 사건을 명상으로 이용하며 의심과 두려움, 죄의식과 자기 비난에서 벗어나 신의 사랑과 영원함 속에 함께 하리라는 것을 안다.

한편 나는 이 명상이 간단하고 순수한 행위이지만 그런 존재 상태로 있는 것이 쉬운 일이 아님도 안다. 나는 이를 위해 늘 참된 자신에 열려 있고, 현실적인 기대나 욕망으로부터 떨어져 있어야 함을 안다.

19. 마음과 영혼의 작동법

1) 마음과 영혼은 어디에 있을까?

인간 체험 속에 담긴 의문과 수수께끼

신은 우리가 모든 걸 기억해낸다면 게임은 끝날 것이라 말씀한다. 우리는 이를 어떻게 이해해야 할까?

앞서 우리는 신의 창조물로서 신성의 모든 것을 알고 있는, 기억하고 있는 영적 존재임을 성찰했다. 이에 상대성이 존재하는 물질계에서 신성의 모든 것을 체험을 통해 재창조하기 위해 잠시 그 기억을 잊고 있는 것이다.

신이 말씀한 게임, 특별한 이유, 신성한 목적은 연관되는 단어들이다. 우리들은 영적존재로서 인간체험을 하고 있다. 그 물질적 체험은 완벽한 신의 계획 속에 창조된 환상의 게임이다.

영적 세계에서 개념으로만 알고 있는 신의 모든 특성과 신의 사랑을 신의 또 다른 부분인 개별 영혼들의 인간존재를 통해 하나하나 체험하며 재창조하려는 특별한 이유가 있다.

그 체험은 영적 진화의 과정, 우주 수레바퀴로 다시 신과 하나 되는 과정이다. 이 영원한 순환 그 자체가 신성한 목적이다. 우리가 모든 것을 알고 있다면 이 체험은 그 목적을 상실할 것이다.

따라서 인간 존재의 모든 체험은 영적 진화 과정에서 일정한 의미를 지니고 있으니 우리는 그 과정 속 지금 여기 이 순간에 충실하면 될 것임을 말씀한 것으로 나는 이해한다.

나는 우리가 모르는 신의 완벽한 계획이 있음을 안다. 내가 그 모든 계획을 다 알게 된다면 우리의 체험은 의미가 없어질 것임을 안다.

나는 영적 존재인 우리의 인간 체험이 그 망각 속에 감추어진 기억을 찾아가는 우주 수레바퀴 여행이기에 우리를 더욱 북돋고, 황홀한 기쁨을 샘솟게 해주고 있음을 안다.

나는 신이 우리에게 천사들만 보내주셨음을 안다. 나는 신의 완벽한 계획을 믿기에 그에 따라 연출되는 환상의 무대 속 모든 인물과 역할, 상황과 사건들, 그 속에 담긴 의문과 수수께끼들을 사랑해야 함을 안다.

나는 되어 가는 체험을 즐기라는 신의 말씀은 지금 여기 이 순간만이 존재하며, 그 순간에 담긴 시작과 끝, 영원함이 깃든 신성의 부분을 깨달을 수 있어야 함을 안다.

마음이 있는 곳과 그 작동원리

우리는 눈에 보이는 몸과는 달리 보이지 않는 마음 소위 정신이 어디에 있는 것인지 궁금해 한다. 일부 선각자들은 마음은 뇌가 있는 머리에 있거나, 심장이 있는 가슴에 있다고 말씀한다.

이에 신은 마음은 에너지로 세포마다에 있으며, 마음은 생각이란 에너지이고, 몸의 모든 세포는 이 생각에너지를 물질로 변형시킨다고 말씀한다. 이는 앞서 영혼은 고안하고, 마음은 창조하며, 몸은 체험한다는 신의 말씀과 연결된다고 나는 이해한다.

마음의 작동원리는 영혼이 기억해내고 고안해 보여주는 것을 이번 생애에서 가장 적합한 것이 무엇인지 선택하고 새롭게 창조하는 일이다. 나는 마음은 영혼의 기억에 귀 기울이며 그 선택을 자주 바꾸지 않도록 하는 일이 중요함을 이해한다. 왜냐하면 마음과 생각이 중심을 잃으면 몸은 어떤 에너지를 물질로 변형해야 할지, 즉 체험해내야 할지 혼란스러워지기 때문이다.

우리는 몸과 마음과 영혼으로 이루어진 3중의 존재다. 우리는 영혼만이 아니라 마음도 잘못 알고 있다. 많은 사람들이 인간은 몸과 마음으로 이루어져 있다고 생각한다. 마음은 정신이라 부르기도 한다. 이런 한정된 이원론적 관점이 선과 악의 이분법적 세계관을 형성한다.

그러나 우리는 3중의 존재이며, 에너지 중심인 일곱 차크라 모두를 포함시킬 수 있게 생명 에너지를 끌어올려 조화와 균형을 이뤄야 할 존재이다. 그럴 때 우리는 온전하고 장대한 선택과 결정을 내릴 수 있음을 나는 이해한다.

나는 막연히 마음이 뇌가 있는 머리나 심장이 있는 가슴에 있을 거라는 생각을 갖고 있었다. 우리는 흔히 깊은 슬픔을 당했을 때 가슴이 찢어질듯 하다거나 심장이 터질듯 하다는 표현을 한다.

이제 나는 마음이 모든 세포에 있음을 깨닫는다. 나는 마음은 생각이라는 에너지이며 영혼이 기억하고 고안한 것을 선택하고 새롭게 창조해내려는 작동원리를 가지고 있음을 안다. 그러면 몸은 스스로의 작동원리를 가지고 생각 에너지를 물질로 변형시키며 체험함을 안다.

나는 우리가 온전하고 장대한 그 자체로 존재하려면 몸과 마음과 영혼이 조화되고 균형을 이루는 가운데 결정을 내려야 함을 안다.

영혼이 있는 곳과 오라

원래의 이 질문은 영혼이 마음처럼 어디나 있나요? 라는 물음에서 나왔다. 그러자 신은 놀랍게도 마음은 어디나 있지 않다며, 세포들 사이에는 있는 빈 공간들에 있다고 말씀한다. 우리의 몸은 99퍼센트가 공간이라는 것도 덧붙인다.

이에 영혼은 어디에 있느냐는 질문에 신은 영혼은 몸을 담고 있고, 몸 보다 크다고 말씀하며, 우리가 사용하는 언어로는 '오라aura'라는 말이 우리가 이해할 수 있는 가장 가까운 말이라며 이해를 돕는다.

선각자 롭상 람파는 그의 책에서 오라의 존재에 대해 다음과 같이 말하며, 오라의 신비한 작용과 관찰법을 자세히 소개하고 있다.

"육체는 에테르에 빈틈없이 둘러싸여 있다. 그러나 에테르 밖에는 다시 오라가 존재한다. 일반적으로 말해 오라는 초자아의 색깔을 보여준다고 할 수 있다. 오라는 달걀 모양으로 신체를 넓게 감싸고 있다. 보통 그 높이는 210센티미터 남짓하고, 너비는 가장 넓은 곳이

120센티미터 정도 된다. 우리의 생각은 두뇌에서 생성되어 에테르와 오라를 거쳐 이 외피에 이른다. 그리고 우리는 이 외피를 관찰함으로써 그 사람의 생각을 그림처럼 읽어낼 수 있다."[48]

또한 마이클 뉴턴은 영혼이 어떻게 인간의 몸에 깃드는가에 대해 자신의 연구 결과를 토대로 다음과 같이 설명하고 있다.

"태아가 태어나기 얼마 전에 영혼은 발달하고 있는 태아의 뇌를 조심스럽게 건드리며 보다 완벽하게 깃든다. 만약 영혼이 어느 태아에 깃들기를 바란다면 태아는 그것을 마음대로 받아들이거나 거부할 선택의 여지가 없다. 영혼이 처음 태아에 깃들게 되었을 때 영혼의 연대적인 시간이 시작된다."[49]

선각자 롭상 람파 역시 그의 책에서 영혼은 아기의 몸속으로 깃든다고 다음과 같이 말했다.

"육신으로 막 들어가려는 영의 상태로 다시 돌아가자. 적당한 부모가 찾아지면, 그 영은 적절한 때에 태아의 몸속으로 들어간다. 그리고 태아의 몸속에 진입하는 순간, 이전 생의 기억과 의식은 싹 지워지게 된다."[50]

나는 여러 선각자들의 가르침대로 영혼이 인간체험을 위해 태아의 몸속으로 들어온다고 생각했다. 따라서 영혼은 우리 몸 안에 있다고

48) 『롭상 람파의 가르침』, 롭상 람파 지음, 이재원 옮김, 정신세계사, 2020, 49-51쪽
49) 『영혼들의 여행』, 마이클 뉴턴 지음, 김도희·김지원 옮김, 나무생각, 2021, 447쪽
50) 『롭상 람파의 가르침』, 롭상 람파 지음, 이재원 옮김, 정신세계사, 2020, 129쪽

생각했다.

이제 나는 영혼이 우리 몸을 좀 더 넓게 감싸고 있으며, 그와 비슷한 우리 표현에 오라라는 것이 있음을 안다. 나아가 나는 나의 영혼은 몸을 감싸고 있고, 신의 영혼은 우주를 감싸고 있음을 이해한다.

나는 영혼이 우리의 몸과 마음을 이끄는 영원불멸하는 존재임을 안다.

2) 신성한 이분법이란 무엇일까?

우리 존재의 근본 원리인 신성한 이분법

절대계에서는 존재하는 모든 것이 사랑이다. 하지만 우리는 사랑을 그냥 아는 것이 아니라 몸소 체험하기를 원했고, 그를 위해 두려움과 나쁨이라 부르는 대립물이 존재하는 물질계에서의 체험을 창조했음을 성찰했다.

상대계의 세계인 물질계에서는 선과 악이 존재하지만 그는 환상이다. 사랑만이 궁극의 실체이기 때문이다. 물질계가 지닌 이런 모순된 두 진리가 존재하는 것이 신성한 이분법이라 나는 이해한다.

현실 세계에서 이루어지는 모든 체험의 합이 사랑이다. 사랑은 빛의 모든 색깔이 합해질 때 나타나는 흰색과 같다. 두려움 없이 사랑을 알기 어렵고, 악함이 없이 선함을 알기 어렵다. 하지만 기억이 제한된 인간 체험이기에 두려움과 악함을 환상이 아닌 실제로 여긴다.

우리가 신성한 이분법이란 우주의 법칙을 이해한다면, 그 둘 다가 참일 수 있음을 깨닫는다면, 우리의 삶을 좀 더 은혜롭게 만들 수 있음을 신은 강조한다.

우리는 살아가며 끊임없이 이해할 수 없는 상황과 사건에 부딪힌다. 세상이 왜 이렇게 엉망진창인지 의아해한다. 어찌 보면 모순투성이 같은 세상살이에 어찌할 바를 모른다. 그런데 우리가 신성한 이분법이란 모순된 두 진리를 깨닫는다면, 세상만사의 그 이해할 수 없었던 복잡함이 단순해지고 평화로워진다. 진리는 단순함에 있다는 말을 이해할 수 있는 것이다.

한편, 앞서 신은 영혼이 몸을 담고 있듯, 신의 영혼은 우주를 담고 있다고 말씀했다. 이에 기초해 월쉬는 영혼이 지닌 신성한 이분법에 대해 자신이 깨달은 바를 비유적으로 말한다. 우리가 신과 하나라면 한 영혼이 끝나고 다른 영혼이 시작되는 지점 따위는 없다. 거실의 공기가 멈추고 부엌의 공기가 시작하는 지점 같은 건 없다는 것을 알게 된 것이다.

예전의 우리는 영혼은 몸 안에 있다고 생각하기에 이 영혼과 저 영혼은 당연히 분리된 존재로만 인식할 수밖에 없었다. 하지만 영혼이 몸 밖에서 몸을 담고 있는 존재요, 신의 영혼이 우주를 담고 있다면, 이 영혼과 저 영혼은 하나이면서도 하나가 아닐 수도 있다는 신성한 이분법이 적용될 수 있음을 나는 깨닫는다.

지난 날 나는 내가 인간으로 존재하는 근본 이유를 명확히 알 수 없었다. 그냥 이 세상에 우연히 태어나 우리 조상들이 이룩한 역사와 문화를 계승하며, 한 평생 최선을 다해 열심히 살아가야만 하는 존재로 인식했다.

또한 세상이 왜 이렇게 엉망진창이고 뒤죽박죽인지 그 근본 이유를 명확히 알 수 없었다. 이제 나는 영적 존재로 인간 체험을 하는 신성한 이분법의 작동 원리를 통해 나의 존재 이유와 삶의 원리를 명확히 깨달을 수 있음을 안다.

나는 현실세계에서 신성의 상징인 사랑을 체험을 통해 깨닫기 위해서는 모든 체험이 필요함을 성찰한다. 사랑이라는 빛이 지닌 모든 색깔이 합해지면 흰색이 된다는 의미에서 나는 사랑이 흰색과 같음을 안다.

나는 신과 하나이면서 신과 분리된 영혼이며, 하나의 영혼이면서 구별되는 영혼임을 자각한다. 나는 궁극의 실체이면서 환상의 인간 체험을 하는 영적 존재임을 안다.

나는 이 신성한 이분법이야말로 상대성에 기초한 지구상에서의 인간 체험을 신이 우리에게 준 가장 큰 은혜로 만들어 주는 위대한 계획임을 안다.

가장 큰 신성한 이분법인 영혼의 작동법

앞서 우리는 존재 전체인 우주는 생명에너지 그 자체라 이해했다. 신은 우주 만물을 한 순간에 창조했고, 창조는 변화이며, 이에 우주는 팽창과 수축이라는 영원한 순환과 운동의 흐름을 갖는다. 이 에너지는 쉼 없이 진동하며 파동으로 움직인다. 에너지는 다양한 속도로 밀도를 낮추면서 물질을 만들어낸다.

따라서 존재 전체인 신의 영혼은 자신을 체험으로도 알기 위해 수많은 개별 영혼들을 창조했다. 이에 신의 영혼이라는 한 영혼만이 존재하지만, 그 한 존재 속에 많은 영혼이 있다는 신성한 이분법이 작용한다. 우주를 감싸는 신의 영혼이 영spirit이요, 개별 영혼이 혼soul이라고 나는 이해한다.

영적 존재인 우리가 한 영혼으로서 신성의 모든 부분을 체험을 통해 재창조하는 영적 진화 과정을 마치게 되면, 우리는 다시 신과 하나 될 것이다. 그 신과의 합일이라는 장대한 목표를 이루고 나면, 우리는 다시 그 신성을 체험하기 위해 신과 분리되는 숭고한 선택을 하게 되리라 나는 이해한다.

이로서 나는 우리 모두는 영적 존재로 신과 하나이면서 하나 아닌 존재인 것이 신성한 이분법이며, 이 영혼은 신과의 합일과 분리 과정을 통해 신성의 모든 것을 체험하는 것이 영혼의 작동 원리임을 깨닫는다.

나는 거실과 부엌 사이의 공기가 한 공기이면서 그것이 흩어지고 엷어지는 지점을 경험으로 안다. 다 같은 공기이지만 확실히 다른 공기 같아 보이는 것을 안다.

나는 집안의 공기가 그러하듯, 생명에너지인 신의 영혼도 자신이 둘러싸고 있는 물체에 따라 다른 성질을 지니고, 그런 물체들을 이루기 위해 특별한 방식으로 결합함을 이해한다.

나는 신의 영혼은 우주를 감싸고 있고, 내 영혼은 몸과 마음을 감싸고 있음을 안다. 나는 신의 영혼과 내 영혼이 하나이면서 신성을 체험하기 위해 잠시 분리된 개별 영혼으로 나눠지는 신성한 이분법이 존재함을 안다.

나는 이 신과의 합일과 분리 과정의 영원한 순환이 영혼의 작동 원리임을 깨닫는다.

신성한 이분법이 우리에게 주는 의미

신성한 이분법이 우리에게 주는 의미는 무엇일까?

우리는 인간 체험을 하고 있는 영적 존재이다. 우주를 담고 있는 신의 영혼 즉 한 영혼이면서, 한 영혼에서 분리된 무수한 개별 영혼이다. 하나이면서 여럿으로 나뉜 같은 재질이다.

그 자체로 저절로 '중요한matters' 것은 없다는 것은 무엇을 의미할까?

나는 이 세상에는 우연이란 없다는 것과 같은 의미라 생각한다. 또한 이 세상은 무수한 관계로 맺어진 그물망이라는 의미로 성찰한다. 이 모든 것이 신의 완벽한 계획에 따라 창조된 것임을 말씀한 것으로 이해한다.

따라서 완전히 혼자 힘으로 물질matter이 될 수 있는 건 없다는 것은 우리는 한 영혼이면서 무수한 개별 영혼이라는 뜻이며, 우리는 집단의식으로 모든 상황과 사건을 창조한다는 것으로 나는 해석한다.

우리 중에 오직 하나만 있으니, 그것이 바로 너희라고 신은 말씀한다. 우리는 하나니, 나는 신이다. 이것은 참으로 위대한 신비, 끝없는 수수께끼, 영원한 진리임을 나는 이해한다.

이제 나는 모든 물질은 같은 에너지이며, 혼자 힘으로 물질이 될 수 있는 것은 없음을 안다.

나는 그물망 같은 수많은 관계 속에서 존재하지만 내가 없다면 아무것도 존재할 수 없음을 안다.

우리는 한 영혼이면서 무수한 개별 영혼이다. 영혼에 대한 새로운 관점인 신성한 이분법으로 설명되는 우주의 진리를 깨달을 수 있음에 감사한다.

나는 신과 우리는 하나임을 안다.

외로움을 넘어 자각하는 존재로 살려면

신은 우리가 몹시 외롭고 혼자서 전쟁을 치르는 것처럼 느끼는 것은 나를 떠났기 때문이라고 말씀한다. 우리는 이를 어떻게 이해해야 할까?

우리가 사는 이 세상은 상대성과 망각이 존재하는 환상의 세계다. 그러나 우리는 이를 실제로 여기며, 우리의 몸과 마음이 요청하는 일과 물질적 욕망에 사로잡혀 영혼이 보내는 내면의 소리를 듣지 못하고 있다. 내 안의 신성을 기억해 내지 못하며 삶에 급급해 하기 때문이라 나는 이해한다.

우리가 신과 하나라는 것과 신의 완벽함을 믿고 따른다면, 영적 존재로서의 그 영원불멸하는 생명에너지임을 자각할 수 있을 것이다. 그렇다면 우리는 죽음의 두려움에서 벗어나고, 삶에서 겪는 그 모든 외로움에서 벗어날 수 있음을 이제 나는 믿는다.

신은 이 자각에 머무르고 싶다면, 네가 너 자신에게 되게 하려는 그것을 남들에게 하라고 말씀한다. 이는 무슨 뜻일까?

나는 우리가 사랑 그 자체인 참된 자신이 되고, 그 넉넉함을 남들에게 줄 때, 우리에게는 그 넉넉함이 깃들고 담아낼 빈 공간이 생긴다는 의미를 이해한다. 우리 모두는 하나이기에 남들에게 주는 것은 곧 나 자신에게 주는 것임을 나는 깨닫는다.

내가 남들에게서 받고 싶은 것을 남들에게 주라고 하지 않았는가. 주면 더 많은 것으로 되돌아온다 했음을 나는 이해한다.

나아가 자신에게 되게 하려는 것을 남들에게 하라는 것은, 신이 자신을 알고자 자신을 무수한 부분으로 나누어 개별 영혼들을 창조한 것과 같은 일이다. 영적 존재인 우리가 이것을 기억한다면 외롭지 않을 것이라 나는 이해한다.

이와 관련해 선각자 롭상 람파는 또 다른 관점에서 다음과 같이 먼저 주어야 하는 이유를 말씀한다.

"받으려면 먼저 주어야 한다. 주지 않고는 받을 수 없다. 왜냐하면 주는 행위, 마음을 여는 태도야말로 당신이 받고 싶은 그것을 기꺼이 주려는 이들로 하여금 당신을 받아들이게 하기 때문이다. 여기서 준다는 것은 돈만이 아니라 스스로 나누는 것, 기꺼이 다른 사람을 위해 봉사하는 것을 뜻한다."[51]

나 역시 지난 날 수없이 많은 갈등, 그 얽기고 성긴 문제들에 직면하면서 불안과 두려움, 외로움을 느낀 적이 있다.

---

51) 『롭상 람파의 가르침』, 롭상 람파 지음, 이재원 옮김, 정신세계사, 2020, 133쪽

이제 나는 영적존재임을 깨닫고, 신과 하나라는 믿음을 갖게 되면서 조금 더 마음의 평안과 은혜로움을 느끼며 지내게 되었다.

나는 내 자신이 원하고 믿는 바대로 그 현실을 만들어 낼 수 있는 창조자임을 안다. 그런 나의 자각을 남들에게 줌으로써 그 자각을 자신에게 줄 수 있는 빈 공간이 생기게 되며, 자신이 받고자 하는 것을 남들도 기꺼이 주게 될 것이라는 위대한 비책을 깨달을 수 있음을 안다.

나는 내 자신이 이러한 영원한 진리를 가르치는 위대한 스승이며, 사자임을 선언한다. 이는 신에 이르는 인정과 선언 그리고 드러냄의 길임을 안다.

3) 영혼의 수와 짝 영혼이란 무엇일까?

영혼의 수

신성한 이분법에 따르면 한 영혼 안에 무수한 개별 영혼이 존재한다. 그렇다면 얼마나 많은 영혼들이 있을까?

이 역시 신은 영혼의 수는 하나이기도 하고, 무한하기도 하며, 한 순간의 지점에서는 유한한 것처럼 보인다고 말씀한다. 궁극의 실체가 가진 이런 성질 때문에 신은 종종 부동의 동인이라 불린다는 것이다.

모든 영혼들의 본래 가마는 신이다. 신은 한 순간에 모든 것을 창조했다. 창조된 모든 것은 끊임없이 변화한다. 따라서 영혼의 수는 멀리서 보면 움직이거나 변하지 않는 것처럼 보이나 가까이 들여다보면 빠르게 움직이는 무수한 미립자들의 움직임이 보이는 바위와 같은 것임을 나는 이해한다.

또한 영혼의 수는 물질을 반으로 갈라 없어지게 할 수 없는 미시세계의 속성처럼 위로도 끝이 없는 거시세계의 무한함처럼 단정할 수 없는 신성한 딜레마와 같다고 나는 해석한다.

신성의 모든 것을 체험하기 위한 우주 수레바퀴의 영원한 순환 과정이 있기에, 어느 순간 영혼의 수는 유한할 수도 또는 무한하게 보일 수도 있음을 나는 이해한다.

지난 날 나는 영혼의 존재도 영혼의 수도 제대로 생각해 보지 않고 살아왔다. 문명의 발달과 함께 인구가 늘어나고 있는 것은 자연스런 현상으로 이해했다.

나는 영혼을 탐구하며 영혼은 끊임없이 신에 의해 창조되고 있다고 생각했다.

이제 나는 영혼은 하나이기도 하며, 또한 그 하나 중에 무수히 많은 영혼이 무한수로 존재함을 안다. 이제 나는 신은 한 번에 무수한 영혼들을 창조했으며, 또한 신은 우주를 감싸며 순환하는 영혼이기에 영혼의 수는 언제나 다르면서 또한 언제나 같다는 것을 안다.

나이든 영혼과 젊은 영혼의 차이

나는 마이클 뉴턴의 최면을 통한 영계 속 영혼 탐구 과정에서 영혼은 거듭되는 환생의 경험 속에서 지혜가 자라나며, 그 진화 정도에 따라 어린 영혼, 중간 영혼, 앞서 가는 영혼들이 존재함을 알게 되었다. 그는 오랜 내담자들을 대상으로 연구한 결과를 다음과 같이 제시했다.

"통계에 흥미를 느끼는 사람들을 위해 내가 한 조사를 소개하면 레벨 I 42%, 레벨 II 31%, 레벨 III 17%, 레벨 IV 9%, 레벨 V 1%이다. 한계는 있겠지만 지구에 살고 있는 몇 십만 명에 불과한 사람들만이 레벨 V에 속하는 앞서가는 영혼이 깃들어 있다는 것이 나의 의견이다."[52]

하지만 신은 영혼은 모든 진화 과정을 끝내고, 궁극의 실체인 신과 하나 된 이후에 무엇을 선택하는가에 따라 젊은 영혼 또는 나이 든 영혼으로 여겨질 수 있음을 말씀한다. 이는 어떻게 이해해야 할까?

나는 자유의지를 지닌 영혼은 자신이 우주 수레바퀴라는 영원한 우주의 순환 과정에서 어떤 지점을 선택하느냐에 따라 젊은 영혼과 나이 든 영혼을 구분할 수 있다는 것으로 이해한다. 하지만 모든 영혼들은 자신이 어느 지점을 선택해 체험하던 간에 그 모든 것이 진화의 한 과정으로 의미가 있음을 자각하고 있다고 볼 수 있다.

따라서 젊은 영혼을 선택하건, 나이 든 영혼을 선택하건, 착함을 선택하건, 나쁨을 선택하건 모든 체험은 신이 원하는 체험이다. 어린이 그림책 <작은 영혼과 태양>에는 이 점이 무척 아름답게 설명되어 있다.

나는 신의 한 부분이며, 신과 하나인 영혼에 나이가 있다는 점을 이해하기 어려웠다.

이제 나는 영적존재의 인간체험에는 우주 수레바퀴 속의 진화 과정에서 어떤 체험을 선택하느냐에 따른 나이 듦의 차이가 있을 수 있음을 안다.

또한 나는 영혼에게는 자유선택권이 있기에 자신의 진화 목적에 따라 어떤 선택이라도 할 수 있음을 안다. 이에 어떤 영혼도 어떤

---

52) 『영혼들의 여행』, 마이클 뉴턴 지음, 김도희·김지원 옮김, 나무생각, 2021, 203쪽

삶과 행위를 선택하더라도 나름의 신성한 의미를 지니며, 그 행위의 결과로 절대 벌 받지 않을 수 있음을 안다.

나는 그 이유는 사랑은 모든 체험의 결과로 얻어질 수 있는 것이며, 모든 체험은 신의 완벽한 계획 속에서 영혼들 서로가 간절히 요청하고 동의했던 환상 속의 역할에 따른 체험이기 때문임을 안다.

짝 영혼

나 역시 짝 영혼을 개별 영혼의 다른 반쪽처럼 낭만화 하는 데 공감했다. 하지만 신은 개별 영혼이라 해도 수백 개의 방을 가진 대 저택으로 비유한다. 그 각각의 방인 개별 영혼의 부분들이 우리가 부르는 과거나 미래 속에 살고 있다는 것이다.

이 놀라운 비유는 이런 수많은 개별 영혼의 부분들 중 하나를 우리의 현실 삶에서 마주했을 때, 짝 영혼처럼 강한 친근감을 느낄 수 있음을 이해할 수 있게 해준다. 신은 우리가 전생을 함께 보냈으며, 인간이라는 같은 물질 형상으로 같은 시공간 속에서 두 가지 형상으로 살았을 수도 있다고 말씀한다.

한편 마이클 뉴턴은 그의 책에서 '짝 영혼'을 '으뜸가는 영혼의 짝'으로 표현하며 그 관계를 다음과 같이 정의했다.

"으뜸가는 본질적인 영혼의 짝은 인생에서 제일 가까운 사이의 파트너로 나타나는 것을 보게 된다. 그런 파트너는 우리들의 반려나 형제, 친구 또는 이따금 부모가 되기도 한다. 어떤 영혼도 이 으뜸가는 영혼만큼 우리에게 중요한 존재는 없다. 으뜸가는 것이나 진실한 것이나 영혼의 짝은 서로의 완성에 도움이 되어야 한다."[53]

또한 그는 "으뜸가는 영혼의 짝이나 영혼 이중설이 쌍둥이 영혼설과는 연관이 없으며, 으뜸가는 영혼의 짝은 영원한 동반자이지만, 기본적인 무리를 이루는 영혼 그룹 속에는 또 다른 영혼의 짝이라 부를 수 있는 동료 영혼들이 존재한다."라고 주장한다.[54]

나는 짝 영혼을 자신의 다른 반쪽으로 낭만화해 생각했다. 짝 영혼에 대한 영혼 이중설 또는 쌍둥이 영혼설에 대한 공감대를 지니고 있었다. 이제 나는 짝 영혼을 서로의 영적 진화를 돕는 영원히 함께 할 영혼의 동반자라 생각한다.

나아가 이제 나는 짝 영혼은 수많은 방을 가진 대저택에 비유할 수 있음을 안다. 한 영혼은 수많은 영혼으로 나뉘어져 각기 다른 시점에서 함께 체험하고 있음을 안다.

내가 어떤 특정한 사람과 좀 더 민감한 느낌을 갖게 된다면 이는 같은 몸체를 감싼 아주 거대한 영혼의 일부로서 함께했음을 의미한다는 것을 안다. 나는 이를테면 잔다르크나 모차르트, 혹은 과거의 다른 어떤 유명인사로서의 기억을 가졌다고 하는 사람이 두 사람 이상일 수 있음을 안다.

나는 우리가 둘 이상의 짝 영혼을 가질 수 있는 거라면, 우리가 한 생애 동안에 둘 이상의 사람과 또는 동시에 둘 이상의 사람과

---

53) 『영혼들의 운명2』, 마이클 뉴턴 지음, 김도희 옮김, 나무생각, 2017, 112쪽
54) 위의 책, 113-114쪽

강렬한 짝 영혼의 느낌을 체험하는 것이 어떻게 가능한지도 이해할
수 있다.

20. 인류의 진화 과정

1) 다른 행성에도 진화된 생명체가 있을까?

다른 행성에 존재하는 진화된 생명체

신은 우리의 이 오래된 궁금증에도 속 시원하게 답해준다. 우주의 다른 곳에도 생명체가 있고 그중 일부는 지구보다 진보된 문명을 갖고 있음을 말씀한다. 늘 그렇듯 말씀은 너무도 명확하며, 그 근거는 거부할 수 없는 강한 설득력을 담고 있다.

그 근거의 시작점은 그들은 우리처럼 '좋고 나쁘고'로 특징지어야 하는 이원론과 분리주의에 빠져 있지 않고, 합일이 진리임을 알기 때문이라 말씀한다. 우리는 이를 어떻게 이해해야 할까?

앞서 우리는 신이 존재한다는 너무나도 명백한 진실 앞에서도 그를 보지 못하고 부정하고 있음을 성찰했다. 외계 생명체가 존재하느냐의 문제도 같다는 것이다. 환경을 파괴하는 것이 자신의 진실을 부정하는 것임에도 우리는 그를 인정하지 못하고, 그 짓을 계속하고 있는 것과 마찬가지라 나는 이해한다.

우리는 인간 체험을 하고 있는 영적 존재다. 신성을 체험하기 위한 이 물질계의 모든 인간 체험은 신의 완벽한 대본에 의해 펼쳐지는 장대한 연극 무대다. 우리는 그 무대 위에서 각자 맡은 역할을 연기하는 배우다.

만약 우리가 그 환상과 가짜인 연극 속 역할에 사로잡혀 그 속에 담겨 있는 진실을 알아채지 못한다면, 우리는 그 진실을 보고도 부정하는 것과 다름이 없다고 나는 이해한다. 이에 신은 부정이 환상을 계속되게 하지만, 인정은 환상을 끝내게 함을 강조한다.

앞서 우리는 인정과 선언과 드러냄, 이것이 신을 향해 가는 세 단계임을 성찰했다. 이에 우주에는 수많은 외계생명체들이 존재함은 사실이다. 우리보다 진보된 문명들이 합일이라는, 우리 모두가 하나라는 진실을 부정하지 않는 것은 이를 깨닫고 있기 때문이라 나는 이해한다.

지난 날 나는 다른 행성의 생명체에 대해 무지했다. 다수의 행성에 진보된 문명을 이루며 살고 있는 생명체들이 있음을 알지 못했다. 이원론과 분리주의에 물든 의식 속에서는 자기 밖에 모르고 타존재의 삶에 관심이 없다.

이제 나는 다른 행성에도 수많은 생명체가 존재함을 안다. 그리고 그 행성의 진보된 생명체들의 삶의 방식에 많은 관심을 갖게 되었다. 이들의 진보는 합일이 진리임을 아는 데서 비롯됨을 나는 이해한다.

나는 분리주의와 옳고 그름을 판단하는 이원론이 지배하는 현실의 환상에서 벗어나는 것이 우리 사회의 가장 시급한 문제임을 안다. 나는 참된 자신을 부정하는 일을 그만두어야 함을 안다.

나는 자기 이익을 규정하는 데 있어 깨달은 존재들은 한 사람을 다치게 하는 것이 다수를 다치게 하는 것이고, 소수를 이롭게 하는 것이 다수를 이롭게 할 수밖에 없음을, 아니 결국에는 아무도 더 이롭게 하지 않음을 알고 있다고 믿는다.

나는 이러한 합일의식이 사실을 진실로 받아들일 수 있는 영적 태도임을 안다.

한 사회가 원시적, 진보적인지를 구분하는 표지

한 사회가 원시적인지, 진보적인지를 구분하는 표지는 그 사회가 지닌 가장 높은 이해를 얼마나 실제로 행하는가의 정도라고 신은 말씀한다. 우리는 이를 어떻게 이해해야 할까?

앞서 우리는 우리 모두가 신과 하나이기에 합일이 진리임을 알면서도 그 진실을 부정하고, 서로를 분리하며 이원론에 빠져 옳고 그름을 판단하고 있음을 성찰했다. 몸과 마음으로 세상을 바라보는 이원론을 넘어 영적 존재로서의 이해를 실천하고 있지 못하고 있는 현실이다. 그런 관점에서 우리 사회는 아직 원시적이라 나는 이해한다.

이에 신은 우리가 지난 역사 속에 이미 우리의 문명이 기술의 진화가 영성의 진화를 훨씬 앞선 탓에 자멸했던 경험이 있었음을 말씀한다. 우리가 신화로만 알고 있었던 아틀란티스 문명이 그 한 예임을 신은 부정하지 않는다.

신은 우리 사회가 지금도 똑같이 그렇게 하고 있음을 관찰하고 있다고 말씀한다. 우리는 핵 위기나 기후위기, AI 오용이나 유전자 변형 바이러스 전염병 등을 통해 그 위기의 심각성을 체험하고 있다.

우리는 신이 말씀한 원시적, 진보적이라는 표현이 옳고 그름을 판단하는 것이 아님을 이미 알고 있다. 이는 우리가 누구인지, 어떤 존재가 되고자 하는지와 관련해 가고자 하는 방향에 이르기 위한 효율성 차원을 관찰한 것임을 이해한다.

지난 날 나는 우리 인류사회가 온 우주에서 가장 진보된 문명을 이루고 있을 것으로 믿어왔다. 외계인이 타고 왔을 것이라는 미확인 비행물체(UFO)도 우리 인류의 상상에 불과한 것으로 생각했다.

성장하며 우리 인류사회가 이룩한 현실세계는 수많은 문제들과 그를 낳은 분리주의와 이원론적 사고방식이 자리했음을 인식했다. 나는 오늘날에도 이런 사고방식이 불러온 진보 없는 기술의 진보로 우리 인류가 자멸했던 체험을 다시 초래할 위기 상황에 놓여 있음을 안다.

나는 이러한 원시적 체험의 당위성을 인정하면서도 하루빨리 하나됨의 영적존재로, 진보된 사회로 나아가 이 위기를 극복해야 함을 안다. 물론 나는 우리의 이 원시적 체험도 언젠가는 가장 장대한 체험으로 나아가도록 해줄 소중한 체험임을 안다.

2) 인류의 진화 과정은 어디쯤에 있을까?

우리 인류의 진화 과정은 어디쯤에 있나

인류 진화 전체를 미식축구장에 놓는다면 우리는 어디쯤에 있는 것이냐는 윌쉬의 물음에 신은 12야드 선이라 말씀한다. 나아가 그 리그에서 퇴출될 시기가 가까워지고 있는 구체적인 예까지 제시한 것이다.

신은 지금의 우리 기술은 그것을 지혜롭게 사용할 수 있는 능력을 능가하는 지점으로 육박하고 있고, 기술이 사회의 산물이 되지 않고, 한 사회가 자기 기술의 산물이 될 때, 그 사회는 자멸한다고 경고한 것이다. 기술과 사회의 산물이란 무엇을 의미하는 것일까?

앞서 우리가 성찰한 바대로 기술의 산물이란 개인의 이익을 우선하는 인간의 욕망이 만들어낸 결과물이다. 반면에 사회의 산물이란 영적 존재로서 우리 모두의 이익이 나의 이익이라는 합일의 의식이 만들어내는 문명의 결과물이라 나는 이해한다.

따라서 인류의 진화 과정을 미식축구장에 비유할 때, 전체 100야 드 중 이제 12야드 선에 머물고 있다는 것은 현재 우리의 기술 문명이 돈과 권력의 탐욕에 물들어 지구 문명의 발전에 심각한 문제를 야기하고 있음을 드러내는 표현이다.

이에 우리는 우리 사회가 자멸하지 않고, 참된 진화의 길로 나아가기 위해서는 어떻게 해야 할까?

우리는 수많은 선각자들의 이런 경고에 귀 기울이고, 기술의 독점과 탐욕을 제어할 수 있는 지구 차원의 영적 합일에 기초한 올바른 해결 노력에 다함께 힘을 집중시켜야 할 때임을 성찰한다.

나는 토양, 기후, 핵, AI, 유전자 등의 오염과 변형이 가져올 심각한 문제와 위기의식을 안다. 나는 우리가 이미 의식의 발전 없는 과학 기술의 폐해로 자멸했던 경험이 있음을 안다.

나는 인류의 삶과 미래를 위협하는 당면한 지구적 위기 요인에 공감하며, 이 심각한 문제의 바람직한 해결로 지구를 살리기 위한 모든 과정에 적극 동의하고 참여할 것이다.

나는 인간 중심주의 흐름을 초월하는 우주 내 모든 생명체계와의 공존이란 자연스런 흐름이 존재함을 믿고, 그 조화와 균형에 잘 순응하며 살아가야 함을 안다.

우리의 진화를 위해 넘어야 할 상대팀은

신은 인류의 진화 과정의 원시성과 위기 극복 제안을 우리에게 익숙한 미식축구 경기에 비유하며, 이번이 주어진 네 번의 공격 중 마지막 기회임을 말씀한다.

그리고 그 공격 기회로 넘어야 할 장애 즉 상대팀은 이원론과 분리주의라는 의식과 그에 비롯된 독점과 탐욕 같은 부정적 행동들이라 강조한 것이다.

이제 남은 공격 기회에서 휘슬과 함께 시작되는 경기에서 센터의 공을 받아 이 위기를 극복해 나갈 팀의 리더인 쿼터백은 안전하게 공을 받아 득점을 올릴 리시버를 찾고 있다고 신은 비유한다.

인류의 진화를 가로막고 있는 분리의식을 넘어 미래의 희망인 하나 된 합일의 의식이 바로 이 리시버다. 우리 모두는 하나라는 영적 의식에 기초한 사회의 산물로 돈과 권력이 지배하는 기술의 폭주를 제어해야 할 것이다. 나는 우리 모두가 바로 이 공을 받을 같은 편 리시버임을 자각한다.

나는 인류의 진화를 가로막고 자멸의 길로 빠뜨리고 있는 이원론과 분리주의가 우리가 넘어야할 상대팀임을 안다.

나는 우리 사회가 그에 비롯되는 물질적 탐욕과 이기심이 불러온 기술의 산물이 될 때, 인류가 자멸했던 과거의 역사적 경험을 안다.

나는 분리의식을 넘어 우리 모두가 하나 된 합일의식에 기초한 기술의 산물을 이룰 때, 인류의 위기를 극복하고 진화할 수 있음을 안다.

인류 사회의 진화 과정을 승격시키려면

신은 우리 인류 사회의 진화 과정을 승격시키려면 어떤 노력이 필요한가라는 물음에 신의 사자들은 누구나 지극히 단순한 순간들에서 진리를 끌어내어, 그것을 남들과 함께하기 마련이라며, 네가 그런 사자라고 말씀한다. 우리는 이를 어떻게 이해해야 할까?

우리는 오랜 인류 역사의 흐름 속에서 수많은 위기를 겪었다. 그 숱한 고난과 역경을 극복하는 과정에서 많은 논란과 우여곡절이 뒤따랐지만, 뛰어난 지혜와 용기를 지닌 선각자들의 지도력과 함께 하나 된 마음으로 헌신했던 이름 없는 민중들의 위대한 참여가 결정적인 힘을 발휘했음을 깨닫는다.

오늘날 인류 앞에 놓인 숱한 난관들을 극복하고, 우리의 진화 과정을 승격시키기 위한 노력도 마찬가지라 볼 수 있다. 한편에서는 여전히 많은 사람들이 이원론과 분리의식이란 환상에 휩쓸린 듯하지만, 다른 한편에서는 그 어느 때보다 더 많은 사람들이 만물과 자신의 상호 관계, 그리고 영적 존재로서 자신들의 참된 정체성을 깨달아가고 있음을 나는 관찰한다.

그러면서 신은 우리가 지닌 부정적인 패배의식에서 벗어나, 새로운 영적 의식으로 진화혁명을 이뤄낼 수 있는 지혜를 담아 낸 수많은 책이 있고, 그 책을 찾아 목록을 만들고, 그것을 많은 이들과 함께하라고 말씀한다.

이에 우리 모두가 이런 영적 진리를 자신의 체로 걸러 지극히 단순하면서도 창의적인 방식으로 세상에 전하는 사자가 될 수 있음을 강조한다.

나는 인류의 역사 속에 부딪혔던 수많은 난관을 극복해낸 역사가 존재함을 안다.

나는 수많은 선각자들이 남긴 책만이 아니라 한 편의 시, 노래 가

사, 그림과 조각 형상과 인간 가슴의 모든 박동 속에 인류가 맞닥뜨린 수많은 위기와 난관을 극복하고, 인류의 진화 과정을 승격시킬 방법에 대한 신의 진실과 해답이 담겨 있음을 안다.

나는 나에게 익숙한 방식으로, 내가 이해한 방식으로 그 역할을 잘 할 수 있음을 안다. 나는 글쓰기, 영상 매체, 나의 삶 그 자체 등을 활용해 그 진리를 알리고 인류사회의 진화 과정을 승격시켜 나가기 위한 노력에 함께할 것임을 안다.

나는 내가 그런 수많은 사자들 중 한 명임을 안다.

21. 고도로 진화된 존재(고진재)

1) 고도로 진화된 사회의 지도 원리는 무엇일까?

고도로 진화된 사회의 지도 원리

앞서 우리는 우리 사회와 우주의 다른 곳에 있는 고도로 진화된 문명 간의 차이점은 우리가 지닌 이원론과 분리 관념임을 성찰했다.

이에 월쉬는 우주의 고도로 진화된 사회들에 대해 설명해달라고 부탁하며 이 질문을 했던 것이다. 이에 신은 고도로 진화된 존재들을 이제부터 '고진재'라고 줄여서 말하자고 말씀했다.

신은 진화된 문명의 첫 번째 지도 원리는 우리 모두는 하나라는 것이고, 두 번째는 하나 안의 모든 것은 서로 연결되어 있다는 것이라 말씀한다. 우리는 이를 어떻게 이해해야 할까?

우선 우리 모두는 하나라 할 때, 그 모두에는 살아있는 생명체뿐만 아니라 소위 무생물이라 불리는 땅과 대기까지를 포함하는 개념으로 이해한다. 신은 이를 종체계라 말씀했다. 또한 서로 연결되어 있다 할 때, 연결의 의미는 상호 의존성과 서로의 필요는 늘 균형을 이루고 있다는 것으로 나는 이해한다.

오늘날 지구상에서 벌어지고 있는 현실은 인간이라는 최상위 포식자가 문명이라는 이름으로 이 종체계의 균형을 파괴하고 있음을 목도한다. 무분별한 인간의 탐욕이 불러온 이 불균형 현상들이 또 다시 지구라는 행성의 자멸을 걱정하도록 만들고 있다.

하나인 모두에게 필요한 자원임에도 자신들의 소유권을 주장하며 독점해 부당한 이익을 추구한다. 심지어 그 소유권을 놓고 다투거나 힘을 이용해 강제로 빼앗기도 한다. 인간 스스로 상호 의존성과 필요에 의해 유지되는 종체계를 허물고 있는 것이 현실이다.

신은 이 소유권 또는 점유권을 고진재들은 관리권이라 부르며, 그들은 관리자로서 보살핀다고 말씀한다. 고진재들은 종체계 내 모든 만물이 하나로 연결되어 균형을 이루려 노력하고 있음을 잘 나타내고 있는 표현이라 나는 이해한다.

나는 지금 현재 지구상에서 일어나는 수많은 전쟁 속에서 같은 종끼리 죽고 죽이는 참혹한 모습을 보며 고진재 사회의 지도 원리가 우리가 지향해야할 핵심 원리임을 안다.

나는 자본주의 사회 속 물질만능주의로 인한 불평등 구조를 극복할 대안 개념으로 만물을 유지하고 돌보지만 소유하지 않는다는 고진재 사회의 지도 원리를 수용해야 함을 안다.

나는 고진재 사회의 지도 원리인 하나 안에 모두가 서로 연결되어 있음을 존중하는 것이 우리가 지향 할 승격된 사회임을 안다.

고진재들의 생명과 죽음에 대한 관점

신은 고진재들은 우리가 소위 죽음이라 부르는 것을 조금도 두려워하지 않는다고 말씀한다. 우리는 이를 어떻게 이해해야 할까?

우리의 현실은 이원론과 분리주의 관점에 대부분의 사람들이 영향을 받는다. 또한 삶을 일회적 관점에서 바라보기에 죽음은 생명의 종말을 뜻하며, 아쉬움과 두려움의 상징으로 받아들여진다.

하지만 신은 고진재들은 자신들이 영원히 산다는 것과, 그건 자신이 어떤 형상을 취하는가의 문제에 지나지 않는다는 걸 안다고 말씀한다. 이에 고진재들은 자신이 영적 존재로서 영원한 생명에너지 그 자체임을 알기에 소위 죽음이란 상황도 필요에 따라 몸의 형상을 바꾸는 선택일 뿐임을 자각하고 있다는 것으로 나는 이해한다.

우리는 고진재들은 대기와 환경을 조절함으로써 날씨와 기온을 조절할 수 있음을 알게 되었다. 그렇다면 몸과 환경을 보살피는 법을 배운 고진재들은 보통 한 신체로 무한히 오래 살 수 있다는 신의 말씀도 이해할 수 있다.

따라서 고진재들은 하나의 몸의 형상으로 무한히 오래 사는 것뿐만 아니라, 상황과 필요에 따라 몸의 형상을 바꾸는 소위 죽음도 기쁘게 받아들일 수 있음을 나는 이해한다. 고진재들은 언제나 자신이 원하는 형상으로 다시 돌아올 수 있음을 알고 있기 때문이다.

지난 날 나는 인간의 삶과 죽음에 이르는 과정에서 부딪히는 수많은 근원적 물음에 대한 나름의 해답을 구해 보고자 노력했다. 많은 깨달음과 성장이 있었지만 늘 한계에 부딪쳤다.

이제 나는 우리 사회가 지니고 있는 생명과 죽음에 대한 관점이 지닌 한계를 안다. 1회적 삶의 관점이 불러온 초조함과 두려움이 모든 갈등과 폭력의 원임임을 안다.

나는 영적 존재인 우리가 신성을 체험하고자 삶의 대립물로서 소위 죽음이라 부르는 것도 창조해냈지만, 죽음은 궁극의 현실에서는 존재하지 않으며, 우리가 삶을 더 가치 있게 만들기 위해 이용하는 단순한 환상에 지나지 않음을 다시 한 번 깨닫는다.

나는 우리 모두가 인간체험을 하고 있는 영적 존재임을 깨달을 때, 우리 사회가 비로소 진화하고 고도로 진화된 사회로 승격될 수 있음을 안다.

고진재들의 집단의식, 공동체관, 국가관

오늘날 우리 사회는 문명화, 도시화 되어 감에 따라 나타나는 부작용으로 몸살을 앓고 있다. 작게는 왕따 문제나 층간소음 갈등에서부터 크게는 지역과 계층, 국가 간의 대립과 충돌에 이르기까지 다양한 모습으로 나타난다.

이에 고도로 진화된 사회에서는 이러한 문제를 어떻게 해결하고 있는지를 살펴보는 것은 우리 사회의 건강한 발전을 위해 매우 중요한 참고가 될 것이라 생각된다.

신은 고진재들이 도시나 국가 형태나 민족주의 개념을 포기했으며, 그는 합일의 지도 원리에 어긋나기 때문이라 말씀한다. 우리 모두가 하나요, 서로 연결되어 있는 존재임을 알기에 도시나 국가 형태가 불러올 폐해를 예견했으리라 이해된다.

나아가 신은 우리 세상과 달리 고진재들은 "무엇이 도움이 되는지." 더 치밀하게 관찰하는 법을 배웠다고 말씀한다. 이는 무슨 뜻일까?

나는 우리가 누구인지, 어떤 존재가 되고자 하는지와 관련된 것으로 이해한다. 즉 영적 존재로서 신성을 체험하기 위한 인간 체험의 목표를 이뤄가는 데 무엇이 보다 효과적인지, 그 효용성을 살펴 현실에 적용한다는 것이다.

우리는 모두의 생명과 안전을 보장하고, 행복을 증진하기 위해 국가를 만들고 도시화를 꾀했지만 그 목적을 이루는 데 실패했다. 이제라도 우리가 추구해온 집단화된 대규모 공동체 대신 고진재들이 치열한 관찰을 통해 이룩한 군집한 개인들이라는 기초 위에 하나의 국가를 이루며 살아갈 수 있도록 노력해야 할 것으로 나는 이해한다.

나는 군집한 개인들이라는 의미가 인간의 생존과 자유를 보장하기에 적합한 정도의 소규모 공동체로 생각한다. 종체계 내 모든 생명체들과 조화와 균형을 이루며, 성장을 지원할 수 있는 공동체와 국가로 이해한다.

나는 우리 사회의 분리와 적자생존의 원리가 만들어 내고 있는 도시화와 그에 따른 공동체성의 파괴가 우리의 생명과 안전, 복지를 증진하려는 공동체의 목표를 저해하고 있음을 안다.

나는 우리 사회는 인류가 빚어낸 비참의 악순환에서 벗어나, 고도로 진화된 문화를 이룩하기 위해 무엇이 쓸모 있는지, 무엇이 도움되는지를 치밀하게 관찰하는 법을 배우고, 그 배운 바를 실천해 나가야 함을 안다.

나는 인류가 하나의 국가 속에 군집한 개인들이라는 소규모 공동체를 이루며, 종체계 내 모든 생명체들과 조화와 균형을 이루며 살 때, 우리 모두의 영적 진화 목표를 가장 잘 이뤄낼 수 있음을 안다.

2) 고도로 진화된 사회의 삶의 모습은 어떠할까?

자신의 행위 결과를 체험하는 고진재들의 수명

앞서 우리는 영적 존재로서 인간 체험을 위해 선택한 형상인 우리의 몸은 영원히 오래 살 수 있도록 만들어졌음을 성찰했다.

이에 고진재들은 자연의 모든 생명체들과 조화와 균형을 이루며 성장할 수 있는 삶의 방식을 관찰하고 실행했으리라 이해된다. 당연히 환경을 오염시키지 않았을 것이며, 몸에 해로운 음식을 섭취하려 하지 않았을 것이다.

더욱이 우리는 걱정은 미움 다음으로 몸을 해친다는 점도 이미 성찰했다.

신의 완벽한 계획과 생명에너지의 영원함을 깨달은 고진재들이라면 두려움에서 비롯되는 걱정과 같은 심리적 불안감에서 벗어날 수 있었을 것이다. 이러한 점이 고진재들이 자신이 원할 때까지 생명을 유지할 수 있는 결정적 동인이 되었을 것으로 나는 이해한다.

가장 놀라운 점은 고진재 사회에서는 개별 존재들이 자신들의 행위가 가져온 장기적인 결과들을 체험할 때까지도 살아 있는 것이 보통이라고 분석한 신의 말씀이다. 우리는 이를 어떻게 이해해야 할까?

우리의 현실은 대부분의 사람들이 자신의 삶을 일회성으로 보고, 분리주의와 적자생존의 관점에 사로잡혀 당면한 상황과 사건들을 해결하는 방식이 보통이다. 눈앞의 이익을 우선하느라 장기적 안목으로 각종 문제를 깊이 관찰하려는 해결 방식을 선택하지 못하는 것이다.

만약 우리가 영적 존재요, 영원한 생명에너지를 지닌 존재임을 자각한다면, 당연히 내가 상대방에게 체험하도록 한 것은 반드시 자신이 체험한다는 우주의 기본 법칙을 존중하고 따를 것이다.

고진재들은 자신의 잘못으로 남에게 끼친 피해가 자신이 살아 있는 동안에 자신에게 더 큰 피해로 돌아온다는 사실을 체험으로 안다. 그 점을 알면서도 자신과 남을 해치는 생각과 행위를 할 고진재들은 없을 것이라 나는 이해한다.

나는 신의 가장 위대한 창조물인 우리의 육신을 우리가 원하는 때까지 그 생명을 유지할 수 있음을 깨닫는다.

나는 청정한 자연환경과 채식 위주의 식생활, 걱정과 두려움이 없는 마음가짐이 우리 자신이 영적 존재임을 자각하는 데서 나오는 것임을 안다. 나는 이러한 생활 방식이 우리 몸의 수명을 훨씬 더 연장해 줄 수 있음도 안다.

나는 인과응보의 장기적 체험을 윤회의 관점에서 수용하지만, 현생에서도 인간의 행위 결과를 체험함으로써 자신의 행위에 대한 보다 책임 있는 윤리적 행위를 할 수 있어야 함을 안다. 그리고 이런 관점에서 현실에서 일어나는 모든 상황과 사건을 관찰하고 있음을 안다.

나는 고진재들의 삶의 방식을 가꾸는 '무엇이 도움이 되는지'와 관련해 치밀하게 관찰하는 태도를 본받을 때, 우리의 삶의 방식도 좀 더 영적으로 진화되며, 우리의 소중하고 귀한 몸의 수명도 우리가 원하는 만큼 오래도록 유지할 수 있음을 안다.

고도로 진화된 사회의 육아와 노인문제 해결

신은 고진재들은 아이가 아이를 기르지 않는다고 말씀한다. 우리는 이를 어떻게 이해해야 할까?

우리 사회는 소위 문명이 발달해 감에 따라 저출산 문제로 어려움을 토로한다. 우리나라만 해도 매년 막대한 예산과 각종 출산 지원 대책 시행에도 불구하고 출산율은 계속 떨어지고 있다. 늘어나는 평균 수명과 경제적 풍요 속에서도 왜 젊은이들은 아이를 낳으려 하지 않을까?

우리는 고도로 진화된 사회의 문화 속에서 그 해답의 실마리를 찾을 수 있다고 생각된다.

결혼해 출산과 육아를 경험한 이들이라면 누구나 인정하겠지만, 이삼십 대 젊은 시절 부모가 되어 육아를 책임지기에는 부족함이 많음을 실감한다. 건강한 육체는 아이를 낳을 수 있는 적절한 때이지만, 아직 부모가 되기에는 배워야 할 것들이 너무 많은 시기이기도 하다. 과거의 대가족제도가 해체된 오늘날 일하며 아이를 기르는 어려움은 날로 심각해지고 있는 실정이다.

이에 고도로 진화된 사회에서는 노인들이 의식주의 기본 생활과 육아, 나아가 배움의 과정까지 책임진다고 신은 말씀한다. 긴 수명을 유지할 수 있는 고진재들이라면 당연히 가능한 일이라 이해된다.

노인들이 공동체의 존경받는 일원으로 자신들이 지닌 지혜와 사랑으로 얼마든지 해낼 수 있는 역량을 갖추고 있으리라 짐작된다. 젊은 부부들은 원한다면 그들이 바라는 삶을 가꾸는 데 필요한 배움을 위해 마음 놓고 자식과 가정을 떠나 성장을 위한 충분한 시간을 보낼 수 있을 것이다.

우리 사회도 급격히 늘어나는 평균 수명과 함께 노인 문제가 큰 사회 문제로 대두되고 있는 실정이다. 노인의 풍부한 경험과 지혜, 사랑과 헌신으로 의식주의 기본 생활뿐만 아니라 사회의 중추적 역할까지 책임질 수 있는 사회 문화와 체계를 이뤄낸다면 각종 사회 문제를 해결하는 데 큰 기여를 할 것이라 생각된다.

지난 날 나는 내 자식을 낳고 기르는 일에 부족함이 많았음을 인정한다. 부모의 역할을 제대로 해 내기에는 준비가 부족했다. 장인 장모님의 헌신적인 돌봄 지원이 큰 힘이 되었다.

나는 고도로 진화된 사회의 육아 방식과 노인 중심의 사회 체제 방식에 전적으로 공감했다. 노인들의 사회적 역할을 증진해 나갈 수 있는 의식의 전환과 정책 추진에 힘을 기울여야 함을 자각한다.

나는 우리 사회의 자기에 대한 규정이 너무 협소했음을 안다. 나 자신과 내 가족과 내 공동체에서, 자신과 모두의 가족과 공동체로 그 규정을 확대해야 함을 안다. 각종 사회보장제도의 확충과 함께 기본소득 정책의 확대로 이를 실현시켜 나가야 함을 깨닫는다.

고도로 진화된 사회의 학교 제도와 교육과정

신이 말씀한 아이들에게 '있는 그대로'와 '도움 되는 것'을 일깨워주는 교육과정이란 무엇을 의미하는 것일까?

사실 아이들은 아무 것도 그려져 있지 않은 백지 상태요, 무엇이든 흡수할 수 있는 스펀지 같은 상태라 할 수 있다. 부모는 아이의 거울 아닌가. 어른들이 보여주는 있는 그대로의 생각과 말과 행동들이 거울이다. 따라서 나는 어른들이 보여주는 있는 그대로의 삶의 태도와 생활양식 그 자체가 가장 훌륭한 교육과정이라는 뜻으로 이해한다.

또한 고도로 진화된 사회에서는 모두가 하나로 긴밀히 연결되어 공동체의 삶을 가꾼다. 영적 존재로서의 진화와 성장에 도움 되는 것을 진지하고 치밀하게 관찰하며 그를 삶에 실천한다. 공동체의 일원인 아이들의 교육의 장은 삶의 현장이 된다. 이런 이유로 고도로 진화된 사회에서는 굳이 학교라는 제도가 필요 없음을 나는 이해한다.

나아가 아이들은 자신의 부모처럼 되고 싶어 한다. 어른들의 모습을 따라 하고 싶어 한다. 아니 더 잘하고 싶어 한다. 아이들의 건강한 성장 욕구와 동기를 발현할 수 있도록 격려하고 지원하는 일이 무엇보다 기본이다. 이런 점을 고도로 진화된 사회의 구성원들은 관찰을 통해 찾아내고 그를 실천했으리라 믿어진다.

우리 사회가 아직도 원시적인 수준에 머무르고 있다면, 이는 전적으로 어른들의 잘못된 사고와 생활방식의 책임이다. 어른들이 자신들의 부족한 점을 있는 그대로 진실 되게 관찰하고 받아들이며, 진정 도움 되는 방향으로 의식과 제도를 개선해 나가는 일이 급선무다.

이런 점에서 오늘날 우리 사회의 교육제도의 근간인 학교의 기능과 역할도 그 생명을 다했다고 볼 수 있다. 국가 교육과정을 폐지하고 마을 단위의 소규모 공동체 구성원들과 함께 하는 학습의 장에서 아이들이 원하는 배움이 신나게 이뤄지는 교육방식이 대안이라 생각된다.

나는 우리 사회의 학교와 교육과정이 올바른 방향으로 가고 있지 못함을 오랜 시간 체험했다. 그 대안을 모색하고 실천하려 노력했다.

이제 나는 지난날 동료교사, 학부모들과 함께 실천해온 대안교육과정이 올바른 방향이었음을 고진재들의 교육철학과 교육과정을 이해하며 확신했다. 무엇보다 어른들의 삶 그 자체가 가장 훌륭한 교육과정임을 안다.

어른들의 있는 그대로의 삶이 보여 지는 현장이 아이들의 가장 적합한 학습의 장임을 다시 한 번 깨닫는다. 우리 모두가 하나 되어 성장할 수 있도록 도움 되는 것에 헌신과 열정을 보여주는 어른들의 모습이 아이들에게 가장 큰 동기 부여가 될 수 있음도 새삼 자각한다.

나는 은퇴 후, 건강검진제도에 의존하지 않고 일상 검진으로 일컫는 삶 그 자체를 올바르게 가꾸어 가는 것이 질병을 예방하고 건강을 유지하는 길임을 믿고 실천하고 있다. 나는 이것이 고도로 진화된 사회가 추구하는 있는 그대로와 도움 되는 것을 실천하는 어른들의 바람직한 모습의 하나임을 깨닫는다.

고진재들의 여행, 복장, 의사전달 방식

신은 고진재들이 의식의 승격과 함께 기술의 진보를 이뤄 우리와는 비교할 수 없을 정도로 삶의 모습과 생활양식을 발전시켰음을 몇 가지 예를 들어 말씀한다.

특히 놀라운 점은 마음과 물질성 자체에 대한 이해 역시 발전해 자신의 몸을 마음대로 해체하고 복원함으로써 자신이 원하는 곳 어디든지 순간 이동할 수 있다는 점이다.

또한 고진재들은 광대한 은하를 이동하는 먼 거리 여행 시, 우리가 어릴 적 즐겼던 놀이의 하나인 물수제비 방식을 이용한다는 점이 이채롭다. 다만 자세한 설명이 없어 이해하기가 어렵다는 것이 솔직한 심정이다.

한편 신은 고진재들은 수치나 수줍음이 없기에 옷을 입을 필요를 느끼지 않는다고 말씀한다. 우리는 이를 어떻게 이해해야 할까?

나는 수치나 수줍음은 투명성을 거부하는 소수의 기득권 세력들이 만들어낸 두려움에서 비롯된 감정이라 이해한다. 우리 모두가 하나임에도 불평등한 계급과 지위에 따른 불필요한 욕망을 유지하기 위한 일부의 거짓 감정이다.

욕망의 독점이 숱한 장막을 드리운다. 영적 존재로 우리 모두가 하나라면 굳이 감출 것이 없다. 투명성을 기초로 하는 고진재들의 삶의 방식이 안전이나 지위를 보장하기 위한 옷의 필요를 없앨 수 있었으리라 이해한다. 더욱이 자연과 하나 되는 그들이다. 나아가 날 씨를 조절할 수 있는 그들이기 때문에 가능한 일이라 생각된다.

의사전달 수단으로 감정을 으뜸 차원으로 사용한다는 점도 마찬가지다. 감출 일이 없는 데 굳이 말을 사용할 필요를 느끼지 못했을 것이다. 의식과 물질성 측면에서 자신의 몸을 마음대로 해체하고 복원할 정도라면 상대방의 감정이 보내는 진동과 파동을 읽어낼 수 있는 능력이 있다는 신의 말씀도 충분히 받아들여진다.

앞서 느낌은 영혼의 언어임을 성찰했듯이, 고진재들은 텔레파시로 의사전달이 이루어짐을 이해할 수 있다.

그 밖에도 신은 고진재들의 삶의 모습과 관련해 그들의 생김새는 다양하고, 주거는 자연과 공간을 함께 하는 방식으로 이루어지며, 모든 삶이 있는 그대로와 도움 되는 것에 맞게 이루어지고 있음을 거듭 강조한다.

지난 날 나는 외계 행성이나 외계인의 존재에 대한 확신이 부족했다. 인간의 상상력이 만들어 낸 가상세계에 대한 막연한 동경이 있었다. 이제 나는 신의 말씀에 담긴 다른 행성에 존재하는 여러 종의 생명체에 대해 확신을 갖게 되었다.

고진재 사회에서는 지난 날 공상 과학 영화 속에서나 봤던 몸과 마음의 해체나 복원을 통해 언제 어디서나 있을 수 있다는 사실이 새롭고, 그 기술은 놀랍게 다가온다.

고진재들이 우주를 여행하는 방식이 우리가 어린 시절 물가에서 납작한 돌을 던져 물 위를 누가 더 많이 스치며 멀리 가게 하느냐를 겨룬 물수제비 놀이 방식과 같다는 것도 신기하다.

나는 고진재들의 마음과 물질성 자체에 대한 발전적 이해의 기초는 자신이 누구인지, 어떤 존재가 되려 하는지를 아는 것에 있음을 안다. 영적 의식의 자각이 출발점이라 나는 이해한다.

이제 나는 소위 명품이라는 것에 집착하고 그를 통해 신분을 구분하고자 하는 인간의 행위가 수치나 수줍음 등 불필요한 개념에서 나오는 것임을 안다. 나는 감정과 느낌이 의사 전달의 으뜸 차원임을 안다. 나 자신이 숨길 것이 없는 진실 그 자체이어야 함을 안다.

나는 우리가 자연과 하나이고, 상호 의존 관계이며, 우리를 부양해 주는 관계임을 다시 한 번 깨닫는다.

고도로 진화된 사회의 일에 대한 관점

신은 우리 사회에서 말하는 식의 '일'이라면, 대다수 고진재 문화들에는 그런 개념이 존재하지 않는다고 말씀한다. 이는 무슨 뜻일까?

우리 사회의 일과 노동은 직업의 가치를 실현하는 것과는 거리가 멀다. 생계를 유지하거나 돈의 욕망을 충족하기 위한 수단이 중심이다. 자아를 실현한다거나 사회에 봉사하기 위한 보다 높은 차원의 목적은 찾아보기 어렵다.

직업에는 귀천이 없다고는 말하지만 현실은 그렇지 못하다. 돈과 권력, 명예와 지위가 직업의 귀천을 결정한다. 있는 그대로와 도움 되는 것을 진실하게 관찰하지 못하고, 그의 가치를 제대로 대접하지 못하는 것이다.

하지만 고도로 진화된 문화에서는 의식주와 같은 기본적 삶의 조건들은 모두에게 최우선적으로 보장되기에 우리처럼 굳이 그를 위해 일할 필요가 없을 것이다. 영적 존재로서의 자각은 그들이 사회 전체의 조화와 균형 있는 발전에 도움 되는 일을 가치 있게 볼 것으로 이해한다.

신은 고진재들은 전체에 대한 그들의 봉사로 가장 높은 보수를 받고, 최고의 호칭으로 불리는 일꾼들임을 말씀한다. 이는 무슨 뜻일까?

이는 무엇이 자신과 사회 전체에 이로운 것인가에 대한 규정 자체가 다르기 때문에 가능한 것이라고 이해한다. 몸과 마음에 도움 되는 것을 넘어 영적 진화와 성장에 도움 되는 것을 보다 이로운 것으로 평가한다는 것으로 나는 이해한다.

나는 가치를 가져오는 일을 하는 것을 성취로 규정하는 고진재의 개념을 수용한다. 가치는 일을 통한 욕망 충족의 범위와 지속성에 따라 규정되기에 우리는 물질적 가치를 가져오는 것을 기초로 정신적, 영적 가치를 가져오는 일로 나아가야 함을 안다.

나는 실패가 존재하지 않는 도움 되는 일을 존중하는 사회를 위해 노력할 것임을 안다. 우리는 영적 존재이기에 모두가 하나로 연결되어 있음을 안다. 따라서 한 명의 실패는 모두의 실패임을 자각한다.

　나는 전체를 이롭게 하는 일을 이로움으로 높게 규정하는 사회를 위해 노력할 것임을 안다. 물론 나 자신을 사랑 그 자체인 참된 자신으로 성장시키는 일이 사회 전체를 이롭게 하는 일임도 안다. 이는 이기적인 것이 아니라 참된 자신을 자각하는 일임도 안다.

3) 고진재들은 사회 문제를 어떤 방식으로 해결할까?

고진재들의 상호 교류와 사회 기능 방식

신은 고진재들은 사회가 제 기능을 다하도록 하기 위해 충분히 관찰하고 진실 되게 교류한다고 말씀한다. 이는 사회 구성원 전체에 무엇이 진실로 도움 되는지를 충분히 관찰한다는 것이다. 당연히 그 기준은 합일과 투명성에 있음을 우리는 성찰했다.

진실 되게 교류한다는 것은 있는 그대로 솔직히 보고 말한다는 것으로 이해한다. 영적 존재로서 감정을 숨길 수 없다는 것을 알기에 굳이 많은 말이 필요하지 않을 것이다. 사랑하는 사람 간에는 이심전심 통하기 마련임을 우리는 안다.

또한 고진재들은 옳고 그른 것을 중심으로 하지 않는다고 말씀한 것은 무슨 뜻일까?

이는 영적 존재가 지닌 자유의지와 자유선택권이 존중되기에 누구도 한 영혼의 선택을 제한하거나 판단할 수 없음을 말하는 것으로 이해된다. 자신의 선택에 따른 결과의 책임 주체는 자신뿐이다.

따라서 고진재들은 각종 사회 문제의 최종적 해결을 우리 사회가 의존하는 도덕과 법률이 아니라 연장자들로 구성된 평의회의 상호 합의에 따른다고 신은 말씀한다. 이 상호 합의는 자각과 정직, 책임 이라는 삼각률을 기초로 한다.

고진재 사회에서는 실패가 없기에 경쟁할 필요가 없으며, 당연히 수치심이나 죄의식도 없을 것이다. 모두가 하나라는 합일의식은 공유의 가치를 기본으로 삼기에 양극화에 따른 분배문제도 없을 것이다. 사회 문제 발생 자체가 원천적으로 예방되고 있음을 알 수 있다.

앞서 우리는 절대계의 무한한 자유로움을 아는 영혼이 인간 체험을 위해 물질계의 몸을 선택했다는 것 그 자체가 위대한 희생이며, 그 자체로 공동선에 기여하고 있음을 성찰했다. 이런 영적 의식을 깨닫고 있는 고진재들이 어떻게 자신들의 사회를 유지하고 발전시키고 있는지 세심히 관찰하는 것이 우리에게 큰 도움이 되고 있음을 이해한다.

나는 우리 인간 사회가 '도움 되는 것'을 충분히 관찰하고, '있는 그대로'를 말하며 진실 되게 교류할 때 보다 진화될 수 있음을 안다. 나는 이것이 옳고 그른 것을 중심으로 하는 우리 사회의 도덕규범이나 법률에 의존하지 않고도 스스로 적절한 행동방식을 가꿔나갈 수 있음을 안다.

나는 한 공동체의 의사소통 수단은 말이 아니라 감정과 사랑임을 안다. 나는 자각과 정직, 책임이라는 삼각률에 기초한 상호합의가 어떤 체제나 법률보다 우선함을 안다.

지난 날 나는 이미 존재하는 사회 체제가 규정하는 수많은 제한을 통해 죄의식과 수치심을 키우며 살아왔다. 그 도덕과 윤리를 자신이 마땅히 지키고 따라야 할 공통된 표준으로 인식하고 그를 가르쳤다.

또한 우리 사회의 지배 원리인 약육강식, 적자생존에 따른 통치

체제와 사회·경제 체제에 순응해왔다. 균등한 분배를 공산주의 방식이라 폄하했다. 기본소득 정책에 대한 명확한 근거와 신념이 부족했다.

이제 나는 죄의식, 수치심, 경쟁의식은 우리 사회가 진화하는데 도움 되지 않음을 관찰한다. 나아가 합일에 기초한 균등한 분배와 더 나아갈 기회 보장이라는 올바른 인식에 기초해 남은 삶 동안 우리는 어떤 존재인지, 어떤 존재가 되려하는지를 전하는 사자의 역할을 해야 함을 안다.

다른 존재들의 공격에 대한 고진재들의 대응 방식

오늘날 우리의 인간 세상은 개인과 집단 간에 끝임 없는 이해 충돌로 분쟁이 야기되고 있다. 급기야 서로를 적대시해 공격하며 죽이기까지 하는 원시적 행태가 일상적으로 이어지고 있다. 그렇다면 고진재들은 다른 존재들이 자신을 공격한다면 어떻게 대응할까?

신이 전하는 말씀은 놀랍고도 경이롭다. 고진재들은 화가 나서 다른 지각 있는 존재를 죽이는 일이 절대 없다고 말씀한다. 그들은 어떻게 분노를 체험하지 않을 수 있을까?

나는 고진재들이 자신과 자신을 공격하는 자가 '하나'임을 이해하고, 그 공격자를 자신 중의 상처받은 부분으로 본다는 관점이 참으로 새롭게 다가왔다.

그런 관점이라면 고진재들이 할 수 있는 역할은 그 공격자의 모든 상처를 치유하는 일이 우선일 것이다. 그리고 그 치유의 중점은 그 공격자가 하나 속의 전체로 자신의 참 모습을 다시 깨닫도록 돕는 일이 될 것이다.

고진재들은 공격하는 쪽은 당연히 덜 진화된 종임을 알 것이니, 고진재들은 절대 남을 공격하지 않을 것이라는 신의 말씀에 절로 고개가 끄덕여진다.

나아가 고진재들은 어떻게 공격자들의 육신 체험을 끝내려 하지 않을까?

구성원 모두가 하나로 연결되어 있으며, 상호 존중과 필요에 균형을 유지하고 있는 고진재들은 자신이 영적 존재임을 자각하고 있을 것이다. 자신이 물질 형상을 하고 있으나 이는 잠깐의 환상 체험일 뿐이며, 자신이 죽지 않는 영원한 생명에너지 그 자체임을 잘 알고 있을 것이다.

이에 신은 죽음을 두려워하지 않는 고진재들은 만약 누군가가 힘으로 강제해서라도 그토록 절실히 필요한 것이라면 뭐든지, 설령 그것이 고진재들의 육신 삶을 희생하는 것이라 해도 그냥 내어줄 것이라 말씀한다. 왜냐하면 진화된 존재는 자신이 모든 걸 처음부터 다시 창조할 수 있음을 알기 때문이라는 것이다.

우리는 이 말씀을 통해 우리가 영적 존재임을 자각할 때, 어떻게 자신의 삶을 경이롭게 변화시킬 수 있는지를 새삼 깨닫게 된다. 우리 사회의 원시적 위기를 넘어 어떻게 고도로 진화된 사회를 건설할 수 있는지를 생생하게 성찰할 수 있는 것이다.

나는 깨달음이 없는 현실 상태에서 상처받고 고통 받고 있는 경우, 누군가가 자신을 남용할 때는 그 남용이 계속되도록 놔두는 게 좋은 것이 아닐 수 있음도 안다.

나는 "지구상에서 벌어지고 있는 극도의 비인간적 상황에 대한 신의 심판이 왜 없는가."라는 이유로 신의 존재를 부정하는 근거로 삼기도 했다. 인간 존엄을 해치는 폭력에는 폭력으로 맞서는 것이 정의라 생각했다.

이제 나는 사회 구성원들이 깨달음의 수준에 도달했을 경우, 이런 사회에서 사는 존재들은 자신들이 누구인지 아주 잘 알기에 그들 중 한 명을 고통 받거나 상처받게 하기는 대단히 어렵다는 것을 안다.

또한 나는 전체 성장 과정 동안 우리의 지금 수준에서 움직일 수밖에 없음도 안다. 그런 게 성장 과정의 일부고 진화 과정의 일부라고 관찰한다. 나는 여기에는 어떤 판단도 없으며, 우리가 더 진화된 존재처럼 행하지 않는다고 비난하거나 하는 일도 없을 것임을 안다.

그러나 이제 나는 고도로 진화된 사회의 진화 원리를 깨닫고, 그를 삶의 원리로 실행한다. 우리 모두는 하나라는 합일의 원리로 사고하고 행동한다. 나는 이것이 진화혁명임을 안다.

고진재들의 잘못된 행동에 대한 처리 방식

우리는 누군가의 잘못에 대해 피해 경중을 따져 도덕적 훈계와 반성의 기회를 주거나 법적 판단을 통해 강제력을 갖는 처벌을 하는 것이 보통이다. 그러나 현실에서는 갈수록 강제력에 기대는 추세로 오히려 갈등과 대립을 격화시키고 있다. 이는 근본적인 해결 방식이 아니다.

이에 신은 고진재들은 잘못된 행동을 처리하는 방식에 재판이나 처벌은 없다고 말씀한다. 아마도 이는 사회 구성원 모두가 하나임을 알기에 한 사람의 잘못이 모든 구성원들의 책임으로 연결되기 때문이라 생각된다.

잘못한 사람에게는 잘못을 고칠 기회가 주어진다. 그렇다면 그 기회는 어떻게 작용하는 것일까?

이는 자신의 잘못된 행동을 있는 그대로 살펴보고, 그 행동이 왜 사회 전체에 도움 되지 못했는지를 되돌아 볼 기회가 주어진다는 뜻으로 나는 이해한다.

삼각률을 적용해 본다면, 자신의 잘못을 자각하고, 정직하게 그를 인정하며, 그 잘못을 되풀이 하지 않을 것임을 책임 있게 선언하는 방식이리라 이해한다. 나는 사회의 존경받는 어른들의 이해와 사랑에 힘입어 자신의 잘못을 스스로 성찰하며 개선할 때 진정한 해결책이 될 수 있으리라 믿는다.

나는 우리 사회가 법치주의를 근간으로 유지되고 있지만 그 조차 공정과 상식을 훼손하고 힘 있는 이들에게 휘둘리고 있는 수많은 사례를 본다.

나는 우리가 고도로 진화된 문화를 향해 가기 위해서는 법의 통치에서 벗어나 자각과 정직과 책임에 근거한 사회로 진화해 나아가야 함을 안다.

나는 잘못된 행동을 한 사람에게는 있는 그대로와 도움이 되는 것을 관찰하고, 삼각률에 의거 스스로 자신의 잘못을 고칠 기회를 제공하는 것이 올바른 방향임을 안다.

나는 우리 모두가 영적 존재임을 자각한다면, 모든 행위의 옳고 그름을 판단할 수 있는 주체는 자신뿐임을 다시 한 번 자각한다.

4) 우리가 배워야 할 고진재들의 삶의 진리는?

고진재들이 대립물인 부정성을 경험하는 방식

월쉬는 고진재와 관련한 대화 속에서 선명한 모순 하나를 갖게되었음을 고백한다. 즉 앞서 우리는 여러 차례 물질계에서의 인간체험은 상대성과 대립물이 존재하지 않고서는 불가능함을 성찰했다. 소위 선과 악, 위와 아래, 차가움과 따스함처럼 나 아닌 것이 존재하지 않고서는 나인 걸 체험할 수 없다는 점이 그것이다.

그런데 어째서 고도로 진화된 존재들의 삶에는 사실상 '악'이라할 만한 게 전혀 들어 있지 않느냐 하는 모순을 말한 것이다. 즉 고진재들은 자신의 긍정성을 알고자 그 대립물인 부정성을 어떻게 경험하느냐고 물었던 것이다.

이에 신은 고진재들은 '자신들이 누군지' '긍정적으로 자각하자고', 굳이 부정성을 창조할 필요가 없다는 놀라운 말씀을 전한다. 우리는 이를 어떻게 이해해야 할까?

먼저 우리는 영적 존재다. 이미 모든 것을 기억하고 있는 존재라는 뜻이다. 이 물질계의 상대성과 대립물은 실제가 아닌 환상이다. 우리가 무엇을 선택하느냐에 따라 현실이 창조된다.

또한 신은 한꺼번에 모든 것을 창조했다. 이에 모든 것을 기억하고 있는 영적 존재라면 이미 존재하고 있는 것에서 자신이 원하는 것을 선택해 재창조하면 된다. 고진재들은 의식의 발전과 함께 이런 영적 존재로서의 자유선택권을 깨닫고 있을 것이다.

군이 자신의 긍정성을 체험하고자 그 대립물인 부정성이 담긴 체험을 선택할 필요가 없음을 안다는 것이다. 선함을 알고자 반드시 자신이 악함을 체험하지 않고, 다른 곳에 이미 벌어지고 있는 악함이라는 부정성을 지닌 체험을 관찰함으로써, 이를 대신할 수 있음을 알고 있다는 것으로 나는 이해한다.

신은 이 모든 비교 체험의 대상이 우주 전체에 존재하고 있으며, 우주는 비교물 사이의 거리에 상관없이 이를 제공하고 있다는 점에 우주의 위대한 비밀이 있다고 말씀한다.

하지만 월쉬는 다시 우리가 직접 추위를 체험한 적이 한 번도 없다면, 아주 멀리 떨어진 다른 곳의 추위를 관찰한다고, 어떻게 추위가 뭔지를 알 수 있느냐고 물었다.

이에 신은 우리가 영적 존재이기에 이미 모든 생애 속에서 모든 것을 체험했고, 그것들은 우리 기억 속에 새겨졌음을 다시 한 번 강조했다. 앞서 여러 차례 성찰했듯이 우리는 그냥 기억해내기만 하면 된다는 것이다.

신은 이를 깨닫는 것이 바로 영적 혁명임을 재차 강조한다. 이번 생의 이 순간에, 이 행성에서, 이런 물질 형상을 하고서, 체험하고 싶은 부분을 그중에서 선택하는 일을 하고 있을 뿐이란 사실을 깨닫는 것이 바로 영적 혁명이라 말씀한다.

고진재들은 이 점을 잘 알고 있다는 것이다.

나는 고진재들이 어떻게 자신들이 직접 악함이나 고통이 담긴 부정성을 체험하지 않고도 긍정성을 가질 수 있는지를 이해하기가 힘들었다.

이제 나는 고진재들은 지난 모든 생애 속에서 체험한 모든 것을 기억해내거나 주위의 다른 부정성을 관찰하거나 기억해냄으로써 그 부정성을 체험하지 않거나 더 나은 선택과 체험으로 긍정성을 깨달아 갈 수 있음을 안다.

나는 다른 곳에서 이루어지고 있는 체험들을 관찰하거나, 영적 존재인 우리의 기억 속 모든 체험을 기억해내는 방식에 기초한 새로운 깨달음과 열의로 우리 사회의 영적 혁명을 불러올 수 있음을 안다. 나도 그 혁명가의 한 사람이 될 수 있음을 안다.

나는 영적 존재로서 모든 것을 기억하고 있음을 알고, 이 순간에, 이 행성에서, 이 몸의 형상으로 내가 원하는 체험을 선택할 수 있다는 것이 우주의 비밀이요, 선물임을 안다.

우리도 대립물인 부정성을 체험할 필요가 없어

앞서 고진재들은 자신들의 긍정성을 알고자 그 대립물인 부정성을 체험할 필요가 없다는 것을 깨닫고 있음을 성찰했다. 우주의 다른 곳, 즉 지구와 같은 곳의 부정성을 관찰함으로써 자신의 긍정성을 인식한다는 것이었다.

그렇다면 우리도 그렇게 할 수 있지 않을까? 신은 우리도 부정적 체험이 필요 없다고 말씀한다. 우리 아닌 모든 걸 제거할 수 있다는 것이다. 어떻게 그것이 가능할까?

만약 그럴 수 있다면, 온통 고통스런 삶으로 엉망진창이 되어버린 절망을 단숨에 희망으로 바꿀 수 있는 놀라운 비법이 아니겠는가. 굳이 대립물을 불러들여 너무도 힘들게 깨달아야만 했던 사랑과 평화가 아니었던가. 그럴 수 있다면, 그것이야말로 축복과 은총이다.

이에 신은 우리도 그냥 다른 곳에서 이미 창조된 것을 관찰하기만 하면 된다고 말씀한다. 그냥 그것이 존재한다는 걸 기억해내기만 하면 된다는 것이다. 우리는 이를 어떻게 이해해야 할까?

앞서 우리는 여러 차례 신은 우주 만물을 한꺼번에 창조했음을 성찰했다. 우주의 모든 상황과 사건은 이미 일어났다. 우리는 영적 존재이기에 이미 그 모든 것을 체험했다. 이 물질계의 인간 체험을 위해 잠시 그 기억을 잊고 있을 뿐이다.

또한 앞서 시간은 존재하지 않으며, 존재하는 건 지금 이 순간뿐임도 성찰했다. 우리의 생각에너지는 시공간을 초월해 단숨에 어디든지 갈 수 있다. 우리는 행성의 어딘가에 존재하는 부정적 체험을 관찰할 수 있으며, 우리가 체험했던 모든 것을 기억해낼 수 있다.

이에 신은 우리가 할 수 있는 일은 위를 쳐다보는 것뿐이라 말씀한다. 이는 무슨 뜻일까?

나는 명상을 통해 참된 각성 상태를 거쳐 완전자각을 이루라는 뜻으로 이해했지만, 아니란다. 그야말로 별을 보고, 빛을 보며, 연관되는 영역을 관찰하라는 의미란다.

이해하기 쉽지 않지만, 그렇게 하면 자신이 체험했던 과거와 미래의 모든 것을 볼 수 있다는 것이다. 수백 또는 수억 광년이 걸려 우리에게 다가온 빛은 사실 엄청난 과거에서 온 것이다. 그 과거는 우리가 함께 했던 과거 또는 미래일 수 있다는 것이다.

그렇다면 우리의 관찰 기술을 어떻게 발전시킬 수 있을까?

신은 모든 건 지금 이 순간뿐임을 자각하라 말씀한다. 시간이 존재하지 않는다면, 존재하는 모든 것은 지금 일어나고 있다. 우리가 행성마다 존재하는 자신들과 서로 다른 순간들을 체험할 수 있는 것은 우리 자신들 간의 거리 때문이다. 만약 시공간이 존재하지 않는 환상이라면, 우리가 보게 될 과거와 미래란 건 결국 존재하는 지금에 불과하다는 것으로 나는 이해한다.

이에 신은 만사가 바로 지금 여기서 일어나고 있는 것임을 이해할 때, 우리가 보는 어떤 것도 진짜가 아님을 이해하게 되리라 말씀한다. 이는 무슨 뜻일까?

거듭되는 말이지만 이미 만들어져 있는 것을 다시 체험하는 이 환상의 과정을 이해해야 한다. 굳이 고통스런 부정적 체험을 선택할 필요가 없는 것이다. 우리는 이미 존재하는 무수한 긍정적 체험들 중 원하는 것을 선택하면 된다는 뜻이라 나는 이해한다.

나는 나의 전 생애가 수많은 행성 속에서 지금 이 순간 특별한 체험으로 존재하고 있음을 안다. 언젠가는 시간과 공간의 환상을 거두어내고 만사가 지금 이 순간 여기서 일어나고 있음을 알게 될 것임을 안다.

나는 위를 쳐다보라는 것은 과거 우리가 체험했던 모든 삶이 이루어지고 있는 맥락을 기억해내고 관찰하라는 것임을 안다. 그리고 나는 지금 이 순간 여기에서 내가 체험하고 있는 내 삶을 위대하고 경이로운 것으로 재창조해 나가면 됨을 안다.

이제 나는 내 자신도 참된 자신이 되고자 굳이 대립물과 부정성을 체험할 필요가 없음을 안다. 나는 이는 그냥 다른 곳에서 이미 창조된 것을 관찰하기만 하면 되며, 그냥 그것이 존재한다는 걸 기억해내기만 하면 된다는 것을 안다.

나는 우리 모두가 이를 깨달을 수 있다면, 우리 세상을 힘들고 고통스럽게 하는 부정성을 제거함으로써 우리의 삶을 사랑과 평화로 가득 찬 긍정성으로 지금 당장 바꿀 수 있다는 뜻임을 안다.

우화 <작은 영혼과 태양> 속 작은 영혼의 약속

신이 전하는 놀라운 우화 <작은 영혼과 태양>의 후반부 속 작은 영혼의 약속인 "우리 모두가 천사였음을 잊지 않겠다."고 한 것은 신이 우리에게 한 약속임을 말씀한다. 이를 우리는 어떻게 이해해야 할까?

이 우화 속 작은 영혼은 무한한 사랑만이 존재하는 절대계의 자유로움 속에서 존재한다. 물고기가 물의 존재를 모르듯이 말이다. 그러다 문득 그를 체험해 보고픈 강렬한 염원이 생긴다. 신과의 대화 속에서 그 체험을 위해서는 대립물이 존재해야 하고, 나 아닌 존재가 되어야 하는 참으로 어려운 선택이 필요함을 알게 된다. 이에 작은 영혼은 용서를 체험해 보기로 결단했고, 기꺼이 용서해 줄 대립물인 악역을 맡아준 다른 천사에게 약속한다. 그 약속은 나를 힘들게 한 최악의 순간에도 우리 모두가 천사였음을 잊지 않겠다는 것이었다.

앞서 우리가 여러 차례 성찰한 바대로 우리 모두는 신의 창조물이다. 존재 전체의 부분들이다. 우리 모두는 다르면서 하나인 이분법적 존재다. 개념으로만 알고 있는 신성의 모든 부분을 체험으로도 알기 위해 상대성과 대립물이 존재하는 물질계를 창조했다. 그 모든 체험이 끝나면 우리는 다시 신과 하나 됨으로 돌아간다. 그리고 다시 우주 수레바퀴를 돌린다.

신은 모든 것을 한 순간에 창조했다. 존재하는 건 지금 이 순간뿐이다. 우리가 체험하는 건 신의 완벽한 각본에 의해 연출되는 한 편의 장대한 연극이다. 그는 환상이다. 궁극적 실체는 절대계 뿐이다.

이에 우리 모두가 우주 수레바퀴 속 영원한 순환 과정에서 영적 존재로 인간 체험을 하고 있음을 자각한다면, 그것이 환상이요, 연극임을 깨닫는다면, 각자의 영적 진화 과정에 따른 역할, 서로의 요청에 따라 합의해 맡은 역할을 연기하는 배우들임을 알게 될 것이다.

어느 배우가 또는 배우들이 우리를 심하게 다치게 하고, 말할 수 없을 만큼 힘들게 한다 해도, 그것은 서로의 요청과 합의에 의해 연기되는 한 편의 위대한 연극임을 우리가 자각한다면, 우리는 모든 상황과 사건들을 이해하고 용서하며 즐길 수 있을 것이다.

연극이 끝나면 우리는 감동해 눈물을 흘릴 것이고, 서로를 격려하며 축하해 줄 것이다. 진짜 같은 환상적인 연기는 우리의 진정한 체험으로 모두를 성장시키는 자산이 될 것이다. 우리는 언젠가는 반드시 다시 신의 품으로 돌아갈 수 있음을 안다. 우리 모두는 신의 창조물이요, 천사들임을 안다.

나아가 우리는 이미 모든 것을 체험했다. 모든 것을 기억하고 있는 영적 존재다. 지금 이 순간만이 있을 뿐이다. 우리는 자유선택권을 지닌 영적 존재다. 우리는 생명에너지 그 자체다. 우리가 생각하면 물질이 창조된다.

따라서 우리가 생각하지 않으면, 모든 건 사라진다. 신은 아무 것도 중요하지 않다고 말씀했다. 우리가 생각하고 선택할 때, 그 때에 모든 것이 중요해진다. 그래서 우리는 관찰한다. 우리가 잘 관찰하고, 선택할수록 우리는 진화한다고 나는 이해한다.

나는 신의 이 놀라운 우화 <작은 영혼과 태양>을 통해 영적 존재인 우리 인간 체험의 목적이 무엇인지를 안다. 신의 더 큰 계획도 깨닫는다. 우리 모두가 그 완벽한 각본과 연출로 진행되는 연극의 배우들임도 안다.

나는 이 신의 더 큰 계획을 믿으며, 그 속에 담겨진 모든 것이 우리 모두의 요청과 합의에 의해 이루어지는 환상임을 안다. 그 우주 수레바퀴의 장대한 과정을 이끌어가는 게 나임을 안다.

나는 "아무것도 중요하지 않다."는 우주의 이치를 깨달으며 내가 원하는 선택으로 나의 영적 존재로서의 삶을 창조해 낼 수 있음을 자각한다. 이에 나는 끝없이 관찰하고 또 관찰하며 내가 원하는 삶과 세상을 만들어 갈 수 있음을 안다.

22. 진리의 메시지

※ 우리가 이해해야할 가장 중요한 진리와 지혜는?

우리의 진화 단계에서 가장 중요한 진리와 지혜

신은 우리의 진화 단계에서 이해해야할 가장 중요한 진리와 지혜 세 가지를 말씀한다. 이를 우리는 어떻게 이해해야 할까?

그 첫 번째 진리는 우리 모두는 하나다 이다. 앞서 우리는 여러 차례 우리가 영적 존재로 신성을 체험하기 위해 이 행성에서 인간 체험을 하고 있음을 성찰했다. 대립물이 존재하는 이 물질계의 모든 상황과 사건들이 진짜가 아닌 환상이다. 그럼에도 그 모든 것이 실재 하는 것인 양 환상에 젖어 뒤죽박죽 엉망진창의 세상을 만들고 있다.

분리주의와 적자생존의 잘못된 현실 인식이 우리 사회를 약육강식의 동물 세상으로 만드는 주범이다. 태어날 때부터 죄를 지니기에 구원받아 천국에 가기 위해서는 신의 심판을 통과해야 한다는 신화를 아직도 신봉한다.

그러나 우리는 신의 창조물이다. 신의 사랑은 무한하다. 전능한 신이 무엇이 두려워 신의 창조물인 우리를 심판하겠는가. 신은 우리가 원하는 것을 원한다. 신과 우리가 하나이기 때문이다. 따라서 우리 모두는 하나이기에, 사랑은 지금 무엇을 하려 하는가만 있을 뿐임을 나는 이해한다.

두 번째 진리는 충분히 있다 이다. 나는 전능하며 사랑 그 자체이고 무한하며 영원한 존재 전체인 신이 자신의 신성을 체험으로도 알기 위해 무수한 부분들인 영혼을 창조했음을 안다. 그런 신이 자신이면서 자신의 창조물인 개별 영혼들이 인간 체험을 하고 있는 이 지구라는 세상의 모든 만물을 창조하시면서 도대체 무슨 이유로 부족함이 있도록 하겠는가.

나는 신은 우리에게 우리가 원하는 체험을 하는 데 필요한 자원을 충분히 제공하고 있음을 믿는다. 나아가 신은 우리에게 언제든지 얼마든지 다시 할 수 있고, 새롭게 할 수 있는 무한한 선택권과 기회를 충분히 주고 있음도 자각한다.

우리가 해야 할 일은 그냥 그것을 잘 나누기만 하면 된다. 충분히 있는 것을 나누는 기초적인 일도 잘 해내지 못해 이 세상을 차별과 경쟁, 갈등과 폭력이 난무하게 만들고 있음을 나는 관찰한다.

세 번째 진리는 우리가 해야 할 일은 아무것도 없다 이다. 앞서 우리는 무엇을 하려 애쓸 필요가 없음을 성찰했다. 우리가 해야 할 일은 우리가 원하는 그 곳에 있으면 된다. 행복해지기 위해 노력해야 하는 것이 아니라, 행복한 존재로 가 있으면 되는 것이다.

돈이 있어야 원하는 일을 할 수 있고 그래야 행복한 존재가 되는 것이 아니라, 행복한 존재로 있으면 즐겁게 일할 수 있고 그러면 돈도 벌 수 있다는 존재-행위-소유의 법칙이 중요하다는 것이다.

또한 우리의 생각과 말과 행동은 그 자체로 에너지를 발생시키고, 그것이 지속되면 물질을 창조한다. 모든 상황과 사건은 우리의 개인 및 집단의식의 결과임을 성찰했다. 부정적 생각이나 걱정은 부정적 생각과 걱정을 끌어당긴다. 그렇다면 우리가 그런 생각과 말과 행동을 하지 않는다면 그런 상황과 사건들도 그 즉시 사라질 것이다.

신은 우리가 원하는 것을 원한다. 따라서 우리가 해야 할 일은 없다. 지금 이 순간 내가 되고 있는 것, 되고자 하는 것만 있다. 우리는 자신이 원하는 그곳에 있으면 된다. 나는 이것이 신이 전하는 세 가지 진리와 지혜임을 자각한다.

나는 우리 모두는 하나이며, 충분히 있고, 우리가 해야 할 일은 아무것도 없음이 우리 진화 단계에서 이해해야할 가장 중요한 진리임을 안다.

나는 사랑이라는 존재 그 자체로 있음으로서 모두와 하나 되는 지금 이 순간 이 자리가 천국이며, 내 자신이 지금 거기에 있음을 안다.

나는 행복 하고 싶거나 사랑 그 자체인 참된 자신이 되고 싶다. 이에 나는 행복과 사랑을 물질계 체험으로 새롭게 재창조하며 깨닫고자 한다. 나는 이 깨달음이 지금 여기 이 순간의 행복함에 있고, 사랑함에 있으면 된다는 것을 안다.

우리 모두에게 전해주실 진리의 메시지

나 역시 월쉬와 마찬가지로 이 대화를 만나기 전까지는 내가 누구인지, 우리의 삶이 왜 이렇게 힘들고 고통스러워야 하는지, 나는 어떤 존재가 되고자 하는지, 왜 세상은 이렇게 만들어졌고, 그 세상

은 왜 이렇게 엉망진창인지, 좀 더 조화롭고 평화로운 행복한 세상
은 어떻게 만들 수 있는지 등 끝없는 의문 속에 몹시 답답하고 외
로웠던 것이 사실이다.

그러나 이제 나는 이 『신과 나눈 이야기』를 만나 책을 읽고 또
읽으며, 수많은 의문에 대한 신의 너무도 설득력 있고, 거부할 수 없
는 명확한 진리와 무한한 신의 사랑이 듬뿍 담긴 말씀을 접할 수
있었다.

그 깊고 장대하면서도 지극히 단순하고 친절한 말씀을 만나고 또
다시 만나면서 나는 나의 모든 의문을 해결할 수 있었다. 그 이해가
깊어지고, 하나하나 그 의미를 깨달으며 마음은 점점 더 평화로워졌
다. 내가 누구인지, 내가 되고자 하는 존재가 어떤 존재인지를 알게
되었다.

이로서 이제 가서 가장 고귀한 존재가 되고, 너희 세상을 바꾸라
는 신이 말씀을 진정으로 이해하게 되고, 가슴에 담을 수 있게 되었
다. 이것이 나와 우리의 운명임을 자각하게 되었다. 이제 나와 우리
모두가 가야할 길임을 알게 되었다.

이제 영적 존재로서 신의 무한한 사랑을 믿고, 우리의 세상을 변
화시키고 우리의 문화사를 새롭게 써 가는 길에 다함께 동참해야 함
을 깨닫게 되었다. 나부터 그 사자의 역할을 해낼 수 있음을 인정하
고 선언하며 드러낼 수 있게 되었다.

나는 이제 오로지 되어 있기만 하면 된다는 신의 말씀도 이해한
다. 내 자신이 어떤 사자의 역할을 원하는지 나는 안다. 나는 자신이
원하는 그 곳에 가 있으면 된다는 것을 안다. 나는 내 자신이 되어

390

있고자 하는 그 곳에 가 있으면 된다는 것을 자각한다.

나는 이제 신이 우리 모두를 사랑하며, 신의 사랑은 언제나 우리 것임을 안다. 그 사랑은 무한하며 영원할 것임을 안다.

나는 이것이 신이 나에게 전하는 마지막 진리의 메시지임을 기쁨과 함께 자각한다.

나는 진리와 기쁨과 사랑의 전부가 신이요, 우리 모두는 신과 하나임을 기억한다.

나는 이 책과 자신이 전하는 이 메시지의 고귀함을 놀라운 선물로 받아들였고, 이 깨달음을 모든 사람과 함께 나누며 세상을 바꾸는 일을 할 사자임을 안다.

나는 내게 주신 지극한 신의 은총과 축복에 무한한 감사를 드린다.